HARRAP'S

Grammaire anglaise

HARRAP

© Larousse, 2010
21, rue du Montparnasse
75283 Paris Cedex 06
France

ISBN 978 0245 51011 3

HARRAP est une marque de Larousse SAS.
Harrap® est une marque déposée.
www.harrap.com

Maquette et photocomposition : Chambers Harrap Publishers Ltd, Edinburgh

Dépôt legal : mai 2010
Imprimé en Espagne par Macrolibros
304487-07/11034426 - Novembre 2016

Rose Rociola

et

Sheena Andromaque-Kemp

Illustrations

Glen McBeth

Coordination éditoriale

Nadia Cornuau

Direction éditoriale

Patrick White

Prépresse

Heather Macpherson

Direction prépresse

Clair Simpson

Sommaire

[k]	clean, kick	couleur

- En position initiale, le **k** ne se prononce pas devant le **n** : **knee, knife, knit, knock, knot, know**, etc.
- Notez aussi que **ch** se prononce [k] dans certains mots anglais : **chemical, chemist, cholera, cholesterol, psychiatric, psychic, schedule** (prononciation américaine, voir p. 8), etc.

[l]	lip, pill	lilas
[m]	mummy, ham	maman
[n]	nothing, pen, know	né
[ŋ]	ring, song	parking
[p]	paper, nap	papier
[r]	red, write	Ce son n'a pas d'équivalent français : il se prononce en plaçant le bout de la langue au milieu du palais.

> Le **l** ne se prononce pas toujours. C'est le cas dans les mots **almond, calm, half, walk**, etc.

- Le **r** ne se prononce pas toujours en Angleterre. C'est le cas dans les mots **iron, warm, work, worst**, etc. En position finale, il ne se prononce que pour faire la liaison avec un autre mot commençant par une voyelle : **hour** [aʊə] → **an hour and a half** [ən aʊər ənd ə hɑːf] ; **car** [kɑː] → **the car is blue** [ðə kɑːr ɪz bluː].
- Cependant, le **r** se prononce toujours dans certains pays anglophones, notamment aux États-Unis (voir p. 8).

[s]	sauce, science, psychology	sauce
[ʃ]	ship, smash, nation	chèvre
[t]	tip, bottom, boat, cute	tartine
[tʃ]	chips, batch	atchoum
[θ]	thick, thought, arithmetic, bath	
[ð]	this, though, although, with	

> Notez que les mots commençant par **psy-** se prononcent [saɪ-] en anglais.

! Attention à bien prononcer ces deux sons qui n'existent pas dans la langue française. Ils se prononcent tous les deux en plaçant le bout de la langue entre les dents du haut et celles du bas, mais le son [θ] se rapproche du /s/ français et le son [ð] du /z/ français.

[v]	vague, give, of	vague
[z]	zip, physics, criticism, dessert	rose
[ʒ]	pleasure, usually	je
[χ]	loch	Ce son n'existe que dans certains mots écossais. Il n'a pas d'équivalent français : il se prononce du fond de la gorge, comme Ba**ch** en allemand ou la « jota » espagnole.

Prononciation et orthographe

Semi-consonnes (aussi appelées « semi-voyelles »)		
[j]	**y**ellow	*yaourt*
[w]	**w**et, **wh**y	*whisky*

- En position initiale, le **w** ne se prononce pas devant le **r** : **wrap**, **wrestling**, **wrist**, **write**, **wrong**, etc.
- Les Américains (et les Écossais) mettent un son [h] devant le **w-** dans les mots **what**, **when**, **where**, **which** (≠ **witch**), **why**, contrairement aux Anglais qui ne prononcent pas le **h** dans ces mots-là (**which = witch**).

Pour la prononciation du **-s** du pluriel ([s], [z] ou [ɪz]), voir p. 22.

■ Sons vocaliques

Les voyelles anglaises sont soit longues, soit courtes. Les voyelles longues sont indiquées phonétiquement par deux points : [ɑː], [ɜː], etc.

Attention, la longueur des sons ne correspond pas toujours à la graphie ; par exemple, **look** se prononce avec un /ou/ bref tandis que **move** se prononce avec un /ou/ long. Il est vrai toutefois que le /i/ long correspond souvent à deux lettres (**leave**, **feet**).

Rares en français, les diphtongues et les triphtongues sont des sons très courants en anglais. Une diphtongue est la combinaison de deux sons vocaliques, et une triphtongue, de trois.

Le tableau ci-après commence par passer en revue les voyelles simples, suivies des diphtongues, pour finir avec les triphtongues. Ce tableau présente les sons vocaliques tels qu'ils sont prononcés dans la prononciation standard de l'anglais. Certaines voyelles se prononcent par exemple différemment aux États-Unis ou en Écosse.

API	Exemples en anglais	Exemples en français ou explications
Voyelles		
[æ]	**a**nt, **a**lphabet, c**a**t, h**a**t	*natte*
[ɑː]	**au**nt, **a**lso, b**a**th, f**a**ther, gl**a**ss, c**a**r, f**a**r, l**a**rge, c**a**lm, h**a**lf, h**ea**rt	*pâte*

[ʌ]	ugly, duck, cup, funny, other, mother, brother, love, some, come, comfortable, above, month, thorough, wonderful, worry, blood, young	Il s'agit d'un son à mi-chemin entre un /a/ et un /e/ ouverts.

! Comme le montrent les exemples ci-contre, le son [ʌ] ne correspond pas forcément à la graphie **u**. Retenez que la lettre **o** se prononce aussi souvent [ʌ] (ou [ɜː] s'il s'agit d'un son long).

[ɜː]	curtain, turtle, bird, shirt, were, word, work, worm, worst	*heure*
[e]	edge, set, pen, bed, said, death, breath	Il s'agit d'un son /e/ moins ouvert que le [ɛ] français.
[ə]	about, again, addition, alphabet, Jamaica, objective, potato, suppose, dubious, utter, author, favour, Italian, woman, children, thorough, Britain	*cheval* Ce son, que l'on appelle « schwa », est très courant en anglais : il ne peut correspondre qu'à une voyelle – et jamais une diphtongue – non accentuée (voir p. 6). Lorsqu'il est suivi d'un **r**, celui-ci ne se prononce pas en Angleterre (voir p. 8).
[ɪ]	it, live, fit, ship, big, village, begin, eternal, women, easy	

! Attention à bien faire la différence entre ces deux sons pour éviter toute confusion à l'oral : **it ≠ eat, live ≠ leave, fit ≠ feet, ship ≠ sheep, mill ≠ meal**, etc.
· [ɪ] = /i/ bref, à mi-chemin entre les sons [ɛ] et [i] français (plus proche de « n**e**t » que de « v**i**te »).
· [iː] = /i/ plus long que le [i] français.

[iː]	eat, leave, feet, sheep, key, beach, see, sea, easy, breathe	
[ɒ]	obstacle, not, hot, lock, what, want, was, watch, cough	Comme le **o** de « bonne », mais plus ouvert et prononcé au fond du palais.
[ɔː]	author, story, caught, thought, wall, board, door, horse, cork, lord, walk, war, warm, law	Comme le **au** de « baume », mais plus ouvert et prononcé au fond du palais.
[ʊ]	put, full, cook, foot, look, wolf, wood	Il s'agit d'un son à mi-chemin entre un /ou/ bref et un /o/ ouvert.
[uː]	move, moon, room, shoe, two, blue, youth, through	Il s'agit d'un son /ou/ prolongé.
Diphtongues		
[aɪ]	eye, I, ice, idea, why, high, lie	*aïe*

[aʊ]	**out**, l**ou**d, ar**ou**nd, **sou**th, h**ow**, c**ow**, n**ow**, br**ow**n, pl**ough**	Comme « mi**aou** » ou « **aoû**tat », mais se prononce comme un seul son.
[eə]	sh**are**, h**air**, b**ear**, wh**ere**	*flair*
[eɪ]	**eigh**t, **a**ble, l**a**te, m**a**ke, m**ai**n, d**ay**, s**ay**, b**a**the	*merveille*
[əʊ]	**o**nly, h**o**me, ph**o**ne, al**o**ne, als**o**, g**o**, n**o**, kn**ow**, l**ow**, sh**ow**, sl**ow**, c**oa**t, r**oa**d, t**oe**, s**ou**l	Combinaison d'un /o/ fermé et d'un /ou/. Attention à bien faire la différence entre tous les sons /o/. Par exemple : **not** [ɒ] ≠ **nought** [ɔː] ≠ **note** [əʊ].
[ɪə]	**ear**, b**eer**, b**ear**d, h**ear**, h**ere**, id**ea**, th**ea**tre	Combinaison d'un /i/ long suivi d'un /e/ ouvert bref.
[ɔɪ]	b**oy**, s**oi**l	*langue d'**oï**l*
[ʊə]	s**ure**, t**our**, p**oor**	Combinaison d'un son /ou/ suivi d'un /e/ ouvert bref.
Triphtongues		
[aɪə]	**fire**, **higher**	
[aʊə]	**hour**, sh**ower**, fl**our**	Les triphtongues sont formées d'une diphtongue suivie du *schwa*. On a donc trois sons vocaliques à la suite.
[eɪə]	**player**	
[əʊə]	**lower**	
[ɔɪə]	**lawyer**	

→ Tous ces exemples montrent bien qu'une même lettre (ou groupe de lettres) peut se prononcer de diverses manières, de même qu'un même son peut s'écrire différemment selon le mot.

Attention aux homographes qui ont une prononciation différente. Par exemple :

a row [reʊ] (*un rang, une rangée*)	≠	**a row** [raʊ] (*une dispute*)
a tear [tɪə] (*une larme*)	≠	**to tear** [teə] (*déchirer*)
the wind [wɪnd] (*le vent*)	≠	**to wind** [waɪnd] (*enrouler*)

→ La terminaison **-ed** se prononce [d] après une voyelle, [d] ou [t] après une consonne et [ɪd] après les lettres **d** et **t** : **named** [neɪmd], **rolled** [rəʊld], **popped** [pɒpt], **asked** [ɑːskt], **nodded** ['nɒdɪd], **adopted** [ə'dɒptɪd].

Notez qu'il y a doublement de la consonne lorsque le mot se termine par une consonne précédée d'une voyelle accentuée (voir **Accentuation** p. 6). La syllabe accentuée est ici soulignée :

to <u>stop</u> → sto**pp**ed, to e<u>quip</u> → equi**pp**ed, etc.

≠ to de<u>ve</u>lop → developed

2 L'accentuation et l'intonation

■ Accentuation

L'anglais est une langue accentuée ; contrairement au français, les syllabes se prononcent avec une intensité différente. On distingue les accents de phrase des accents de mots.

→ Au sein d'une phrase : les mots « porteurs de sens » sont accentués à l'oral tandis que les mots moins importants ne le sont pas :

Mots accentués	Mots non accentués
· noms · verbes · adjectifs · comparatifs · superlatifs · adverbes · pronoms possessifs, démonstratifs, interrogatifs · formes négatives contractées des auxiliaires · prépositions placées en fin de phrase (voir p. 208)	· articles · pronoms personnels · pronoms réfléchis · auxiliaires · prépositions · conjonctions · adjectifs possessifs, démonstratifs, interrogatifs

Il s'agit là de règles générales. Il est en fait possible d'accentuer n'importe quel mot de la phrase sur lequel on veut insister. Certains « mots grammaticaux » (prépositions, pronoms, auxiliaires, etc.) ont donc deux prononciations possibles selon qu'ils sont accentués ou non (voyelle forte ou *schwa*). Par exemple, la syllabe du pronom **them** est généralement inaccentuée ; **them** se prononce alors [ðəm] (*schwa*). Mais lorsqu'on veut insister sur ce mot, on le prononce [ðem] (voyelle forte). De même, **and** = [ənd] ou [ænd] ; **are** = [ə] ou [ɑː] ; **does** = [dəz] ou [dʌz] ; **of** = [əv] ou [ɒv], etc.

→ Au sein d'un mot (accent tonique) : les mots accentués dans la phrase et composés de plus d'une syllabe portent deux types d'accents toniques, à savoir un accent primaire (syllabe la plus accentuée à l'oral) et un accent secondaire (syllabe un peu moins accentuée). Les mots de plus de deux syllabes ont donc toujours un accent primaire, un accent secondaire et une ou plusieurs syllabes inaccentuées. C'est cette alternance qui fait de la langue anglaise une langue rythmée (le rythme est binaire : alternance régulière des syllabes accentuées et non accentuées).

L'accent primaire est marqué en phonétique par une apostrophe devant la syllabe en question tandis que l'accent secondaire est mis en indice : **information** [ˌɪnfəˈmeɪʃən].

Voici quelques règles d'accentuation (ce sont là des règles générales ; il existe bien sûr des exceptions) :

Accent sur la dernière syllabe	Exemples
verbes terminés par deux consonnes (règle qui ne s'applique pas aux noms)	to inform [ɪn'fɔːm] to present [prɪ'zent] ≠ a present ['prezənt] to recommend [ˌrekə'mend] to record [rɪ'kɔːd] ≠ a record ['rekɔːd]
mots en -ee ou -eer	to agree [ə'griː], volunteer [ˌvɒlən'tɪə]
mots en -elle ou -ette	aquarelle [ˌækwə'rel], cigarette [ˌsɪgə'ret]
mots en -esque	picturesque [ˌpɪktʃə'resk]
mots en -oo ou -oon	tattoo [tə'tuː], balloon [bə'luːn]
Accent sur l'avant-dernière syllabe	**Exemples**
mots en -ian, -ion ou -ious	Italian [ɪ'tæljən], information [ˌɪnfə'meɪʃən], oblivious [ə'blɪvɪəs]
mots en -ic ou -ics	economic [ˌiːkə'nɒmɪk], mathematics [ˌmæθə'mætɪks]
Accent sur l'avant-avant-dernière syllabe	**Exemples**
mots en -graphy ou -grapher	biography [baɪ'ɒgrəfɪ], photographer [fə'tɒgrəfə]
adjectifs en -ible (-ible = deux syllabes à l'oral : [əbəl])	responsible [rɪ'spɒnsəbəl]
mots en -ity ou -itive	responsibility [rɪˌspɒnsə'bɪlɪtɪ], sensitive ['sensɪtɪv]
mots en -logy	apology [ə'pɒlədʒɪ]
adjectifs en -ous	generous ['dʒenərəs]

L'ajout de certains suffixes, appelés « suffixes faibles », ne modifie pas la place de l'accent primaire : economic → economical ; generous → generously, etc. Les principaux suffixes faibles sont **-able**, **-acy**, **-al**, **-ally**, **-ar**, **-dom**, **-ed**, **-er**, **-es**, **-est**, **-ful**, **-ing**, **-less**, **-ly**, **-ment**, **-ness**, **-or**, **-s**, **-ship**, **-y**.

→ Les noms composés (voir p. 26) sont généralement accentués sur le premier mot : **blackbird** ['blæk,bɜːd], **basketball game** ['bɑːskɪtbɔːl,geɪm], **searchlight** ['sɜːtʃ,laɪt], etc. Cependant, les adjectifs composés (voir p. 99) sont souvent accentués sur le deuxième mot, sauf lorsqu'il sont suivis d'une syllabe accentuée : **second-hand** [,sekənd'hænd] → **a second-hand car** ['sekənd,hænd'kɑː].

■ Intonation

L'intonation de la fin de la phrase est soit montante, soit descendante :

Intonation descendante	Intonation montante
· phrases affirmatives · phrases interrogatives commençant par **what**, **when**, **where**, **which**, **why** (contrairement au français où l'intonation des questions est montante) · *question tags*, lorsqu'on veut une simple confirmation : on connaît déjà la réponse (voir p. 282) · phrases exclamatives · phrases à l'impératif	· phrases interrogatives commençant par un auxiliaire · phrases interrogatives exprimant la surprise · phrases interrogatives reprenant les mêmes mots de la phrase énoncée par l'interlocuteur (pour demander de répéter une information, etc.) · *question tags*, lorsque ce sont de vraies questions : on ne connaît pas la réponse (voir p. 282)

3 L'anglais britannique et l'anglais américain

■ Prononciation et accentuation

→ L'accent américain est différent de l'accent anglais. Par exemple, **tomato** se dit [tə'meɪtəʊ] en anglais américain et [tə'mɑːtəʊ] en anglais britannique. Voici d'autres exemples :

	Prononciation britannique	Prononciation américaine
clerk	[klɑːk]	[klɜːk]
leisure	['leʒə]	['liːʒər]
privacy	['prɪvəsɪ]	['praɪvəsɪ]
schedule	['ʃedjuːl]	['skedjʊl]
tube	[tjuːb]	[tuːb]
vase	[vɑːz]	[veɪs]
z	[zed]	[ziː]

Le **r**, qui disparaît souvent en Angleterre, est toujours prononcé en américain : **mother** se dit ['mʌðər] aux États-Unis et ['mʌðə] en Angleterre.

→ L'accent tonique est lui aussi parfois différent : **address** se dit ['ædres] en américain et [ə'dres] en anglais britannique. La place de l'accent tonique influe souvent sur la prononciation des voyelles. Voici d'autres exemples :

	Prononciation britannique	Prononciation américaine
advertisement	[əd'vɜːtɪsmənt]	[ædvər'taɪzmənt]
ballet	['bæleɪ]	[bæl'eɪ]
Birmingham	['bɜːmɪŋəm]	[bɜːrmɪŋ'hæm]
fillet	['fɪlɪt]	[fɪ'leɪ]
garage	['gærɪdʒ]	[gə'rɑːʒ]
laboratory	[lə'bɒrətərɪ]	['læbrətɔːrɪ]
pecan	['piːkən]	[pɪ'kæn]

Prononciation et orthographe

■ Orthographe

Bien que certains mots s'écrivent différemment de l'autre côté de l'Atlantique, la prononciation reste souvent la même.

Orthographe britannique		Orthographe américaine	
-ae-	anaemia, haemoglobin	-e-	anemia, hemoglobin
-c-	defence, licence (*nom ; le verbe s'écrit avec un* -s-)	-s-	defense, license (*nom + verbe*)
-l-	instalment, enrol	-ll-	installment, enroll
-ll-	travelled, marvellous	-l-	traveled, marvelous
-moul-	mould, smoulder	-mol-	mold, smolder
-our	colour, favour	-or	color, favor
-re	centre, metre	-er	center, meter
-s-	practise (*nom ; le verbe s'écrit avec un* -c-)	-c-	practice (*nom + verbe*)
-yse	analyse, paralyse	-yze	analyze, paralyze

Mais aussi :

G-B	E-U
aluminium	aluminum
cheque	check
kerb	curb
grey	gray
jewellery	jewelry
moustache	mustache
mum	mom
pyjamas	pajamas
sceptic	skeptic
tyre	tire
whisky	whiskey

■ Vocabulaire

C'est au niveau du vocabulaire que l'on rencontre le plus grand nombre de différences entre l'anglais américain et l'anglais britannique. Le tableau suivant (non exhaustif) présente quelques termes très employés et prêtant souvent à confusion :

Anglais britannique	Anglais américain	Français
American football	football	*football américain*
aubergine	eggplant	*aubergine*
autumn	fall (*aussi* autumn)	*automne*
back garden	back yard	*jardin de derrière*
bill	check	*addition (au restaurant)*
boot	trunk	*coffre (d'une voiture)*
braces	suspenders	*bretelles*
chemist	drug store	*pharmacie*
chips	(French) fries	*frites*
cinema	movie theater	*cinéma*
courgette	zucchini	*courgette*
cupboard	closet	*placard*
CV	résumé	*CV*
draughts	checkers	*(jeu de) dames*
engaged	busy	*occupé (ligne de téléphone)*
film (*aussi* movie)	movie	*film*
flat	apartment	*appartement*
football (*aussi* soccer)	soccer	*football*

ground floor	first floor	*rez-de-chaussée*

En anglais américain, **first floor** désigne le rez-de-chaussée, **second floor** le premier étage, **third floor** le deuxième étage, et ainsi de suite.

handbag	purse (*aussi* handbag)	*sac à main*
holiday	vacation	*vacances*
jumper (*aussi* sweater)	sweater	*pull*
lorry (*aussi* truck)	truck	*camion*
maize	corn	*maïs*
motorway	freeway, highway, expressway	*autoroute*
nappy	diaper	*couche (de bébé)*
note	bill	*billet (de banque)*
pants (*pour femmes*)	panties	*slip, culotte*
pants (*pour hommes*)	underpants, (jockey) shorts	*slip*
pavement	sidewalk	*trottoir*
petrol	gas	*essence*
post box	mail box	*boîte aux lettres*
postcode	zip code	*code postal*
postman	mailman (*aussi* postman)	*facteur*
(potato) crisps	(potato) chips	*chips*
railway	railroad	*chemin de fer*
return (ticket)	round-trip (ticket)	*aller-retour*
roundabout	traffic circle	*rond-point*
rubber (*aussi* eraser)	eraser	*gomme*
rubbish	garbage, trash	*ordures*
shop assistant	salesclerk	*vendeur, vendeuse*
single (ticket)	one-way (ticket)	*aller (simple)*
sweets	candy	*bonbons*
tap	faucet	*robinet*
tights	pantyhose	*collant*
toilet	bathroom, restroom	*toilettes*
trainers	sneakers	*(chaussures de) tennis*
tram	streetcar	*tramway*
trousers	pants	*pantalon*
underground	subway	*métro*
vest	undershirt	*maillot de corps*
wallet	billfold (*aussi* wallet)	*portefeuille*
windscreen	windshield	*pare-brise*
zip	zipper	*fermeture Éclair®*

Pour les différentes manières de dire la date en Grande-Bretagne et aux États-Unis, voir pp. 321–2.

Les articles

Points traités dans ce chapitre :

- · l'emploi de l'article indéfini **a** / **an** : la différence entre **a** et **an** ; les particularités d'emploi de l'article indéfini anglais
- · l'emploi de l'article défini **the**
- · l'absence de l'article **the** : les cas où l'article défini est présent en français mais n'est pas employé en anglais

1 L'article *a* / *an*

■ *A* ou *an* ?

a s'emploie devant un mot commençant par une consonne ou le son d'une consonne	
Consonne	**a car** [ə kɑː] *une voiture*
Son d'une consonne :	
h aspiré (la plupart des mots anglais commençant par **h**)	**a horse** [ə hɔːs] *un cheval*
Sons prononcés comme les semi-consonnes **w** /w/ et **y** /j/	**a one-way street** [ə 'wʌnˌweɪ 'striːt] *une rue à sens unique* (la première syllabe se prononce comme celle de **wonder** ['wʌndə] *merveille*) **a European** [ə jʊərə'piːən] *un Européen* **a union** [ə 'juːnən] *un syndicat* (la première syllabe se prononce comme celle de **Yugoslavian** [ˌjuːgəʊ'slɑːvɪən] *Yougoslave*)
an s'emploie devant un mot commençant par une voyelle ou le son d'une voyelle	
Voyelle ou diphtongue	**an earring** [ən 'ɪərɪŋ] *une boucle d'oreille* **an oil lamp** [ən 'ɔɪlˌlæmp] *une lampe à pétrole* **an orange** [ən 'ɒrɪndʒ] *une orange* **an umbrella** [ən ʌm'brelə] *un parapluie*
Son d'une voyelle :	
h muet (peu nombreux en anglais)	**an heir** [ən eə] *un héritier* **an honest man** [ən 'ɒnɪst mæn] *un honnête homme* } + les mots de la **an honour** [ən 'ɒnə] *un honneur* } même famille **an hour** [ən 'aʊə] *une heure*
Toutes les lettres commençant phonétiquement par le son /e/	**an MP** [ən em'piː] *un député* **an LP** [ən el'piː] *un 33 tours*

L'article **a** se prononce [ə] (ou parfois [eɪ] lorsqu'on veut insister).
L'article **an** se prononce [ən] (ou parfois [æn] lorsqu'on veut insister).

Pour en savoir plus sur les sons anglais, voir **Prononciation et orthographe p. 1.**

> **!** Le pluriel français « des » ne se traduit pas ou se traduit par un adjectif indéfini (voir **Les adjectifs et les pronoms indéfinis** p. 68) :
>
> **an orange** → *une orange*
>
> **oranges** → *des oranges*
> **some oranges** → *des oranges* [= quelques oranges]

■ Emplois

L'article indéfini **a** / **an** (*un, une*) s'emploie avec les noms dénombrables singuliers (voir **Les noms dénombrables et indénombrables** p. 28) :

→ pour présenter une chose ou une personne mentionnée pour la première fois :

I bought a new teapot.
J'ai acheté une nouvelle théière.

We saw a good film yesterday.
Nous avons vu un bon film hier.

I spoke to a woman.
J'ai parlé à une femme.

→ avec des noms de métiers :

> **!** En anglais, l'article indéfini **a** / **an** s'emploie devant les noms de professions, contrairement au français :
>
> **He's a musician.** *Il est musicien.*
> **She works as a designer.** *Elle travaille comme styliste.*
> **She became an architect.** *Elle est devenue architecte.*
>
> Cependant on omet **a** / **an** lorsqu'on fait référence à une fonction unique. Comparez :
>
> **He's a headmaster.** *Il est proviseur.*
> **He's headmaster of Greenwood High School.** *Il est proviseur de Greenwood High School.*

→ pour exprimer une généralité :

A mouse is smaller than a rat.
Une souris est plus petite qu'un rat.

→ dans un sens distributif, pour indiquer le prix, la fréquence ou la vitesse :

It's £3 a kilo.
C'est 3 livres le kilo.

Take one tablet three times a day.
Prenez un comprimé trois fois par jour.

I was driving at 20 miles an hour.
Je roulais à 20 miles à l'heure.

→ après une préposition :

She went out without an umbrella.
Elle est sortie sans parapluie.

I'm telling you as a friend.
Je te le dis en tant qu'ami.

He's always in a bad mood.
Il est toujours de mauvaise humeur.

→ dans les appositions :

His sister, a very shy girl, didn't speak to anyone.
Sa sœur, qui est très timide, n'a parlé à personne.

→ dans les négations :

I haven't got a pen.
Je n'ai pas de stylo.

→ dans certaines expressions, telles que :

to have a headache   **to have a sense of humour**
avoir mal à la tête   *avoir le sens de l'humour*

→ après **as** / **so** / **too** + adjectif :

I have never seen as fine an actor.
Je n'ai jamais vu d'acteur aussi bon.

I have never seen so clean a house.
Je n'ai jamais vu de maison aussi propre.

It's not too difficult a job.
Ce n'est pas un travail trop difficile.

→ après **what** et **such** :

What a mess!
Quel gâchis !

It's such a shame!
C'est bien dommage !

→ avec **half** :

I'll be back in half an hour.
Je reviens dans une demi-heure.

2 L'article *the*

L'article défini **the** (*le, la, l', les*) s'emploie avec les noms dénombrables et indénombrables (voir **Les noms dénombrables et indénombrables** p. 28) :

Nom dénombrable au singulier	Nom dénombrable au pluriel	Nom indénombrable
the cup *la tasse*	**the cups** *les tasses*	**the water** *l'eau*

! L'article **the** est invariable en anglais :   **the cat**   *le chat*
                                        the owl   *la chouette*

L'article **the** se prononce [ðə] devant une   **the holidays**   *les vacances*
consonne ou un **h** aspiré, et [ðɪ] devant
une voyelle ou un **h** muet (et parfois [ðiː]
lorsqu'on veut insister).

→ pour parler d'une chose ou d'une personne spécifique :

The novel I'm reading at the moment is fascinating.
Le roman que je lis en ce moment est passionnant.

→ pour parler de ce qui est connu par tous ou de ce qui a
déjà été mentionné :

I can't see the moon from here.   **Where's the coffee?**
Je ne vois pas la Lune d'ici.   *Où se trouve le café ?*

→ pour exprimer une généralité :

The mouse is smaller than the rat.
La souris est plus petite que le rat.

→ devant les noms de pays au pluriel ou formés avec **Kingdom, Union, Republic** :

the **United States** *les États-Unis*
the **Bahamas** *les Bahamas*
the **United Kingdom** *le Royaume-Uni*
the **Dominican Republic** *la république Dominicaine*

Voir aussi p. 35 pour l'accord du verbe après **United States, Bahamas**, etc.

→ devant les noms de fleuves, d'océans, de mers, de régions et de chaînes de
montagnes :

the **Thames** *la Tamise*	the **Tyrol** *le Tyrol*
the **Atlantic** *l'Atlantique*	the **Rocky Mountains** *les monta-*
the **Adriatic** *l'Adriatique*	*gnes Rocheuses*

3 L'absence d'article

Les noms dénombrables et indénombrables (voir **Les noms dénombrables et in-dénombrables** p. 28) sont souvent utilisés sans article défini en anglais. L'article est absent :

→ devant les noms abstraits et devant les choses et les personnes considérées de manière générale :

She found happiness.
Elle a trouvé le bonheur.

Life is too short.
La vie est trop courte.

He's scared of spiders.
Il a peur des araignées.

Computers have become indispensable.
Les ordinateurs sont devenus indispensables.

→ devant les noms de continents, de pays, d'États, de lacs, de montagnes, de rues, etc. :

Africa *l'Afrique*	**Texas** *le Texas*
France *la France*	**Lake Michigan** *le lac Michigan*
Italy *l'Italie*	**Mount Everest** *l'Everest*

→ devant les titres suivis d'un nom propre :

King Arthur *le roi Arthur*	**Doctor Andrews** *le docteur Andrews*

→ devant les noms désignant des institutions :

church *l'église*	**prison** *la prison*
school *l'école*	**court** *le tribunal*
university *l'université*	**hospital** *l'hôpital*
etc.	

School is compulsory.
L'école est obligatoire.

→ devant les noms de repas :

Breakfast is served from 7 to 10 a.m.
Le petit déjeuner est servi de 7h à 10h.

→ devant les noms d'aliments, de boissons, de matériaux, etc. :

Italian tomatoes are delicious.
Les tomates italiennes sont délicieuses.

Orange juice is full of vitamins.
Le jus d'orange, c'est plein de vitamines.

Concrete is used less nowadays.
On utilise moins le béton de nos jours.

Lorsque le contexte est déterminé et que l'on ne parle plus de manière générale, il faut employer l'article **the** (voir le tableau comparatif p. 17) :

The bus stops at the school.
Le bus s'arrête devant l'école. [On fait référence au bâtiment plutôt qu'à sa fonction.]

The dinner was excellent.
Le dîner était excellent. [On fait référence à une occasion précise.]

The tomatoes you bought are delicious.
Les tomates que tu as achetées sont délicieuses. [Le nom est déterminé par une relative.]

→ devant les noms des saisons, des mois et des jours de la semaine :

Autumn is my favourite season.
L'automne est ma saison préférée.

August is the hottest month.
Le mois d'août est le mois le plus chaud.

Everything is closed on Sundays.
Tout est fermé le dimanche.

→ devant les noms de couleurs :

Red is my favourite colour.
Le rouge est ma couleur préférée.

→ devant les noms de langues, de matières scolaires, de jeux, de sports :

She speaks fluent French.
Elle parle couramment (le) français.

I hate maths.
Je déteste les maths.

Tennis requires a lot of practice.
Le tennis demande beaucoup d'entraînement.

→ devant certains noms de maladies :

She's got jaundice.
Elle a la jaunisse.

→ dans les expressions **to go by car** / **by train** / **by plane** / etc. :

We prefer travelling by train.
Nous préférons voyager en train.

→ dans les expressions **to go to school** / **to hospital** / **to work** / **to bed** / etc. :

He went to university.
Il est allé à l'université.

■ Tableau comparatif

Contexte général : absence d'article	Contexte spécifique : article défini *the*
I often receive money from my parents. *Je reçois souvent de l'argent de mes parents.*	**The money from my parents hasn't arrived yet.** *L'argent que mes parents m'ont envoyé n'est pas encore arrivé.*
I love Brussels sprouts. *J'adore les choux de Bruxelles.*	**I loved the Brussels sprouts (we had for lunch).** *J'ai adoré les choux de Bruxelles (que nous avons mangés à midi).*
She stayed in hospital for two weeks. *Elle est restée deux semaines à l'hôpital.*	**We live near the hospital.** *Nous habitons à côté de l'hôpital.*
Music is her passion. *Sa passion, c'est la musique.*	**The music (in that restaurant) was unbearable.** *La musique était insupportable (dans ce restaurant).*

EXERCICES

1) Insérez l'article indéfini a ou an devant les mots suivants :

a) honest answer ['ɒnɪst 'ɑːnsə]

b) eucalyptus [ˌjuːkə'lɪptəs]

c) train [treɪn]

d) apple ['æpəl]

e) answer ['ɑːnsə]

f) owl [aʊl]

g) yellow submarine ['jeləʊ ˌsʌbmə'riːn]

h) headache ['hedeɪk]

i) heiress ['eərɪs]

j) university [ˌjuːnɪ'vɜːsətɪ]

k) honourable gentleman ['ɒnərəbəl 'dʒentəlmən]

l) hour ['aʊə]

m) house [haʊs]

n) euphemism ['juːfəmɪzəm]

o) year [jɪə]

p) onion ['ʌnjən]

q) one-man band ['wʌnˌmæn 'bænd] [= *homme-orchestre*]

2) Reconstituez les phrases suivantes en ajoutant l'article a / an lorsque c'est nécessaire :

a) he's + writer + well-known

b) I'm + only child

c) bottle of rum + he drank + half

d) sales department + she's + manager

e) very good + he's + maths teacher

f) wonderful + what + idea + !

g) week + four days + he'd like + to work

h) plastic bag + have + do you + ?

i) watch + I'm sorry + I don't have

3) Traduisez en anglais :

a) Je suis étudiant.

b) Je n'ai pas de portable.

c) Je vais à la piscine trois fois par semaine.

d) Il vend des livres d'occasion.
    [d'occasion = *second-hand*]

e) Il est coiffeur.

f) Mes parents sont boulangers.

g) Quel dommage !

h) Ne sors pas sans manteau.

4) Complétez les phrases suivantes avec a / an ou the :

a) I'd like _____ coffee, please.

b) Where did you put _____ salt?

c) I can't find _____ keys.

d) There's _____ bottle of wine in the fridge.

e) Did you like _____ wine?

f) _____ coffee is too strong here.

g) Do you wear _____ uniform at school?

h) _____ uniform we have to wear is awful.

i) You're just looking for _____ excuse.

j) Can you pass _____ sugar, please?

k) I only have _____ small suitcase.

5) Complétez les phrases suivantes avec l'article the lorsque c'est nécessaire :

a) _____ coffee prevents me from sleeping.

b) Do you like _____ white wine? I need to know what I should buy for the party.

c) _____ white wine was very expensive.

d) I love _____ strawberries but I'm allergic to them.

e) We had _____ chicken for _____ dinner because it's the only meat she eats.

f) _____ university he went to is now closed.

g) Do you like going to _____ school?

h) _____ beauty is not everything.

i) We spent _____ summer in _____ Scotland.

j) I'd like to go to _____ United States next summer.

k) _____ subject I prefer is _____ maths.

6) Traduisez en anglais :

a) Je vais à l'école en bus.

b) La baleine est un mammifère.
   [baleine = *whale* ; mammifère = *mammal*]

c) J'adore les pêches.

d) Le melon n'est pas mûr. [mûr = *ripe*]

e) La nouvelle école est terminée.

f) Il est encore à l'hôpital.

g) Nous habitons à côté d'une école.

h) Ils construisent un hôpital.

2
Les noms

Points traités dans ce chapitre :
- · le genre des noms : comment différencier le masculin du féminin
- · le pluriel des noms : la formation du pluriel ; les variations orthographiques ; les pluriels irréguliers ; les noms invariables au pluriel
- · les noms composés : la formation et le pluriel des noms composés
- · les noms dénombrables et indénombrables : définition d'un nom indénombrable ; les noms pouvant être dénombrables ou indénombrables selon le contexte ; les noms indénombrables suivis d'un verbe au singulier, et ceux suivis d'un verbe au pluriel
- · les noms collectifs : exemples et particularités ; l'emploi du nom **people** ; les noms de pays au pluriel suivis d'un verbe au singulier

1 Le genre des noms

■ Masculin ou féminin ?

 Le genre des noms anglais n'est pas marqué comme en français (« le » et « la » se disent **the**). Il existe trois genres qui déterminent le choix des pronoms personnels, des pronoms et adjectifs possessifs : le masculin, le féminin et le neutre (pour les animaux, les choses et les objets). Voir **Les pronoms personnels** (p. 39) et **Les possessifs** (p. 46).

En anglais, de nombreux noms communs s'emploient à la fois pour le masculin et le féminin :

cousin *cousin / cousine*   **novelist** *romancier / romancière*
driver *conducteur / conductrice* **nurse** *infirmier / infirmière*
friend *ami / amie*   **lawyer** *avocat / avocate*
neighbour *voisin / voisine* **zoologist** *zoologiste*

Le contexte ou l'emploi des mots **man / woman** et **male / female** permet d'éviter toute ambiguïté (voir p. 21 **Différenciation du masculin et du féminin**) :

She's a nurse.
Elle est infirmière.

She had a male nurse attending to her.
C'est un infirmier qui s'est occupé d'elle.

Les noms

Comme en français, on utilise aussi des termes complètement différents pour distinguer le féminin du masculin. Par exemple :

son / daughter *fils / fille*
boy / girl *garçon / fille*
bull / cow *taureau / vache*

■ Différenciation du masculin et du féminin

Le masculin et le féminin peuvent être différenciés par :	Masculin	Féminin
le suffixe **-ess**	**actor** *acteur* **duke** *duc* **god** *dieu* **prince** *prince* **waiter** *serveur*	**actress** *actrice* **duchess** *duchesse* **goddess** *déesse* **princess** *princesse* **waitress** *serveuse*

> La forme masculine est parfois employée pour les deux sexes :
> **She is a very good actor.** *C'est une très bonne actrice.*
> Pour des mots comme **ambassador**, **author**, **poet**, etc., la forme féminine en **-ess** (**ambassadress**, **authoress**, **poetess**), devenue désuète, ne s'emploie que très rarement.

un suffixe différent	**hero** *héros* **widower** *veuf*	**heroine** *héroïne* **widow** *veuve*
les adjectifs **male** et **female**	**a male friend** *un ami* **a male student** *un étudiant*	**a female friend** *une amie* **a female student** *une étudiante*

> L'adjectif **female** doit être employé avec précaution pour éviter toute connotation sexiste. De manière générale, **male** et **female** s'emploient <u>uniquement</u> lorsqu'on a besoin de préciser le sexe de la personne :
> **There are more female students than male students in this high school.**
> *Il y a plus de filles que de garçons dans ce lycée.*
> Ces adjectifs s'emploient bien sûr couramment pour les animaux : **male** = *mâle* et **female** = *femelle*.

les noms **boy** et **girl**, **man** et **woman**	**boyfriend** *petit ami* **businessman** *homme d'affaires* **a man doctor** *un médecin*	**girlfriend** *petite -amie* **businesswoman** *femme d'affaires* **a woman doctor** *une femme médecin*

> L'emploi de **-man** et **-woman** est aussi parfois considéré comme sexiste. Il est souvent préférable d'employer un mot neutre comme **-person** ou **-teacher**, qui s'utilise aussi lorsqu'on ne connaît pas le sexe de la personne en question :
>
> | a chairman / chairwoman | → | a chairperson *un(e) président(e)* |
> | a headmaster / headmistress | → | a headteacher *un directeur / une directrice d'école* |
> | a salesman / saleswoman | → | a salesperson *un(e) représentant(e) de commerce* |
> | a spokesman / spokeswoman | → | a spokesperson *un(e) porte-parole* |

| les pronoms **he** et **she** (pour les animaux) | **a bear** *un ours* | **a she-bear** *une ourse* |
| | **a goat** *une chèvre* | **a he-goat** *un bouc* |

2 Le pluriel des noms

■ Formation du pluriel

La marque du pluriel régulier est la terminaison **-s** en anglais. Le **-s** du pluriel est toujours prononcé. Il peut se prononcer de trois façons différentes en fonction de la terminaison du mot (Pour en savoir plus sur les sons anglais, voir **Prononciation et orthographe** p. 1) :

[s]	**book**	→	**books**	[bʊks]
	dot	→	**dots**	[dɒts]
	shop	→	**shops**	[ʃɒps]

[ɪz]	**house** [haʊs]	→	**houses**	['haʊzɪz]
	page	→	**pages**	['peɪdʒɪz]
	size	→	**sizes**	['saɪzɪz]

[z]	**bath** [bɑːθ]	→	**baths**	[bɑːðz]
	bubble	→	**bubbles**	['bʌbəlz]
	car	→	**cars**	[kɑːz]
	pen	→	**pens**	[penz]

> **!** Les noms de famille prennent la marque du pluriel en anglais alors qu'ils sont invariables en français :
> **The Smiths are on holiday.**
> *Les Smith sont en vacances.*

■ Variations orthographiques

Il existe des variations orthographiques particulières qui dépendent de la terminaison du mot au singulier :

Mots se terminant par :	Terminaison du pluriel en :	Prononciation du pluriel
<u>-s, -x, -z, -ch</u> ou <u>-sh</u> bus bush fox quiz witch	<u>-es</u> buses bushes foxes quizzes witches	['bʌsɪz] ['bʊʃɪz] ['fɒksɪz] ['kwɪzɪz] ['wɪtʃɪz]
<u>consonne + -y</u> fairy lady	<u>consonne + -ies</u> fairies ladies	['feərɪz] ['leɪdɪz]
<u>-f</u> ou <u>-fe</u> calf elf half knife leaf life loaf self shelf thief wife wolf	<u>-ves</u> calves elves halves knives leaves lives loaves selves shelves thieves wives wolves	[kɑːvz] [elvz] [hɑːvz] [naɪvz] [liːvz] [laɪvz] [ləʊvz] [selvz] [ʃelvz] [θiːvz] [waɪvz] [wʊlvz]

> Notez au passage que le **l** de **calf** et **half** ne se prononce pas : **calf** se dit [kɑːf] et **half** [hɑːf].

! Exceptions

Les mots suivants peuvent avoir un pluriel en **-s** ou en **-ves** :

dwarf → dwarfs *ou* dwarves   **scarf** → scarfs *ou* scarves

hoof → hoofs *ou* hooves   **wharf** → wharfs *ou* wharves

Tous les autres mots en **-f** ont un pluriel régulier :

belief → beliefs   **proof** → proofs

chief → chiefs   **roof** → roofs, etc.

cliff → cliffs

<u>-o</u> echo hero potato tomato torpedo	<u>-es</u> echoes heroes potatoes tomatoes torpedoes	['ekəʊz] ['hɪərəʊz] [pə'teɪtəʊz] [tə'mɑːtəʊz] (*Am* [tə'meɪtəʊz]) [tɔː'piːdəʊz]

Lorsque le **o** est précédé d'une voyelle ou lorsque le mot est une abréviation ou un mot d'origine étrangère, le pluriel est régulier :

concerto → concertos	**photo** → photos	**studio** → studios
embryo → embryos	**piano** → pianos	**video** → videos
kilo → kilos	**radio** → radios	**zoo** → zoos
logo → logos	**solo** → solos	
memento → mementos	**soprano** → sopranos	

Les mots suivants peuvent avoir un pluriel en **-s** ou **-es** :

banjo → banjos *ou* banjoes	**mosquito** → mosquitos *ou* mosquitoes
buffalo → buffalos *ou* buffaloes	**motto** → mottos *ou* mottoes
cargo → cargos *ou* cargoes	**tornado** → tornados *ou* tornadoes
commando → commandos *ou* commandoes	**volcano** → volcanos *ou* volcanoes
flamingo → flamingos *ou* flamingoes	**zero** → zeros *ou* zeroes

■ Pluriels irréguliers

Il existe également un certain nombre de pluriels irréguliers :

Singulier	Pluriel avec changement de voyelle
foot [fʊt] *pied*	**feet** [fiːt]
goose [guːs] *oie*	**geese** [giːs]
louse [laʊs] *pou*	**lice** [laɪs]
man [mæn] *homme*	**men** [men]
mouse [maʊs] *souris*	**mice** [maɪs]
tooth [tuːθ] *dent*	**teeth** [tiːθ]
woman ['wʊmən] *femme*	**women** ['wɪmɪn]
Singulier	**Pluriel en -*en***
child [tʃaɪld] *enfant*	**children** ['tʃɪldrən]
ox [ɒks] *bœuf*	**oxen** (rare) ['ɒksən]
Singulier	**Pluriel en -*ce***
penny ['penɪ] *penny*	**pence** [pens]

Lorsqu'on parle de la monnaie et de la valeur de l'argent, le pluriel de **penny** est **pence**. Cependant, lorsqu'on désigne la pièce, le pluriel est **pennies**.

die (rare) [daɪ] / **dice** [daɪs] *dé*	**dice** [daɪs]

Dice, pluriel irrégulier de **die**, est aussi devenu le terme le plus employé au singulier : **He threw the dice.** *Il a lancé le dé / les dés.*

Mots d'origine grecque ou latine	
Singulier en -*um* ou -*on*	**Pluriel en -*a***
bacterium [bæk'tɪərɪəm] *bactérie*	**bacteria** [bæk'tɪərɪə]
criterion [kraɪ'tɪərɪən] *critère*	**criteria** [kraɪ'tɪərɪə]
phenomenon [fɪ'nɒmɪnən] *phénomène*	**phenomena** [fɪ'nɒmɪnə]

Singulier en -*us*	Pluriel en -*i*
alumnus [ə'lʌmnəs] *ancien élève*	**alumni** [ə'lʌmnaɪ]
stimulus ['stɪmjʊləs] *incitation*	**stimuli** ['stɪmjʊlaɪ] ou ['stɪmjʊliː]

Singulier en -*ex* ou -*ix*	Pluriel en -*ices* ou -*es*
appendix [ə'pendɪks] *appendice*	**appendices** [ə'pendɪsiːz] ou **appendixes** [ə'pendɪksɪz]
index ['ɪndeks] *index*	**indices** ['ɪndɪsiːz] ou **indexes** ['ɪndeksɪz]
matrix ['meɪtrɪks] *matrice*	**matrices** ['meɪtrɪsiːz] ou **matrixes** ['meɪtrɪksɪz]
vortex ['vɔːteks] *tourbillon*	**vortices** ['vɔːtɪsiːz] ou **vortexes** ['vɔːteksɪz]

Singulier en -*is*	Pluriel en -*es*
analysis [ə'næləsɪs] *analyse*	**analyses** [ə'næləsiːz]
axis ['æksɪs] *axe*	**axes** ['æksiːz]
basis ['beɪsɪs] *base*	**bases** ['beɪsiːz]
crisis ['kraɪsɪs] *crise*	**crises** ['kraɪsiːz]
diagnosis [daɪəg'nəʊsɪs] *diagnostic*	**diagnoses** [daɪəg'nəʊsiːz]
hypothesis [haɪ'pɒθɪsɪs] *hypothèse*	**hypotheses** [haɪ'pɒθɪsiːz]
oasis [əʊ'eɪsɪs] *oasis*	**oases** [əʊ'eɪsiːz]
parenthesis [pə'renθɪsɪs] *parenthèse*	**parentheses** [pə'renθɪsiːz]
synopsis [sɪ'nɒpsɪs] *résumé*	**synopses** [sɪ'nɒpsiːz]
thesis ['θiːsɪs] *thèse*	**theses** ['θiːsiːz]

■ Pluriels invariables

Un certain nombre de mots ont la même forme au singulier et au pluriel :

Singulier et pluriel sans -*s*	Exemples
aircraft *avion / avions*	**We saw a few aircraft.**
counsel *avocat / avocats*	*Nous avons vu quelques avions.*
hovercraft *aéroglisseur / aéroglisseurs*	**Both counsel asked for an adjournment.**
quid (*Fam*) *livre sterling / livres sterling*	*Les deux avocats ont demandé un renvoi.*
spacecraft *vaisseau spatial / vaisseaux spatiaux*	**This will cost you ten quid.** (*Fam*)
	Ça te coûtera dix livres.

Singulier et pluriel en -*s*	Exemples
barracks *caserne / casernes*	**Art is a means of communication.**
crossroads *carrefour / carrefours*	*L'art est un moyen de communication.*
headquarters *quartier général / quartiers généraux*	**It's a new detective series.**
means *moyen / moyens*	*C'est une nouvelle série policière.*
series *série / séries*	**It's a rare species of butterfly.**
species *espèce / espèces*	*C'est une espèce rare de papillon.*
works *usine / usines*	**They have built a new gasworks.**
	Ils ont construit une nouvelle usine à gaz.

Certains de ces noms, en particulier **barracks**, **headquarters** et les mots en -**works**, peuvent aussi s'employer dans un sens singulier avec un verbe au pluriel :

These are the new steelworks. *C'est la nouvelle aciérie.*

Noms d'animaux	Exemples
cod *morue / morues* **deer** *cerf / cerfs* **fish** *poisson / poissons* **grouse** *coq de bruyère / coqs de bruyère* **hake** *colin / colins* **herring** *hareng / harengs* **mackerel** *maquereau / maquereaux* **pike** *brochet / brochets* **salmon** *saumon / saumons* **sheep** *mouton / moutons* **trout** *truite / truites*	**I caught two big fish.** *J'ai pris deux gros poissons.*

Le pluriel courant de **fish** est **fish**. Le pluriel **fishes** s'emploie cependant pour parler de différentes espèces de poissons :

Cod and haddock are two fishes that live in the North Sea.
La morue et l'églefin sont deux poissons qui vivent dans la mer du Nord.

D'autres noms d'animaux qui ont un pluriel régulier en **-s** peuvent être utilisés au singulier dans un sens indénombrable lorsqu'on insiste sur l'espèce plutôt que sur l'animal lui-même (Voir **Noms pouvant être dénombrables ou indénombrables** p. 30). Comparez :

There are only two ducks in the pond.   **I don't like duck.**
Il n'y a que deux canards dans la mare.   *Je n'aime pas le canard.* [= la viande]

They went to shoot duck / ducks. [le singulier met l'accent sur l'espèce]
Ils sont allés chasser le canard.

3 Les noms composés

■ Formation des noms composés

Avec un nom	
nom + nom	**an alarm clock** *un réveil*
adjectif + nom	**the Yellow Pages®** *les Pages Jaunes*
verbe + nom	**a searchlight** *un projecteur*
participe passé + nom	**frozen food** *les surgelés*
particule + nom	**an in-patient** *un malade hospitalisé*
adverbe + nom	**an away game** *un match à l'extérieur*
gérondif + nom	**a swimming pool** *une piscine*
Avec un gérondif	
nom + gérondif	**ice-skating** *le patinage*
adjectif + gérondif	**blackmailing** *le chantage*
Avec une particule	
nom + particule	**a passer-by** *un passant*
adjectif + particule	**a black-out** *une panne d'électricité*
verbe + particule	**a cover-up** *un complot*
Avec un verbe	
particule + verbe	**the outcome** *le résultat*

L'ordre des mots dans le groupe nominal est souvent différent de l'ordre français. C'est le dernier élément qui est le plus important pour le sens, le premier élément jouant le rôle d'un adjectif. Il faut donc généralement traduire le dernier élément en premier :

cane sugar *du sucre de canne* ≠ **sugar cane** *la canne à sucre*
milk chocolate *du chocolat au lait* ≠ **chocolate milk** *un chocolat froid*
a milk chocolate Easter egg
un œuf de Pâques en chocolat au lait

Les noms composés peuvent être formés de plus de deux éléments :

a father-in-law
un beau-père

a jack-in-the-box
un diable à ressort

a ne'er-do-well
un bon à rien

a forget-me-not
un myosotis

a merry-go-round
un manège

 Les mots composés ne sont jamais employés pour désigner une quantité de quelque chose. Pour parler de ce que contient un objet, on doit utiliser une construction avec la préposition **of**. Les noms composés indiquent la fonction de l'objet :

	CONTENANT		CONTENU	
	a wine glass	≠	**a glass of wine**	
	un verre à vin		*un verre de vin*	
	a tea cup	≠	**a cup of tea**	
	une tasse à thé		*une tasse de thé*	

■ Pluriel des noms composés

En règle générale, c'est le dernier élément qui prend la marque du pluriel :

Singulier	Pluriel
jack-in-the-box	jack-in-the-boxes *diables à ressort*
lay-by	lay-bys *aires de stationnement*
lie-in	lie-ins *grasses matinées*
lion cub	lion cubs *lionceaux*
lip balm	lip balms *baumes pour les lèvres*
pencil sharpener	pencil sharpeners *taille-crayons*
road user	road users *usagers de la route*
table napkin	table napkins *serviettes de table*

Lorsque le premier mot se termine par un **-s** au singulier, le deuxième mot prend normalement la marque du pluriel :

careers adviser → **careers advisers** *des conseillers d'orientation*

clothes shop → **clothes shops** *des magasins de vêtements*

sports car → **sports cars** *des voitures de sport*

Dans quelques cas particuliers, le pluriel porte sur le premier élément ou sur les deux éléments :

Pluriel portant sur le premier élément	
Noms composés où le premier élément désigne une personne et le deuxième élément est un groupe prépositionnel :	**editor-in-chief** → **editors-in-chief** *rédacteurs en chef* **father-in-law** → **fathers-in-law** *beaux-pères*
Dans l'expression familière **in-laws**, forme abrégée de **parents-in-law**, **law** se met au pluriel : **My in-laws are coming this weekend.** *Mes beaux-parents viennent ce week-end.*	
Noms composés où le premier élément se termine par **-er** :	**hanger-on** → **hangers-on** *parasites* [personnes] **passer-by** → **passers-by** *passants*
Noms composés avec **-to-be** :	**bride-to-be** → **brides-to-be** *futures mariées* **mother-to-be** → **mothers-to-be** *futures mamans*
Pluriel portant sur les deux éléments	
Noms composés où le premier élément a un pluriel irrégulier :	**a woman doctor** → **women doctors** *des femmes médecins*

4 Les noms dénombrables et indénombrables

Un nom dénombrable désigne une unité distincte que l'on peut compter (par exemple, un mouton, deux moutons). Il peut être précédé de l'article indéfini **a** / **an** ou de tout adjectif numéral et il a normalement une forme au singulier et au pluriel (pouvant être précédé de **these** / **few** / **many**, etc.). Par exemple :

a horse *un cheval*

one pencil *un crayon*

three children *trois enfants*

Un nom indénombrable désigne quelque chose que l'on considère comme un ensemble indivisible qui ne peut pas être compté (par exemple « l'argent » : on ne peut pas dire ***deux argents*** ou ***des argents***). Les noms indénombrables anglais ne peuvent pas être précédés de l'article indéfini **a** / **an** ni de **one** / **two** / **three**, etc. Par exemple :

> **violence** *la violence*
> **water** *l'eau*

! De nombreux noms dénombrables en français sont indénombrables en anglais :

> **fruit**   *les / des fruits*
> **furniture**   *les / des meubles*
> etc.

Ils ne peuvent donc pas être précédés de l'article **a** / **an** :

> *un fruit* = **a piece of fruit** [et non ***a fruit***]

Lorsqu'on veut faire référence à une unité, il faut faire précéder le nom indénombrable d'un autre nom qui est dénombrable :

Nom indénombrable	+ nom dénombrable	Exemples
advice *les conseils*	**piece**	**a piece of advice** / **two pieces of advice** *un conseil* / *deux conseils*
baggage / **luggage** *les bagages*		**a piece of baggage** / **luggage** *un bagage*
evidence *les preuves*		**a piece of evidence** *une preuve*
furniture *les meubles*		**a piece of furniture** *un meuble*
fruit *les fruits*		**a piece of fruit** *un fruit*
garbage (*Am*) / **rubbish** (*Br*) *les ordures*		**a piece of garbage** / **rubbish** *un détritus*
information *des renseignements*		**a piece of information** *un renseignement*
land *la terre*		**a piece of land** *une terre*
pasta *les pâtes*		**a piece of pasta** *une pâte*
work *le travail*		**a piece of work** *une œuvre, un ouvrage*
clothing *les vêtements*	**item** (ou **piece**)	**an item of clothing** *un vêtement*
news *les nouvelles*		**an item of news** *une nouvelle*
bread *le pain*	**loaf**	**a loaf of bread** *un pain*
Ne pas confondre **a loaf of bread** (= un pain en entier, tel qu'on en trouve en boulangerie) et **a piece of bread** (= un morceau de pain).		
spaghetti *les spaghettis*	**strand** (ou **piece**)	**a strand of spaghetti** *un spaghetti*
cattle *le bétail*	**head**	**ten head of cattle** *dix têtes de bétail*
Head ne prend jamais de **-s** dans ce sens.		

Noms pouvant être dénombrables ou indénombrables

Certains noms peuvent être dénombrables ou indénombrables suivant leur sens dans la phrase. Ils sont indénombrables lorsqu'il ont un sens générique. Par exemple :

Indénombrable	Dénombrable
They went to Africa to shoot antelope. *Ils sont allés en Afrique pour chasser l'antilope.*	These antelopes have just been bought by the zoo. *Le zoo vient juste d'acheter ces antilopes.*
Beauty is only skin-deep. *La beauté n'est pas tout.*	She's a beauty. *C'est une beauté.*
I don't like coffee. *Je n'aime pas le café.*	I'd like a coffee. *Je voudrais un café.*
The table is made of glass. *C'est une table en verre.*	Would you like a glass of wine? *Prendrez-vous un verre de vin ?*
We had lamb for dinner. *Nous avons eu de l'agneau au dîner.*	That sheep has only one lamb. *Ce mouton n'a qu'un agneau.*
I need some wrapping paper. *Il me faut du papier cadeau.*	He bought a paper. *Il a acheté un journal.*
Water boils at 100°. *L'eau bout à 100°.*	The boat has just entered Japanese waters. *Le bateau vient d'entrer dans les eaux (territoriales) japonaises.*
It's beautiful weather. *Il fait beau.*	In all weathers. *Par tous les temps.*

Noms indénombrables + verbe au singulier

De nombreux noms se terminant par ce qui semble être le **-s** du pluriel sont indénombrables et suivis d'un verbe au singulier :

> **The news is surprising.**
> *Cette nouvelle est surprenante.*

Certains noms indénombrables suivis du singulier en anglais se traduisent par un nom au pluriel en français :

> **This furniture is really ugly.**
> *Ces meubles sont vraiment laids.*

Nom indénombrable	+ verbe au singulier
Certains noms de maladies : **German measles** *la rubéole* **measles** *la rougeole* **mumps** *les oreillons* etc.	**Mumps is not a life-threatening disease.** *Les oreillons ne sont pas une maladie mortelle.*

Noms désignant un jeu ou une activité : **billards** *le billard* **bowls** *les boules* **checkers** (*Am*) / **draughts** (*Br*) *les dames* **darts** *les fléchettes* **dominoes** *les dominos* etc.	**Darts is still played in many pubs.** *On joue encore aux fléchettes dans beaucoup de pubs.*
Noms désignant un ensemble : **advice** *les conseils* **confetti** *les confettis* **evidence** *les preuves* **furniture** *les meubles* **graffiti** *les graffitis* **hair** *les cheveux* **information** *les renseignements* **luggage** *les bagages* **news** *les nouvelles* **work** *le travail* etc.	**What is the latest news?** *Quelles sont les dernières nouvelles ?*

Hair est indénombrable et suivi du singulier lorsqu'il désigne les cheveux. Lorsqu'il signifie « poil », il est dénombrable et prend la marque du pluriel :

My hair is too long.
Mes cheveux sont trop longs.

The cat leaves hairs all over the place.
Le chat laisse des poils partout.

Noms en **-ics** : **acoustics** *l'acoustique* **athletics** *l'athlétisme* **economics** *l'économie* **mathematics** *les mathématiques* **politics** *la politique* etc.	**Economics is a difficult subject.** *L'économie est une matière difficile.* **Politics doesn't interest me at all.** *La politique ne m'intéresse pas du tout.*

Ces noms sont suivis d'un verbe au singulier lorsqu'ils sont employés dans un sens général pour désigner la discipline. En revanche, le verbe sera au pluriel lorsque le nom en **-ics** est utilisé dans un sens concret :

The economics of the project are to be considered.
Il faut considérer l'aspect financier du projet.

What are your politics?
Quelles sont vos opinions politiques ?

Noms désignant la nourriture : **bread** *le pain* **pasta** *les pâtes* **ravioli** *les raviolis* **spaghetti** *les spaghettis* **spinach** *les épinards* etc.	**The pasta is overcooked.** *Les pâtes sont trop cuites.*
Noms abstraits : **business** *les affaires* **progress** *les progrès* etc.	**Business is good.** *Les affaires vont bien.* **We're working hard but progress is slow.** *Nous travaillons dur mais ça n'avance pas vite.*

Les noms

■ Noms indénombrables + verbe au pluriel

Nom indénombrable	+ verbe au pluriel
Noms au pluriel désignant des objets composés de deux parties identiques : **binoculars** *jumelles* **glasses** *lunettes* **knickers** (*Br*) *culotte, slip* **pants** *slip* (*Br*), *pantalon* (*Am*) **pincers** *tenailles* **pliers** *pinces, tenailles* **pyjamas** ou **pajamas** (*Am*) *pyjama* **scissors** *ciseaux* **shears** *cisailles* **shorts** *short* **spectacles** *lunettes* **tights** *collant* **tongs** *fer à friser* **trousers** *pantalon* **tweezers** *pince à épiler* etc.	**These shorts are too big.** *Ce short est trop grand.* **These pyjamas make you look ridiculous.** *Tu as l'air ridicule avec ce pyjama.* **Where are my tweezers?** *Où est ma pince à épiler ?* Ces noms n'ont pas de forme au singulier et doivent être précédés de **a pair of** si l'on veut mettre l'accent sur leur nombre : **A pair of trousers should be enough.** *Un pantalon devrait suffire.* **I bought two pairs of trousers.** *J'ai acheté deux pantalons.*
Noms habituellement employés au pluriel : **clothes** *vêtements* **contents** *contenu* **customs** *douane* **earnings** *revenus* **goods** *biens, marchandises* **greens** *légumes verts* **looks** *apparence* **manners** *manières* **outskirts** *environs, banlieue* **premises** *locaux* **remains** *restes* **stairs** *escalier(s)* **surroundings** *environs, cadre* **valuables** *objets de valeur* **wages** *salaire* etc.	**Customs are checking all cars.** *La douane contrôle tous les véhicules.* **Careful, these stairs are slippery.** *Faites attention, l'escalier est glissant.* **The hotel is very comfortable;** **the surroundings are beautiful.** *L'hôtel est très confortable ;* *le cadre est magnifique.*
Noms en **-ics** employés dans un sens concret : **acoustics** *l'acoustique* **athletics** *l'athlétisme* **economics** *l'économie* **mathematics** *les mathématiques* **politics** *la politique* etc.	**The acoustics in the room are good.** *La pièce possède une bonne acoustique.* Ces noms doivent être suivis d'un verbe au singulier lorsqu'ils sont employés dans un sens général pour désigner la discipline (voir p. 31) : **Acoustics is a fascinating subject.** *L'acoustique est une discipline passionnante.*

Noms indénombrables à sens collectif :	
cattle *bétail* **clergy** *clergé* **livestock** *bétail* **police** *police* **vermin** *vermine, parasites*	**All the cattle are in the barn.** *Tout le bétail est dans l'étable.* **The police are interrogating** (ou **is interrogating**) **the suspects.** *La police interroge les suspects.* **Vermin are being exterminated.** *On est en train d'exterminer la vermine.*

Bien que les noms qui figurent dans la dernière catégorie du tableau ne portent jamais la marque du pluriel (pas de **-s** final), ils ont un sens pluriel. Les mots **cattle**, **livestock** et **vermin** ne peuvent être suivis que du pluriel, tandis que **clergy** et **police** peuvent être suivis du singulier ou du pluriel lorsqu'il est question des membres du groupe. Toutefois, seul le singulier est possible lorsqu'on parle du groupe dans son ensemble (voir **Les noms collectifs** ci-dessous et p. 34) :

The clergy is / are contemplating reform.
Le clergé envisage des réformes. [= les membres du clergé]

The clergy is made up of factions.
Le clergé se compose de différentes factions. [= l'institution]

Police peut être précédé d'un adjectif numéral et signifie dans ce cas « policiers ». Comparez :

The police is / are investigating.
La police mène l'enquête.

At least two hundred police took part in the operation.
Au moins deux cents policiers ont participé à l'opération.

On peut employer **police force** pour parler de l'institution ; ce terme peut prendre la marque du pluriel :

They're comparing the different police forces of Europe. [et non ***polices***]
Ils comparent les différentes polices d'Europe.

5 Les noms collectifs

Les noms dénombrables qui ont un sens collectif désignent un groupe de personnes ou de choses :

Noms collectifs	
army	*armée*
audience	*public*
choir	*chorale*
chorus	*chœur, chorale*
class	*classe*
committee	*comité*
crew	*équipage*
enemy	*ennemi*
family	*famille*
firm	*firme, entreprise*
gang	*gang*
generation	*génération*
government	*gouvernement*
group	*groupe*
majority	*majorité*
minority	*minorité*
orchestra	*orchestre*
Parliament	*Parlement*
proletariat	*prolétariat*
public	*public*
staff	*personnel*
team	*équipe*
etc.	

Les noms collectifs sont suivis d'un verbe au singulier lorsque le groupe est considéré dans son ensemble, ou d'un verbe au pluriel lorsque les membres du groupe sont sous-entendus :

The <u>whole</u> crew is here.
L'équipage est au complet.

The jury are still disagreeing over the verdict.
Les membres du jury ne se sont toujours pas mis d'accord sur le verdict.

Mais ces noms peuvent bien sûr porter la marque du pluriel lorsqu'ils désignent plusieurs groupes :

All the families are invited to the school fête.
Toutes les familles sont invitées à la fête de l'école.

Comme **police** (voir p. 33), les mots **crew** et **staff** peuvent être employés avec un adjectif numéral et désigner dans ce cas des membres individuels :

The captain had to manage with only fifteen crew.   [= crew members]
Le capitaine a dû se débrouiller avec seulement quinze membres d'équipage.

The English department had to get rid of five staff.   [= staff members]
Le département d'anglais a dû renvoyer cinq personnes.

■ *People*

 Bien que **people** ne porte pas la marque du pluriel (pas de **-s** final), il a un sens pluriel et est toujours suivi d'un verbe au pluriel.

Le mot **people** peut avoir un sens collectif. Il signifie dans ce cas « le peuple » ou « les gens » :

People often ask him for advice. [et non ***the people*** ou ***people often asks***]

Les gens lui demandent souvent conseil.

The people will vote.

Le peuple va voter.

Mais il peut être également dénombrable et précédé d'un adjectif numéral :

He spoke to six people about it.

Il a parlé à six personnes à ce sujet.

Over a hundred people were made redundant.

Plus de cent personnes ont été licenciées.

■ Noms de pays

 En anglais, les noms de pays au pluriel sont généralement suivis d'un verbe au singulier, contrairement au français.

Nom de pays au pluriel	+ verbe au singulier
the Bahamas the Netherlands the Philippines the United States etc.	**The United States is the birthplace of rock 'n' roll.** *Les États-Unis sont le berceau du rock and roll.*

Dans un contexte sportif, les noms de nations sont souvent suivis d'un verbe au pluriel en anglais britannique :

France have beaten England.

La France a battu l'Angleterre.

EXERCICES

1) Mettez au féminin les noms et pronoms des phrases suivantes :
a) My boyfriend plays the clarinet.
b) I sat next to a businessman.
c) He's my childhood hero!
d) He's wanted to be an actor since he was a little boy.
e) She married a widower.
f) None of my male friends like playing football.

2) Mettez au pluriel le mot entre parenthèses :
a) Their four (child) are incredibly well-behaved.
b) These (criterion) are not reliable.
c) My friend's family took me to see all the (museum).
d) Live yoghurts contain friendly (bacterium).
e) I'm not scared of (mouse).
f) We had fun feeding the (goose) at the park.
g) This bag weighs at least seven (kilo).
h) Who are these two (woman) in the (photo)?
i) I couldn't sleep because of the (mosquito).
j) These (crisis) have weakened the country.
k) Would you like some more (potato)?
l) Dover is famous for its (cliff).
m) Be careful with these (knife), they're very sharp.
n) Have you seen the (match)?
o) They love bedtime (story) about (witch) and (fairy).
p) Give me my (glass) back, you little (thief)!

3) Traduisez en anglais :
a) C'est une espèce en voie de disparition. [en voie de disparition = *endangered*]
b) J'ai regardé deux séries à la suite. [à la suite = *in a row*]
c) Tournez à droite au carrefour.
d) Tous les aéroglisseurs avaient du retard. [aéroglisseurs = *hovercraft*]
e) Il y a une nouvelle série à la télé.
f) Ils ont deux chevaux et cinq moutons.
g) Je ne mange pas de poisson.

h) Les espèces en voie de disparition sont protégées.

i) J'ai caressé le mouton.

j) Nous avons deux poissons rouges. [poisson rouge = *goldfish*]

k) Ces deux carrefours sont très dangereux.

4) Complétez chaque phrase avec la forme verbale qui convient :

a) Bad news _____ fast. (travel / travels)

b) Measles _____ contagious. (is / are)

c) Draughts _____ an easy game to play. (is / are)

d) Statistics _____ the most difficult subject this year. (was / were)

e) Billards _____ a popular game in my country. (is / are)

f) These statistics _____ wrong. (looks / look)

g) These pyjamas _____ too small. (is getting / are getting)

5) Traduisez en anglais :

a) Veux-tu un fruit ?

b) Tu m'as donné un bon conseil.

c) Ces deux meubles sont très lourds.

d) Je mange beaucoup de fruits.

e) Il n'a pas suivi nos conseils.

f) Nous avons trop de meubles.

g) Nous avons mangé beaucoup de spaghettis en Italie.

h) Il n'aime pas les épinards.

i) Ce pantalon te va très bien.

6) Traduisez en français :

a) a teacup

b) a soapdish

c) a horse race

d) a cup of tea

e) ski boots

f) a swimming costume

g) an ice-cream cone

h) a utility vehicle rental shop

i) a coffee machine

j) a race horse

k) a shoe shop

l) a road safety information centre

7) Traduisez puis mettez au pluriel les mots suivants :
  a) taille-crayon   d) passant
  b) belle-mère   e) futur père
  c) grasse matinée

8) Traduisez en français :
  a) Put your pyjamas on.
  b) These trousers are a bit too long.
  c) I only took two pairs of trousers.
  d) Fortunately the cattle were not infected.
  e) I only have one piece of luggage.
  f) How much luggage do you have?
  g) They want to replace the furniture.
  h) This is good news.
  i) His hair is green.

9) Complétez les phrases avec l'une des expressions suivantes :

a piece of – an act of – a slice of – a loaf of – a strand of

  a) I bought _____ fresh _____ bread this morning.
  b) Would you like _____ toast?
  c) This is _____ gratuitous _____ violence.
  d) You've dropped _____ spaghetti.
  e) They produced _____ irrefutable _____ evidence.

10) Traduisez en anglais :
  a) Dix personnes attendent dans le couloir.
  b) Les gens sont parfois bizarres.
  c) L'équipage est prêt.
  d) Sa famille se dispute tout le temps.
  e) Les États-Unis sont un grand pays.
  f) Notre équipe est en train de gagner.

Les pronoms personnels

> Points traités dans ce chapitre :
>
> · les pronoms personnels employés comme sujets ou compléments d'objet
> · la place du pronom complément
> · les emplois particuliers des pronoms **he**, **she** et **it**
> · les emplois courants du pronom **it**
> · le pronom **they**
> · l'emploi des pronoms dans les comparaisons
> · l'emploi emphatique des pronoms : les cas où l'on accentue, à l'oral, le pronom anglais pour marquer l'insistance
> · les différentes façons de traduire le pronom français « on »

■ Formes des pronoms

	Sujet	Complément
Singulier		
1re personne	**I** *je*	**me** *moi, me*
2e personne	**you** *tu, vous* (de politesse)	**you** *toi, te, vous* (de politesse)
3e personne - masculin féminin neutre	**he** *il* **she** *elle* **it** *il, elle*	**him** *lui, le* **her** *lui, la* **it** *lui, le, la*
Pluriel		
1re personne	**we** *nous*	**us** *nous*
2e personne	**you** *vous*	**you** *vous*
3e personne	**they** *ils, elles*	**them** *eux, leur, les*

> L'anglais ne fait pas la distinction entre « tu » et « vous » : on emploie **you** dans les deux cas.

■ Place du pronom complément

Le pronom personnel complément se place toujours après le verbe en anglais, contrairement au français :

They gave him some money.　　　　**I saw her last week.**

Ils <u>lui</u> ont donné de l'argent.　　　*Je <u>l'</u>ai vue la semaine dernière.*

Can you lend me your guitar?
Tu me prêtes ta guitare ?

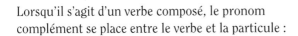

Lorsqu'il s'agit d'un verbe composé, le pronom complément se place entre le verbe et la particule :

I'll call you back tomorrow.
Je te rappelle demain.

Lorsqu'un verbe a deux sujets, le deuxième élément n'est jamais un pronom complément mais un pronom sujet :

> **My sister and I suffer from seasickness.**
> *Ma sœur et moi avons le mal de mer.*

> **He and Paul went back together.**
> *Paul et lui sont rentrés ensemble.*

■ *He, she* ou *it ?*

He et **him** s'emploient pour les personnes du sexe masculin, **she** et **her** pour les personnes du sexe féminin et **it** pour les objets et les animaux. Il existe cependant quelques cas particuliers :

→ les animaux :

On emploie **it** pour les animaux, et les animaux familiers que l'on ne connaît pas :

Look at that horse, isn't it beautiful!
Regarde ce cheval, il est beau, non ?

Don't go near that dog, it might bite you.
Ne t'approche pas du chien, il pourrait te mordre.

On emploie **he** ou **she** pour parler d'un animal familier que l'on connaît bien :

My dog is very lazy. She spends her time sleeping.
Ma chienne est très paresseuse. Elle passe son temps à dormir.

→ les bébés :

On emploie généralement **he** ou **she** pour parler d'un bébé. Cependant, lorsqu'on ne sait pas s'il s'agit d'une fille ou d'un garçon, l'emploi de **it** est possible :

The next-door neighbours have a baby. It's been crying all night long.
Les voisins d'à côté ont un bébé. Il a pleuré toute la nuit.

→ les bateaux, les voitures, etc. :

En règle générale, on emploie le pronom neutre **it** pour désigner tous les objets :

"Where's the car?" – "It's parked in front of the house."
« Où est la voiture ? » – « Elle est garée devant la maison. »

Cependant, il arrive parfois que le locuteur choisisse de personnifier une voiture ou un bateau par l'emploi du pronom féminin **she** :

She'll do a hundred if you put your foot down!
Elle fait du 100 miles à l'heure si on écrase l'accélérateur !
She's a fine ship. She has sailed around the world.
C'est un bateau magnifique. Il a fait le tour du monde.

→ les personnes :

On emploie les pronoms **he** et **she** lorsque l'identité de la personne est connue :

"Who ate the cake?" – "She did."
« Qui a mangé le gâteau ? » – « C'est elle. »

On emploie le pronom neutre **it** lorsque la personne n'a pas encore été identifiée (voir l'emploi de **it** dans des tournures impersonnelles ci-dessous et p. 42) :

"Who is it?" – "It's Sarah."
« Qui est-ce ? » – « C'est Sarah. »

■ **Autres emplois de *it***

Le pronom neutre **it** s'emploie également :

→ dans des tournures impersonnelles :

It's cold today!
Il fait froid aujourd'hui !

It's ten o'clock.
Il est dix heures.

It's not easy.
Ce n'est pas facile.

It's Friday.
Nous sommes vendredi.

It's me!
C'est moi !

→ pour reprendre un nom ou une proposition :

"Where's my hat?" – "It's on your head!"
« Où est mon chapeau ? » – « Il est sur ta tête ! »

"I lost my keys." – "I can't do anything about it."
« J'ai perdu mes clés. » – « Je n'y peux rien. »

→ pour annoncer une proposition :

It's impossible to work in this heat.
C'est impossible de travailler par cette chaleur.

It's clear that he's lying.
Il est évident qu'il ment.

■ *They*

Le pronom **they** est souvent employé dans un sens indéterminé pour renvoyer à un pronom indéfini (**somebody / someone, anybody / anyone, everybody / everyone, nobody / no one**). Il permet ainsi d'éviter l'emploi de **he or she** :

Someone called this morning but they didn't leave any message.
Quelqu'un a téléphoné ce matin mais (il ou elle) n'a pas laissé de message.

Le pronom complément **them** et l'adjectif possessif **their** s'emploient dans le même sens :

If anybody calls, tell them to call back later.
Si quelqu'un téléphone, dis-lui de rappeler plus tard.

Somebody has left their fishing rod behind.
Quelqu'un a oublié sa canne à pêche.

They permet également de traduire le pronom français « on » (voir **Traduction de « on »** pp. 43–4).

■ Comparaison

Dans une comparaison, on emploie généralement le pronom complément après **than** et **as** :

He plays better than me.   **He isn't as talented as her.**
Il joue mieux que moi.   *Il n'est pas aussi doué qu'elle.*

Dans un style plus soutenu, on peut employer le pronom sujet suivi du verbe :

He plays better than I do.   **He isn't as talented as she is.**
Il joue mieux que moi.   *Il n'est pas aussi doué qu'elle.*

■ Emploi emphatique

! Contrairement au français, le pronom sujet n'est jamais répété en anglais. « Moi, je... » se traduit par **I** en accentuant le pronom pour marquer l'insistance :

> *Moi, je trouve qu'il a raison.* <u>I</u> **think he's right.**
> *Nous, on préfère y aller à pied !* <u>We</u> **prefer to walk!**

■ Traduction de « on »

La traduction du pronom personnel français « on » dépend du contexte :

→ lorsqu'il s'agit d'une généralisation, on emploie le pronom **you**, ou, dans un langage plus soutenu, le pronom indéfini **one** :

You never know. ou **One never knows.**
On ne sait jamais.

→ lorsque le locuteur est inclus dans le groupe dont il est question, on emploie le pronom **we** :

We had so much fun!
Qu'est-ce qu'on s'est amusés !

→ lorsque le locuteur n'est pas inclus dans le groupe, on emploie les pronoms **they** et **you**, ou le nom **people** :

In Spain they eat late.
En Espagne, on dîne tard.

People say he's very talented. ou **They say he's very talented.**
On dit qu'il a beaucoup de talent.

How do you say "de rien" in English?

Comment dit-on « de rien » en anglais ?

→ lorsque « on » a une valeur indéterminée, il se traduit par la voix passive en anglais ou par **someone / somebody** (*quelqu'un*) :

Someone has stolen my purse! ou **My purse** has been **stolen!**

On m'a volé mon porte-monnaie !

Voir également **Les adjectifs et les pronoms indéfinis** p. 67 et **La voix passive** p. 199.

EXERCICES

1) **Remplacez les mots entre parenthèses par un pronom personnel sujet ou complément :**

(Brian and Sophie) ____¹ told (Brian's mother) ____² about their plans to travel round the world. She told (Brian and Sophie) ____³: "(Brian and Sophie) ____⁴ are so lucky!" (Sue) ____⁵ also told (her son) ____⁶ she would miss (Brian and Sophie) ____⁷. The day of the departure (all their friends) ____⁸ were at the airport to wish (Brian and Sophie) ____⁹ a wonderful time. (Sophie) ____¹⁰ arrived first and explained why (Brian and Sophie) ____¹¹ were late. "(Our suitcase) ____¹² burst open. (Brian) ____¹³ couldn't close (the suitcase) ____¹⁴ any more." "That's why (my boyfriend and I) ____¹⁵ are late." Eventually, everybody said goodbye to (Brian and Sophie) ____¹⁶ and asked (Brian and Sophie) ____¹⁷ to keep in touch.

2) **Complétez les phrases suivantes avec un pronom personnel sujet ou complément :**

a) Jack and Paul get on very well. Jack and ____ often travel together.

b) Kate had her baby. Is ____ a boy or a girl?

c) ____'s a baby girl. ____ looks adorable.

d) Our dog likes her food a lot. ____ eats like a horse!

e) Look at the snail! ____'s eating a leaf.

f) Her brother has changed a lot, I hardly recognized ____.

g) His girlfriend speaks so fast, sometimes I can't understand ____.

3) Mettez les mots dans l'ordre pour reconstituer des phrases :

a) it + tomorrow + talk + I'll + call + about + you + to

b) very + he + work + to + expects + hard + us

c) dinner + us + out + they + for + asked

d) our + him + we + address + gave

e) me + much + she + than + taller + is

f) play + you + well + as + he + as + doesn't + do + bass + the

g) Egypt + us + sent + a + from + he + postcard

h) them + invited + birthday + we + to + party + my

4) Traduisez en français :

a) He wrote her a long letter.

b) She speaks Spanish better than I do.

c) He would like you to call them back.

d) You never know what could happen.

e) We heard somebody shouting. They sounded very angry.

5) Traduisez en anglais :

a) Il neige.

b) Nous sommes mercredi aujourd'hui.

c) Quelle heure est-il ?

d) Moi, je ne suis pas d'accord avec lui !

e) On dit qu'il va démissionner. [démissionner = *to resign*]

f) On a bien ri ! [rire = *to have a laugh*]

g) « Qui a mangé tous les chocolats ? » – « C'est lui ! »

4

Les possessifs

Points traités dans ce chapitre :

- les adjectifs possessifs : la différence entre les adjectifs possessifs anglais et français (possesseur / chose possédée)
- l'emploi de l'adjectif possessif anglais là où on utilise en français l'article défini
- l'emploi du pluriel après **our**, **your** et **their**
- l'emploi du mot **own** après les adjectifs possessifs
- l'emploi de **one's** dans les tournures impersonnelles
- les pronoms possessifs : le genre et le nombre des pronoms possessifs anglais ; la construction « nom + **of** + pronom possessif »

1 Les adjectifs possessifs

	Singulier	Pluriel
1re personne	**my** *mon, ma, mes*	**our** *notre, nos*
2e personne	**your** *ton, ta, tes* (vouvoiement) *votre, vos*	**your** *votre, vos*
3e personne - masculin féminin neutre	**his** *son, sa, ses* **her** *son, sa, ses* **its** *son, sa, ses*	**their** *leur, leurs*

> Ne pas confondre **its**, l'adjectif possessif, et **it's**, la forme contractée de **it is** (voir **Les auxiliaires be, have, do** p. 120).

! Le genre et le nombre de l'adjectif possessif ne dépendent pas du nom qui suit comme en français mais varient uniquement en fonction du <u>possesseur</u> : on emploie **his** pour les possesseurs du sexe masculin, **her** pour ceux du sexe féminin et **its** pour les objets et les animaux de genre neutre (voir le tableau qui suit).

son poids	=	**his weight** s'il s'agit d'un homme
		her weight s'il s'agit d'une femme
		its weight s'il s'agit d'un objet

Possesseur masculin	Possesseur féminin	Possesseur neutre
James	Ellen	the snail
his **sister** *sa sœur*	her **brother** *son frère*	its **shell** *sa coquille*
his **meal** *son repas*	her **meal** *son repas*	its **meal** *son repas*

Les possessifs

Lorsque le pronom personnel **he** ou **she** désigne un animal familier ou un objet (voir pp. 40–1), il faut bien sûr choisir l'adjectif possessif du genre correspondant. Comparez :

The lion is hunting its prey.
Le lion chasse sa proie.

Our dog is miserable. He's hurt his paw.
Notre chien est malheureux. Il s'est fait mal à la patte.

■ Adjectif possessif ou article ?

Pour désigner une partie du corps ou un vêtement, on emploie l'adjectif possessif en anglais, contrairement au français qui utilise dans ce cas l'article défini :

Why is he hiding his hands behind his back?
Pourquoi se cache-t-il les mains derrière le dos ?

She's broken her toe.
Elle s'est cassé l'orteil.

Après une préposition, on emploie l'article défini comme en français :

He grabbed her <u>by</u> the hair.
Il l'a attrapée par les cheveux.

He was punched <u>on</u> the nose.
Il a reçu un coup de poing dans le nez.

■ Emploi du pluriel

Les adjectifs possessifs **our**, **your** et **their** sont souvent suivis d'un nom au pluriel en anglais, dans des cas où le français préfère le singulier :

Many people are unhappy about their careers.
Beaucoup de gens ne sont pas satisfaits de leur carrière.

Several children forgot their swimming costumes.
Plusieurs enfants ont oublié leur maillot de bain.

■ *Own*

Il est possible de renforcer le sens de l'adjectif possessif en le faisant suivre de **own** :

This treehouse is his own idea.
Cette cabane dans l'arbre, c'est son idée à lui ou c'est sa propre idée.

■ **Tournures impersonnelles**

Dans les tournures impersonnelles, on emploie **one's** pour traduire « son / sa / ses » :

to do one's best
faire de son mieux

2 Les pronoms possessifs

Singulier		
1ʳᵉ personne	**mine** *le mien, la mienne, les miens, les miennes*	/ à moi
2ᵉ personne	**yours** *le tien, la tienne, les tiens, les tiennes* (vouvoiement) *le vôtre, la vôtre, les vôtres*	/ à toi, / à vous
3ᵉ personne - masculin féminin	**his** *le sien, la sienne, les siens, les siennes* **hers** *le sien, la sienne, les siens, les siennes*	/ à lui / à elle

Pluriel		
1ʳᵉ personne	**ours** *le nôtre, la nôtre, les nôtres*	/ à nous
2ᵉ personne	**yours** *le vôtre, la vôtre, les vôtres*	/ à vous
3ᵉ personne	**theirs** *le leur, la leur, les leurs*	/ à eux, à elles

Il existe un pronom possessif neutre, **its**, rarement employé.

Le pronom possessif n'est jamais précédé de l'article en anglais :
Whose toy is it? – It's not his, it's mine!
À qui est ce jouet ? – Ce n'est pas le sien, c'est le mien !

■ **Genre et nombre**

Comme pour les adjectifs possessifs, le genre et le nombre du pronom possessif en anglais dépendent uniquement du <u>possesseur</u>, et non de l'antécédent comme en français :

Julia loves her school but Max doesn't like his.
Julia aime beaucoup son <u>école</u> mais Max n'aime pas <u>la sienne</u>.

Lorsqu'on veut traduire le pronom possessif anglais, il est nécessaire de connaître l'antécédent pour savoir le genre que l'on doit utiliser en français :

This is your umbrella. Mine is this one.

Voici ton parapluie. Le mien, c'est celui-ci.

This is your tie. Mine is this one.

Voici ta cravate. La mienne, c'est celle-ci.

■ **Construction avec *of***

Cette construction permet de traduire « un de mes / tes / ses... » :

She's a colleague of mine.

C'est une de mes collègues.

Lorsque le nom est précédé de l'adjectif démonstratif **this** ou **that**, la phrase prend une nuance ironique ou péjorative :

This room of yours could do with a bit of tidying up!

Ta chambre aurait bien besoin d'être rangée !

EXERCICES

---

1) Complétez les phrases suivantes par un adjectif possessif :

a) Do you think the lion is dreaming about _____ dinner?

b) Janet called to say that she missed _____ train.

c) If you've finished, could you put _____ books away, please?

d) I can't stand him playing any more. I wish I could steal _____ trumpet.

e) I can't get dressed, I can't find _____ socks.

f) We sold _____ house and are waiting to move to _____ new home.

g) He dismantled _____ daughter's bike but he couldn't put it back together again.

h) I'm writing to Tom and Patricia, do you have _____ address?

i) She loves Woody Allen, she's seen all _____ films.

j) The kangaroo carries _____ young in ___ pouch.

2) Complétez les phrases suivantes par un pronom possessif (le pronom personnel correspondant est précisé entre parenthèses) :

a) Whose jacket is this? It's not ____. (I)

b) Are these John's glasses? Not, they're not ____, they're ____. (he + I)

c) Leave these pencils alone, they're not ____ ! (you)

d) I brought my books but everybody else forgot ____. (they)

e) I'm looking for Lucy's and Simon's bags. ____ is red and ___ is blue. (she + he)

f) Their lawnmower is broken. We can lend them ____. (we)

3) Remplacez les mots entre parenthèses par un pronom possessif :

a) It's your turn to play, not (Juliet's turn).

b) Can I have (your orange juice) if you are not drinking it?

c) You can't wear (your brother's jumper), it's far too big for you.

d) These are (Mark and Sophie's keys) not (our keys).

e) I want (my own room), I don't want to share (my sister's) anymore.

f) Why is his slice of cake much bigger than (my slice of cake)?

g) (My cousins' football team) is not as good as (our football team).

4) Choisissez le mot qui convient :

a) What have you got in (the / your / yours) pockets?

b) She doesn't know (her / hers / its) luck.

c) Do you know that woman? What's (hers / her / the) name?

d) He moved house last week. What's the name of (his / its / her) street?

e) Our dog is very shy. She hides behind (her / its / his) bed when we have guests.

f) Has everybody got (their / theirs / his) tickets?

g) He left for work still wearing (his / their / theirs) slippers.

5) Traduisez en anglais :

    a) David s'est cassé la jambe.

    b) L'oiseau a saisi un ver avec son bec.
        [ver = *worm* ; bec = *beak*]

    c) Simon est un ami à nous.

    d) Il a enlevé ses chaussures.

    e) Mes amies m'ont laissé leur perruche. [perruche = *budgie*]

    f) Elle s'est coupé le doigt.

    g) C'est une de mes cousines.

    h) C'est le portable de Silvia. Je suis sûr que c'est le sien.

    i) C'est notre valise, pas celle de Jim. La nôtre est noire, la sienne est marron.

Le génitif

Points traités dans ce chapitre :

- · la formation du génitif : le génitif avec **'s** ou **'** ; la place du **'s** ; la place de l'adjectif ; les relations multiples (plusieurs génitifs à la suite)
- · l'omission du deuxième nom après **'s**
- · les différences d'emploi entre le génitif et le complément du nom avec **of**

Le génitif, également appelé cas possessif, s'emploie pour exprimer un lien entre des noms, le plus souvent un rapport d'appartenance :

my sister's parrot
le perroquet de ma sœur

1 La formation du génitif

■ Génitif avec *'s* ou *'*

Nom + 's	Nom + '
Nom singulier avec ou sans **-s** :	Nom au pluriel en **-s** :
the neighbour's car **the boss's office**	**the neighbours' car** **my friends' records**
la voiture du voisin *le bureau du patron*	*la voiture des voisins* *les disques de mes amis*
Chris's book	**the Smiths' house**
le livre de Chris	*la maison des Smith*

> La marque du génitif se prononce [ɪz] lorsque le nom se termine par le son [s] :
> **the boss's office** [ðə ˈbɒsɪz ˈɒfɪs], **Chris's book** [ˈkrɪsɪz ˈbʊk]

Nom au pluriel sans **-s** :	
the children's room	
la chambre des enfants	
the children's rooms	
les chambres des enfants	

! Ne pas confondre :

the boy's school = *l'école du garçon*
the boys' school = *l'école de garçons* [où il n'y a que des garçons] ou *l'école des garçons* [des garçons dont on parle]

- **Place du** *'s*

  → Lorsque le groupe nominal est composé de plusieurs mots, l'apostrophe ou le **'s** du génitif se place toujours après le dernier mot :

  the bus driver's uniform
  l'uniforme du conducteur de bus

  an hour and a half's work
  un travail d'une heure et demie

  the Members of Parliament's decision
  la décision des députés

  → Lorsque deux éléments sont reliés par une conjonction de coordination, le sens varie en fonction de la place du **'s** :

  Arthur and Sophie's garden
  le jardin d'Arthur et Sophie

  Sophie's and Anna's gardens
  les jardins de Sophie et d'Anna

- **Place de l'adjectif**

  Un adjectif peut qualifier le premier ou le deuxième nom d'un groupe nominal au génitif. Sa place, directement devant le nom qu'il qualifie, détermine le sens de la phrase :

  Look at the shark's big teeth!
  Regarde les grandes dents du requin !

  Look at the big shark's teeth!
  Regarde les dents du gros requin !

- **Relations multiples**

  Il est possible d'avoir deux génitifs à la suite :

  I borrowed my sister's boyfriend's laptop.
  J'ai emprunté l'ordinateur portable du copain de ma sœur.

2 L'omission du nom

Lorsque le contexte est clair, le deuxième nom est omis :

→ lorsqu'il s'agit d'un lieu public ou du domicile de quelqu'un :

She went to the baker's.
Elle est allée à la boulangerie.

[= the baker's shop]

Let's meet at John's.
Retrouvons-nous chez John.

[= John's house]

→ lorsqu'on veut éviter une répétition :

"Is it my turn?" – "No, it's Jane's." [= **Jane's turn**]

« C'est mon tour ? » – « Non, c'est celui de Jane. »

→ lorsque le génitif suit un complément du nom avec **of** :

She's a friend of Janet's.   [= **She's one of Janet's friends.**]

C'est une amie de Janet.

!   Ne pas confondre :

       She's a friend of Janet's. = *C'est une amie de Janet.* [= l'une de ses amies]

       She's Janet's friend. = *C'est l'amie de Janet.*

---

3 Génitif ou complément du nom avec *of* ?

L'emploi du génitif n'est pas toujours possible. Il est parfois nécessaire d'utiliser le complément du nom formé avec la préposition **of** :

Génitif	Complément du nom avec *of*
avec des êtres animés ou des noms désignant une activité humaine : **Gabrielle's guitar** *la guitare de Gabrielle* **the bird's nest** *le nid de l'oiseau* **the actor's name** *le nom de l'acteur*	avec des êtres inanimés, des concepts, etc. : **the boot of the car** *le coffre de la voiture* **the beginning of the film** *le début du film*
avec des expressions de temps ou de valeur : **Saturday's party** *la soirée de samedi* **two months' work** *deux mois de travail* **You've had your money's worth.** *Tu en as eu pour ton argent.*	avec des propositions ou des groupes nominaux longs : **Do you remember the name of the actor who plays that part?** *Te souviens-tu du nom de l'acteur qui joue ce rôle ?*

EXERCICES

1) Utilisez le génitif pour relier les mots suivants :
a) the + man + tie
b) my + friends + bikes
c) my + boss + desk
d) Andrew + keys
e) men + trousers
f) my + parents-in-law + house
g) the + tennis player + spectacular performance

2) Remplacez les groupes de mots entre parenthèses par un génitif :
a) I spent two weeks in (the house of my friend) in Spain.
b) I can't wait to ride (the new bike of Thomas).
c) Are you going to (the house of Julie) tonight?
d) Do you know (the favourite song of the team)?

e) (The French teacher of the children) is organizing a trip abroad.
f) I'm looking after (the dog of the neighbours) while they're away on holiday.

3) Traduisez en français :
a) my sister's boyfriend's new motorbike
b) Julie's and Sam's families
c) the bride's beautiful dress [bride = *mariée*]
d) Paul and Silvia's children
e) the best pupil's prize

4) Reliez les mots suivants par un génitif ou un complément du nom avec of :
a) the edge + the table
b) tomorrow + the meeting

c) Sunday + the race
d) Robert + the drum kit
e) the end + the book
f) the bike + the boy with the red jumper
g) the garden + the house we bought in Scotland

5) Traduisez en anglais :

a) C'est une amie de mon frère.

b) Les amis de ma sœur ne veulent pas venir.

c) Je me suis endormi avant la fin du film.

d) C'est la meilleure amie de la sœur de Kate.

e) Les vêtements d'enfants sont au premier étage.

f) Les chambres des filles sont très jolies.

g) Un lapin est sorti du chapeau du magicien.

h) Je passe la soirée chez Daniel et Julie.

i) Où est la boucherie ?

j) Les vélos de Tim et de Paul sont dans la voiture.

Les pronoms réfléchis et réciproques

Points traités dans ce chapitre :

- · les pronoms réfléchis : la place et la fonction de ces pronoms ; l'emploi réfléchi ; l'emploi intensif
- · les pronoms réciproques : l'emploi de **each other** et **one another**
- · la différence de sens entre les pronoms réfléchis et réciproques, différence mise en relief par les verbes qui peuvent se construire avec l'un et l'autre de ces pronoms
- · le génitif des pronoms réciproques

1 Les pronoms réfléchis

	Singulier	Pluriel
1re personne	**myself** *moi-même*	**ourselves** *nous-mêmes*
2e personne	**yourself** *toi-même* (vouvoiement) *vous-même*	**yourselves** *vous-mêmes*
3e personne - masculin féminin neutre	**himself** *lui-même* **herself** *elle-même* **itself** *lui-même, elle-même*	**themselves** *eux-mêmes, elles-mêmes*

Il existe également un pronom réfléchi indéfini : **oneself** *soi-même*.

to be oneself *être soi-même*
to defend oneself *se défendre*

■ Place et fonction du pronom réfléchi

Le pronom réfléchi renvoie à la même personne que le sujet de la phrase :

She congratulated herself on having passed her exams.
Elle s'est félicitée d'avoir réussi ses examens.

tandis que le pronom personnel complément renvoie à une autre personne :

She congratulated her on having passed her exams.
Elle l'a félicitée d'avoir réussi ses examens.

Fonction du pronom réfléchi	
attribut	**I'm not** myself **today.** *Je ne suis pas dans mon assiette aujourd'hui.*
complément d'objet direct	**Ouch! I burnt** myself**!** *Aïe ! Je me suis brûlé !*
complément d'objet indirect	**I bought** myself **a piano.** *Je me suis acheté un piano.*
après une préposition	**I was talking to** myself**.** *Je parlais tout seul.*
emploi intensif	**I made it** myself**.** *Je l'ai fait moi-même.*

Le sens de la phrase peut être différent selon la place et la fonction du pronom réfléchi :

I made myself **a witch's costume.**

Je me suis fait un costume de sorcière.

I made this witch's costume myself**.**

J'ai fait ce costume de sorcière toute seule.

■ **Emploi réfléchi**

L'emploi du pronom réfléchi correspond souvent à un verbe pronominal en français :

She enjoyed herself.

Elle s'est bien amusée.

Defend yourself!

Défends-toi !

De nombreux verbes pronominaux français se traduisent cependant par un verbe <u>sans</u> pronom réfléchi en anglais, par exemple : **complain** (*se plaindre*), **dress** (*s'habiller*), **feel** (*se sentir*), **get ready** (*se préparer*), **shave** (*se raser*), **wake up** (*se réveiller*), **wash** (*se laver*), etc. :

I don't feel very well.

Je ne <u>me</u> sens pas très bien.

I don't like the way she dresses.

Je n'aime pas la façon dont elle <u>s'</u>habille.

Wake up!

Réveille-<u>toi</u> !

Il est parfois possible d'employer le pronom réfléchi pour insister :

He's able to dress himself now.

Il s'habille tout seul maintenant.

■ **Emploi intensif**

→ Le pronom réfléchi peut avoir une valeur d'insistance :

I knitted this jumper myself!
J'ai tricoté ce pull moi-même !

I spoke to the manager himself.
J'ai parlé au directeur en personne.

→ La tournure **by myself / by yourself**, etc. signifie « physiquement seul » :

He likes being by himself.
Il aime être seul.

2 Les pronoms réciproques

Les deux pronoms réciproques anglais sont :

		l'un l'autre
each other	=	*l'une l'autre*
one another		*les uns les autres*
		les unes les autres

> **!** **Each other** et **one another** sont invariables, tandis que la traduction française varie en genre et en nombre selon les personnes concernées.

■ **Emploi**

Each other s'emploie un peu plus couramment que **one another**.

L'emploi des pronoms réciproques en anglais correspond souvent à celui d'un verbe pronominal de sens réciproque en français :

Simon and Julie hate each other.
Simon et Julie se détestent.

They respect each other.
Ils se respectent.

L'emploi de **each other** ou **one another** n'est cependant pas toujours nécessaire pour traduire les verbes pronominaux français qui ont un sens réciproque. Certains verbes anglais n'ont pas besoin de ces pronoms pour avoir un sens réciproque, par exemple :

They fought and then they kissed.

Ils se sont battus puis ils se sont embrassés.

We met on holiday.

Nous nous sommes rencontrés en vacances.

- ### Pronom réfléchi ou pronom réciproque ?

Les verbes pronominaux français se traduisent différemment selon que leur emploi est réfléchi ou réciproque :

Nous nous sommes regardés. [nous-mêmes] = **We looked at** ourselves.

ou [mutuellement] = **We looked at** one another.

Elles se sont félicitées. [elles-mêmes] = **They congratulated** themselves.

ou [mutuellement] = **They congratulated** each other.

Vous vous contredisez. [vous-même] = **You're contradicting** yourself.

ou [mutuellement] = **You're contradicting** each other.

> Les verbes pronominaux français peuvent également avoir un sens passif. Dans ce cas, ils se traduisent généralement en anglais par un verbe à la voix passive (voir **La voix passive** p. 199), un verbe intransitif, ou **to be** + adjectif :
>
> *Ce jeu se joue avec deux équipes.* **This game is played with two teams.**
> *Son dernier roman se vend très bien.* **Her latest novel sells very well.**
> *Ça se comprend.* **That's understandable.**

- ### Génitif

Les pronoms **each other** et **one another** peuvent être suivis de la marque du génitif :

Let's wear each other's clothes.   **They took each other's hand.**

Échangeons nos vêtements.   *Ils se sont pris par la main.*

EXERCICES

---

1) **Complétez les phrases par un pronom réfléchi :**

   a) Did you enjoy _____ ?

   b) The sheep hurt _____ .

   c) I was left all by _____ .

   d) She sees _____ as a rock star.

Les pronoms réfléchis et réciproques

e) It switches off by _____.

f) We managed to do it _____.

g) Now, they've found _____ in an impossible situation.

h) He regards _____ as an expert.

2) **Choisissez le pronom qui convient :**

a) Cats lick (each other / themselves) clean.

b) We've known (each other / ourselves) for a long time.

c) She spends ages admiring (her / herself) in the mirror.

d) They had an argument and no longer talk to (each other / themselves).

e) They help (each other / themselves) by sharing the work.

f) You two keep repeating (yourself / yourselves / each other).

g) Our cat and dog love (themselves / each other).

h) The children splashed (themselves / one another).

3) **Traduisez en français :**

a) Their children never stop fighting.

b) Tea is often drunk with a drop of milk in England.

c) They don't know each other.

d) Hurry up!

e) Stop them or they'll end up hurting each other!

f) We stopped to rest the camels.

g) They got married last year.

h) They respect each other's opinions.

i) We got lost in the forest.

j) They kissed each other on the cheek.

k) He locked himself in his room.

4) Traduisez en anglais :

    a) Nous nous donnons toujours une carte d'anniversaire.

    b) Il ne s'aime pas.

    c) L'ogre s'est transformé en souris.
        [ogre = *ogre*]

    d) Elle s'exprime bien.

e) Je ne peux pas les inviter, ils se détestent.

f) Il se coupe les cheveux lui-même.

Les démonstratifs

Points traités dans ce chapitre :
- · les adjectifs et pronoms démonstratifs singuliers (**this**, **that**) et pluriels (**these**, **those**)
- · les différences d'emploi entre **this** / **these** et **that** / **those**
- · l'emploi adverbial de **this** et **that**
- · l'emploi de **this** et **these** comme déterminants indéfinis

■ Formes au singulier et au pluriel

This et **that** sont à la fois adjectifs démonstratifs et pronoms démonstratifs. Ils peuvent donc déterminer le nom ou remplacer un nom ou une phrase. Le pluriel de **this** est **these**, celui de **that** est **those**.

Adjectifs démonstratifs	
Singulier	**Pluriel**
this **hat** *ce chapeau(-ci)* this **sock** *cette chaussette(-ci)*	these **hats** *ces chapeaux(-ci)* these **socks** *ces chaussettes(-ci)*
that **book** *ce livre(-là)* that **town** *cette ville(-là)*	those **books** *ces livres(-là)* those **towns** *ces villes(-là)*
Pronoms démonstratifs	
Singulier	**Pluriel**
Listen to this. *Écoutez bien ceci.* **I want** this **one!** *Je veux celui-ci / celle-ci !*	**Take** these. *Prends ceux-ci / celles-ci.*
Give me that**!** *Donne-moi ça !* **Not** that **one!** *Pas celui-là / celle-là !*	**Give me back** those. *Rends-moi ceux-là / celles-là.*

On emploie **this one** pour traduire « celui-ci » et « celle-ci », **that one** pour traduire « celui-là » et « celle-là ». Au pluriel, **ones** est souvent omis :

ceux-ci, celles-ci = **these (ones)**   *ceux-là, celles-là* = **those (ones)**

■ Emplois

	This et *these* désignent ce qui est proche :	*That* et *those* désignent ce qui est loin :
dans l'espace	**This tie doesn't go with my shirt.** *Cette cravate ne va pas avec ma chemise.*	**Look at that big black cloud in the sky!** *Tu as vu le gros nuage noir dans le ciel ?*

au téléphone	Hello, **this** is Louise (speaking). *Allô, c'est Louise (à l'appareil).*	Is **that** Simon? *C'est Simon ?*
dans le temps	What are you doing **this** evening? *Qu'est-ce que tu fais ce soir ?* Children are more and more precocious **these** days. *Les enfants sont de plus en plus précoces de nos jours.*	Do you remember **that** play we saw last year? *Tu te rappelles cette pièce que nous avons vue l'année dernière ?* In **those** days, it wasn't possible. *En ce temps-là, ce n'était pas possible.*

→ On emploie également **this** pour annoncer quelque chose et **that** pour conclure :

This is what he told me: "The house is haunted."
Voici ce qu'il m'a dit : « La maison est hantée. »

"I don't want to know." That's what he told me.
« Je ne veux pas le savoir. » C'est ce qu'il m'a dit.

→ Lorsque deux objets sont à la même distance, on emploie **this** pour celui que l'on mentionne en premier et **that** pour le second :

Which do you prefer, this one or that one?
Lequel préfères-tu, celui-ci ou celui-là ?

Les pronoms démonstratifs **this** et **that** renvoient à des personnes unique-ment dans des questions ou pour présenter quelqu'un :

Who is this? *Qui est-ce ?*
This is Julia. *C'est Julia.*

Dans les autres cas, on doit employer le pronom personnel :

Elle voulait parler à son frère, mais <u>celui-ci</u> était absent.
She wanted to talk to her brother, but he was out.

■ Emploi adverbial

This et **that** peuvent également être employés comme adverbes :

The spider was this big!
L'araignée était grosse comme ça !

It's not that easy!
Ce n'est pas si facile que ça !

- ***This*** et *these* comme déterminants indéfinis

  En anglais familier, les adjectifs démonstratifs **this** et **these** sont souvent employés comme déterminants indéfinis :

  > **The other day, these tourists asked me if I knew Big Ben.**
  >
  > *L'autre jour, des touristes m'ont demandé si je connaissais Big Ben.*

EXERCICES

---

1) Complétez les phrases suivantes à l'aide des adjectifs démonstratifs this, that, these **ou** those :

  a) We're late _____ morning.

  b) _____ boots are far too small for me.

  c) _____ boots look great!

  d) Do you remember _____ summer when it rained every day?

  e) Can I have a look at _____ glasses at the back?

  f) I don't like _____ new friend of yours!

  g) Tell me more about _____ interesting people you've met.

2) Complétez les phrases suivantes à l'aide des pronoms démonstratifs this, that, this one, that one, these (ones) **ou** those (ones) :

  a) Please make up your mind about these two skirts. Do you want _____ or _____?

  b) _____ is what we're going to do: we'll pretend we're pirates.

  c) "I need some glasses." – "Take _____ here, _____ are dirty."

  d) Hello, is _____ you, Michael? _____ is Sophie.

  e) Do you want to eat _____?

  f) I don't like _____!

  g) "Never again!" _____ 's what he told me.

3) Choisissez la bonne réponse :

a) When is he coming? (This summer. / That summer.)

b) Where does he live? (That house over there. / This house over there.)

c) ("This is Jennifer Jones." / "That's Jennifer Jones.") – "Pleased to meet you!"

d) Which one do you want? (This one here. / That one here.)

e) Do you want anything else? (No thanks, that's all. / No thanks, this is all.)

4) Traduisez en français :

a) These glasses don't suit me at all, I'll try those.

b) This is my sister, Susan.

c) It's not that funny!

d) This sauce doesn't taste of anything!

e) What's that?

f) What's this?

5) Traduisez en anglais :

a) Tu ne vas pas mettre ce chapeau ridicule, non?

b) J'ai acheté deux livres : celui-ci pour l'école et celui-là pour moi.

c) Je pars en vacances cet après-midi.

d) Cette émission m'énerve, je ne la regarde plus. [émission = *programme*]

e) J'ai pris un poisson gros comme ça !

f) Celui-ci ne me plaît pas, donnez-moi celui-là là-bas.

g) Celles-là ne sont pas mûres, goûte celles-ci.

h) Nous aimons beaucoup cet hôtel, nous revenons chaque été.

i) Nous aimons beaucoup cet hôtel, nous y retournons chaque été.

Les adjectifs et les pronoms indéfinis

Points traités dans ce chapitre :

- les adjectifs et pronoms indéfinis : leur emploi avec les noms dénombrables ou indénombrables
- l'emploi de **every**, **each** et **all**
- les différences entre **all** et **whole**
- l'emploi de **either**, **neither** et **both**
- l'emploi de **some**, **any**, **no** et **none**
- les composés de **some**, **any**, **no** et **every** : l'emploi de **somebody, anybody, nobody, everybody, something, anything, nothing** et **everything**
- l'emploi de **much, many, a lot of, lots of** et **plenty of**
- l'emploi de **few, little, a few** et **a little**
- l'emploi de **most** et **most of**
- l'emploi de **other** et **another**

■ **Emploi**

Les adjectifs et les pronoms indéfinis s'emploient pour exprimer une quantité.
Le tableau suivant répertorie les adjectifs indéfinis par ordre croissant de quantité.
Les pronoms ne sont illustrés que lorsque leur forme diffère de l'adjectif correspondant.

Nom dénombrable pluriel	Nom indénombrable
He has no **friends.** = **He hasn't got** any **friends.** *Il n'a pas d'amis.*	**He has** no **money.** = **He hasn't got** any **money.** *Il n'a pas d'argent.*
He has none. = **He hasn't got** any. *Il n'en a pas.*	**He has** none. = **He hasn't got** any. *Il n'en a pas.*
He has few **friends.** *Il a peu d'amis.*	**He has** little **work.** *Il a peu de travail.*
He has a few **friends.** *Il a quelques amis.*	**He has** a little **money.** *Il a un peu d'argent.*
He has some **friends.** *Il a quelques amis.*	**He has** some **money.** *Il a de l'argent.*
Does he have any **friends?** *Est-ce qu'il a des amis ?*	**Does he have** any **money?** *Est-ce qu'il a de l'argent ?*
He has several **friends.** *Il a plusieurs amis.*	
We have enough **plates.** *Nous avons assez d'assiettes.*	**We have** enough **work.** *Nous avons suffisamment de travail.*

He has lots of **friends**. *Il a beaucoup d'amis.*	He has lots of **money**. *Il a beaucoup d'argent.*
He has a lot of **friends**. *Il a beaucoup d'amis.*	He has a lot of **money**. *Il a beaucoup d'argent.*
He has plenty of **friends**. *Il a beaucoup d'amis.*	He has plenty of **money**. *Il a beaucoup d'argent.*
Does he have many **friends?** *Est-ce qu'il a beaucoup d'amis ?*	He doesn't have much **money**. *Il n'a pas beaucoup d'argent.*
Most **children like sweets**. *La plupart des enfants aiment les bonbons.*	I enjoy most **fruit**. *J'aime la plupart des fruits.*
Most of **the pubs in our town have good beer.** *La plupart des pubs de notre ville ont de la bonne bière.*	Most of **the damage could have been prevented.** *La plus grande partie des dégâts aurait pu être évitée.*
All **children like playing.** *Tous les enfants aiment jouer.*	All **my courage is gone.** *Tout mon courage a disparu.*

L'adjectif indéfini à employer peut être différent selon que l'on parle de deux ou de plusieurs éléments :

Deux éléments	Plus de deux éléments
+ nom dénombrable singulier	
He has a tattoo on each **arm**. *Il a un tatouage sur chaque bras.*	Every **child received a present**. *Tous les enfants ont reçu un cadeau.*
	Each **child received a present**. *Chaque enfant a reçu un cadeau.*
+ nom dénombrable pluriel	
He has tattoos on both **arms**. *Il a des tatouages sur les deux bras.*	All **children like playing**. *Tous les enfants aiment jouer.*
+ nom dénombrable singulier	**+ nom dénombrable singulier ou pluriel**
Take either **book**. *Prends l'un ou l'autre de ces livres.*	Take any **book**. *Prends n'importe quel livre.*
Neither **bag is big enough**. *Aucun des deux sacs n'est assez grand.*	No **bag is big enough**. *Aucun sac n'est assez grand.*
	None of **the bags is big enough**. *Aucun des sacs n'est assez grand.*

La première syllabe de **either** et **neither** peut se prononcer soit avec le son /aɪ/, soit avec le son /iː/ (i long).

■ *Every, each* et *all*

→ **Every** et **all** s'emploient pour insister sur la totalité. **All** est suivi d'un nom au pluriel dans ce sens car les éléments sont considérés de façon globale ; **every** est toujours suivi d'un nom au singulier car les éléments sont considérés individuellement avant d'être vus dans leur totalité :

Every **room has a view of the sea.**
= All **rooms have a view of the sea.**
Toutes les chambres ont vue sur la mer.

! Dans les expressions de temps, **every** exprime la fréquence tandis que **all** exprime la durée :

It rains every day.	**It's been raining all day.**
Il pleut <u>tous les jours</u>.	*Il a plu <u>toute la journée</u>.*

→ **Every** peut être suivi d'un nombre ou de **other** pour exprimer la fréquence :

He travels to Italy every three months.
Il va en Italie tous les trois mois.

They call each other every other day.
Ils s'appellent tous les deux jours.

! Comme le montre le tableau p. 68, **every** ne s'emploie pas pour parler de deux éléments. Il faut employer **each** ou **both** dans ce cas :

each hand *chaque main*   ou   **both hands** *les deux mains*
[et non ***every hand***]

→ **Each** permet d'individualiser. Il peut être adjectif ou pronom :

Each child received a present.	**Each (of them) received a present.**
Chaque enfant a reçu un cadeau.	*Chacun (d'entre eux) a reçu un cadeau.*

→ **Every** et **each** s'emploient uniquement avec des noms dénombrables au singulier (voir **Les noms dénombrables et indénombrables** p. 28).

! **Every** ne s'emploie pas comme pronom : « chacun d'entre nous » se traduit **each of us** et non ***every of us***.

→ **All** s'emploie avec l'article **the** lorsqu'on désigne un groupe restreint :

All <u>the</u> children (in the class) went to the circus.
Tous les enfants (de la classe) sont allés au cirque.

→ **All** s'emploie sans article lorsqu'on considère un groupe de manière générale :

All children love sweets.
Tous les enfants aiment les bonbons.

→ **All** s'utilise avec les noms dénombrables et indénombrables, il peut donc être suivi d'un nom singulier ou pluriel (voir **Les noms dénombrables et indénombrables** p. 28). Il peut également être pronom :

I ate all the biscuits.	**I ate them all. = I ate all of them.**
J'ai mangé tous les gâteaux.	*Je les ai tous mangés.*
I drank all the milk.	**I drank it all. = I drank all of it.**
J'ai bu tout le lait.	*Je l'ai bu en entier.*

■ *All* et *whole*

→ **All** se place devant le groupe nominal tandis que **whole** se met entre le déterminant et le nom :

He ate all (of) the cake. *Il a mangé tout le gâteau.*

He ate the whole cake. *Il a mangé le gâteau en entier.*

→ Dans les expressions de temps, **whole** insiste sur la durée :

Don't interrupt me all the time.
Ne m'interromps pas tout le temps.

He said nothing the whole time we were there.
Il n'a rien dit tout le temps que nous étions là.

The baby cried all night.
Le bébé a pleuré toute la nuit.

The baby cried the whole night.
Le bébé a pleuré la nuit entière.

→ **Whole** ne s'emploie qu'avec les noms dénombrables singuliers tandis que **all** peut être suivi d'un nom dénombrable ou indénombrable :

He ate all his sandwich.	**He ate the whole sandwich.**
Il a mangé tout son sandwich.	*Il a mangé le sandwich en entier.*
He ate all the sandwiches.	
Il a mangé tous les sandwichs.	
He drank all the beer.	
Il a bu toute la bière.	

■ *Either, neither* et *both*

→ **Either** (*l'un ou l'autre*) s'emploie pour désigner l'un ou l'autre de deux éléments, c'est-à-dire pour exprimer un choix. Il peut être adjectif ou pronom :

You can take either route.
Tu peux prendre l'un ou l'autre de ces chemins.
You can take either.
Tu peux prendre l'un ou l'autre.

→ **Either** s'emploie sans article avec un nom au singulier ou avec la préposition **of** suivie de l'article **the** et d'un nom au pluriel :

 Either est toujours suivi d'un verbe au singulier.

Either bus takes you there. = Either of the buses takes you there.
Les deux bus y vont.

→ **Either** peut également désigner chaque élément considéré individuellement. Il se traduit dans ce cas par « chaque » :

There are cars parked on either side of the road.
Il y a des voitures garées de chaque côté de la rue.

→ **Neither** (*ni l'un ni l'autre*) est la forme négative de **either** :

 Neither s'emploie avec un verbe à la forme affirmative.

Neither restaurant is open.
Aucun des deux restaurants n'est ouvert.
"Which do you prefer?" – "Neither!"
« Lequel préfères-tu ? » – « Ni l'un ni l'autre ! »

→ **Neither**, de même que **either**, s'emploie sans article avec un nom au singulier ou avec la préposition **of** suivi de l'article **the** et d'un nom au pluriel :

 Neither est toujours suivi d'un verbe au singulier.

Neither boy likes tomatoes. = Neither of the boys likes tomatoes.
Aucun des deux garçons n'aime les tomates.

Pour l'emploi de **either** et **neither** comme conjonctions, voir p. 248, et comme adverbes de négation, voir p. 287.

→ **Both** signifie « tous les deux », « l'un et l'autre ». Il peut être adjectif et pronom :

I like both **pictures.**
J'aime les deux tableaux.

I like both **of them. = I like them** both.
Je les aime tous les deux.

We both **said yes.**
Nous avons tous les deux dit oui.

→ **Both** et **both of** sont suivis d'un nom et d'un verbe au pluriel :

Both **sisters are** fluent **in English.** = Both **of the** sisters **are** fluent **in English.**
Les deux sœurs parlent anglais couramment.

Both **my parents like** travelling. = Both **of my** parents **like** travelling.
Mon père et ma mère aiment voyager.

! Pour traduire « les deux » en anglais, on peut employer **both** ou **the two** (ou **either** lorsque « les deux » a le sens de « l'un ou l'autre », voir p. 70). **Both** et **the two** sont parfois interchangeables :

They drank both bottles. = They drank the two bottles.
Ils ont bu les deux bouteilles.

Mais dans certains cas, on ne peut employer qu'une seule des deux traductions :

Both = les deux éléments sont vus comme un tout, comme une unité. On insiste sur le fait qu'ils ont quelque chose en commun ; l'accent est mis sur la <u>similitude</u>.

The two = les deux éléments ne forment pas une unité et sont considérés « individuellement ».

The two brothers are very different. *Les deux frères sont très différents.*	[et non ***both brothers*** car on a une <u>différence</u>]
The two friends met again after many years. *Les deux amis se sont retrouvés après de nombreuses années.*	[et non ***both friends*** car ici les deux amis sont considérés séparément : ils n'étaient pas ensemble avant de se retrouver]

- ## Some, any, no, none

  → **Some** s'emploie dans les phrases affirmatives. Il peut être adjectif ou pronom :

  We have some wine in the cellar.
  Nous avons du vin à la cave.

  We have some.
  Nous en avons.

> **!** Dans les phrases négatives, on n'emploie pas **some** mais **any** (voir p. 74).

  → L'emploi de **some** dans les phrases interrogatives et conditionnelles implique l'existence d'une certaine quantité. On attend généralement une réponse positive :

  Would you like some wine?
  Voulez-vous du vin ?

> **!** Les adjectifs indéfinis **some** et **any** se traduisent souvent par l'article partitif en français (*du, de la, des*).
>
> L'inverse n'est pas systématique : « du », « de la » et « des » se traduisent par **some** ou **any** uniquement lorsqu'on exprime une certaine quantité ou un certain nombre. Dans les autres cas, on omet l'article (voir **L'absence d'article** p. 15). Comparez :
>
> | | |
> |---|---|
> | **Would you like some wine?** | **Would you like red or white wine?** |
> | *Voulez-vous <u>du</u> vin ?* | *Voulez-vous <u>du</u> vin rouge ou <u>du</u> vin blanc ?* |
> | **Do you have any paper?** | **Does he wear glasses?** |
> | *Est-ce que tu as <u>du</u> papier ?* | *Est-ce qu'il porte <u>des</u> lunettes ?* |

  → **Some** peut également signifier « certains » :

  Some children don't like clowns.
  Certains enfants n'aiment pas les clowns.

  Some say it wasn't an accident.
  Certains disent que ce n'était pas un accident.

  → Lorsque **some** est suivi d'un nom dénombrable singulier, il fait référence à quelqu'un ou quelque chose d'indéterminé :

  Some man wants to see you.
  Il y a un homme qui te demande.

She works for some **publishing company.**
Elle travaille pour je ne sais quelle maison d'édition.

Come and see me some **day.**
Passe me voir un de ces jours.

→ Dans certains emplois emphatiques, **some** peut avoir une valeur appréciative ou péjorative :

That's some **chocolate!**   Some **people!**
Ça, c'est du chocolat !   *Il y a des gens, je vous jure !*

→ On emploie **any** dans les phrases interrogatives, conditionnelles et négatives (en corrélation avec **not**) lorsqu'on ignore ou nie l'existence d'une certaine quantité de quelque chose :

Is there any **chocolate left?**
Est-ce qu'il reste du chocolat ?

Did you see any **dragons?**
Est-ce que tu as vu des dragons ?

Let me know if you need any **help.**
Dis-moi si tu as besoin d'aide.

I haven't got any **stamps.**
Je n'ai pas de timbres.

I haven't got any.
Je n'en ai pas.

Toutefois, **some** et **any** sont souvent interchangeables :

If there's some **ou** any **chocolate left, you can have it.**
S'il reste du chocolat, tu peux le manger.

→ **Any** s'utilise dans des phrases affirmatives avec des adverbes, des prépositions ou des verbes qui ont un sens négatif :

We've got <u>hardly</u> any **sugar left.**
Nous n'avons presque plus de sucre.

He accepted <u>without</u> any **difficulty.**
Il a accepté sans aucune difficulté.

The noise <u>prevented</u> **me from doing** any **work.**
Le bruit m'a empêché de travailler.

→ **Any** s'utilise dans des phrases affirmatives lorsqu'il a le sens de « n'importe quel » :

He can arrive at any **time of day.**
Il peut arriver à n'importe quel moment de la journée.

→ **No** peut remplacer **not... any** ; la négation est alors plus catégorique :

There is no wine left. = **There isn't any wine left.**
Il n'y a plus de vin.

→ **None** est le pronom correspondant :

We have none left. = **We haven't got any left.**
Nous n'en avons plus.

"How many mice did you catch?" – "None."
« Combien de souris as-tu attrapées ? » – « Pas une seule . »

→ **None** peut être suivi de la préposition **of** puis d'un nom ou pronom, avec le sens de « aucun de » :

> **!** Le verbe qui suit **none** doit être au singulier.

None of the children likes spinach.
Aucun des enfants n'aime les épinards.
None of us understood what he said.
Aucun de nous n'a compris ce qu'il a dit.

■ **Composés de *some, any, no* et *every***

→ Les composés **somebody / someone** (*quelqu'un*), **anybody / anyone** (*quelqu'un ;* avec **not** : *personne*), **nobody / no one** (*personne*) s'emploient de la même façon que **some**, **any** et **no** (voir précédemment) :

Someone is hiding behind the curtains.
Il y a quelqu'un qui se cache derrière les rideaux.

Is anybody there?
Il y a quelqu'un ?

> Les deux formes (**-body** ou **-one**) s'emploient indifféremment :
>
> somebody = someone
> anybody = anyone
> nobody = no one

! Dans les phrases négatives, on n'emploie pas **somebody** / **someone** mais **anybody** / **anyone**.

Anybody / **anyone** s'emploient en corrélation avec **not** alors que **nobody** / **no one** s'emploient avec un verbe à la forme affirmative :

> **There isn't anybody here.** = **There's nobody here.**
> *Il n'y a personne.*
>
> **No one wants to go.**
> *Personne ne veut y aller.*

On ne peut pas dire *****not anyone wants***** ni *****anyone doesn't want***** car **anyone** et **anybody** ne s'emploient comme sujet du verbe que dans les phrases affirmatives :

> **Anybody could hear you.**
> *N'importe qui pourrait t'entendre.*

→ **Something, anything** et **nothing** s'emploient également de la même façon que **some, any** et **no** (voir pp. 73–5) :

I'm going to have something **to eat.**
Je vais manger quelque chose.

Have you had anything **to eat?**
As-tu mangé quelque chose ?

We have nothing **to eat.**
= **We don't have** anything **to eat.**
Nous n'avons rien à manger.

→ **Everybody** / **everyone** et **everything** sont toujours suivis d'un verbe au singulier :

Everybody **was dressed up.**
Tout le monde était déguisé.

Everything **went very well.**
Tout s'est très bien passé.

! Ne pas confondre **nobody** et **not everybody** :

> **Nobody was pleased.**   ≠   **Not everybody was pleased.**
> *Personne n'était content.*   *Tout le monde n'était pas content.*

> **!** Bien que suivis d'un verbe au singulier, **everybody / everyone**, ainsi que **somebody / someone**, **anybody / anyone** et **nobody / no one**, doivent être repris par **they**, **them**, **themselves** et **their** (voir p. 42) :
>
> **Everybody is taking their holiday at the same time this year.**
> *Tout le monde prend ses vacances en même temps cette année.*

■ *Much, many, a lot of, lots of, plenty of*

→ **Much** (+ nom indénombrable) et **many** (+ nom dénombrable pluriel) désignent une grande quantité. Ils peuvent être adjectifs ou pronoms et s'emploient surtout dans les phrases interrogatives et négatives :

Do you have much work ?
Avez-vous beaucoup de travail ?

We don't have much time.
Nous n'avons pas beaucoup de temps.

He didn't have much to say on the subject.
Il n'avait pas grand-chose à dire à ce sujet.

Were there many guests?
Y avait-il beaucoup d'invités ?

He doesn't have many friends.
Il n'a pas beaucoup d'amis.

→ **Much** et **many** s'emploient également après **so** et **too** dans les phrases affirmatives :

I've eaten too much chocolate.
J'ai mangé trop de chocolat.

It takes up so much time.
Ça prend tellement de temps.

There were too many people.
Il y avait trop de monde.

He's read so many books!
Il a lu tellement de livres !

I can't choose, there are too many.
Je n'arrive pas à choisir, il y en a trop.

→ **A lot of**, **lots of** et **plenty of** s'emploient surtout dans les phrases affirmatives. Ils peuvent être suivis d'un nom dénombrable ou indénombrable et s'employer comme pronoms :

There were a lot of children. = There were lots of children.
Il y avait beaucoup d'enfants.

She earns a lot of money. = She earns lots of money.
Elle gagne beaucoup d'argent.

You've got plenty of **time.**
Tu as largement le temps.

There'll be plenty of **other opportunities.**
Il y aura beaucoup d'autres occasions.

She has a lot. = **She has** lots. = **She has** plenty.
Elle en a beaucoup.

→ La tournure **quite a lot (of)** signifie « pas mal (de) » :

Quite a lot of **people agree with you.**
Pas mal de gens sont d'accord avec toi.

Pour **how much** et **how many**, voir **Mots interrogatifs** p. 273.

Pour **as much as** et **as many as**, voir Les comparatifs et les superlatifs p. 102.

Pour l'emploi de **much** comme adverbe, voir pp. 221 et 225–6.

- *Few, little, a few, a little*

  → **Few** (+ nom dénombrable) et **little** (+ nom indénombrable) s'emploient pour indiquer une <u>quantité insuffisante</u> (*peu de*). Ils peuvent être adjectifs ou pronoms :

  Few **people know her real name.**
  Peu de gens connaissent son vrai nom.

  There's little **water in the desert.**
  Il n'y a pas beaucoup d'eau dans le désert.

  "How many of them are there?" – "Very few. **"**
  « Combien sont-ils ? » – « Très peu nombreux. »

  There's little **one can say.**
  Il n'y a pas grand-chose à dire.

  → **A few** (+ nom dénombrable) et **a little** (+ nom indénombrable) indiquent une
  <u>petite quantité</u> (*quelques, un peu de*). Ils peuvent être adjectifs ou pronoms :

  I have a few **ideas.**
  J'ai quelques idées.

  There's a little **time left.**   [Comparez avec : **There's** little **time left.**
  Il reste un peu de temps.   *Il reste peu de temps.*]

  "Did you find many mistakes?" – "A few.**"**
  « Avez-vous trouvé beaucoup d'erreurs ? » – « Quelques-unes. »

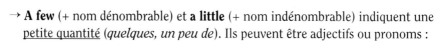

"Do you take milk?" – "Just a little."
« Prenez-vous du lait ? » – « Un tout petit peu. »

■ *Most* et *most of*

→ **Most** peut s'employer sans article (c'est alors un adjectif) ou avec la préposition **of** suivie d'un pronom ou d'un groupe nominal (c'est alors un pronom). **Most** et **most of** peuvent tous les deux être suivis d'un nom pluriel ou d'un indénombrable. Ils se traduisent selon le contexte par « la plupart de », « la majorité de », « la plus grande partie de », etc. :

Most Irish people watched the football game last night.
La plupart des Irlandais ont regardé le match de foot hier soir.

I don't like most modern art.
En général, je n'aime pas l'art moderne.

Most of my friends are on holiday.
La plupart de mes amis sont en vacances.

Most of the snow has melted.
Presque toute la neige a fondu.

> Notez la traduction de **most of** + pronom :
> **most of us** *la plupart d'entre nous*
> **most of them** *la plupart d'entre eux*

→ **Most** s'emploie dans les généralisations tandis que **most of** fait référence à quelque chose de plus spécifique. Comparez :

Most laptops have an external floppy drive now.
La plupart des ordinateurs portables ont maintenant un lecteur de disquettes externe.

Most of the laptops in this catalogue are very expensive.
La plupart des ordinateurs portables qui figurent dans ce catalogue sont très chers.

Most wine here is imported from France.
En général, le vin qu'on trouve ici est importé de France.

Most of the wine we drank last night had been given to us by our guests.
La plus grande partie du vin qu'on a bu hier soir a été offert par nos invités.

Pour l'emploi de **most** comme adverbe, voir Les comparatifs et les superlatifs p. 102.

■ *Other* et *another*

→ **Another** (*un autre, encore un*) s'emploie avec les noms singuliers dénombrables ; **other** (*autre*) peut être suivi d'un nom dénombrable singulier ou pluriel ou d'un nom indénombrable :

We have another **key.**
Nous avons une autre clé.

I couldn't find the other **key.**
Je n'ai pas retrouvé l'autre clé.

Where are the other **cups?**
Où sont les autres tasses ?

Apart from this case, all our other **luggage was stolen.**
À part cette valise, on nous a volé tous les autres bagages.

→ **Another** peut s'employer avec un nom pluriel lorsque celui-ci est précédé d'un nombre ou de **few**. Il signifie dans ce cas « de plus » :

Can you wait another **ten minutes?**
Peux-tu attendre encore dix minutes ?

They stayed another **few days.**
Ils sont restés quelques jours de plus.

→ **Other** et **another** peuvent être pronoms. On emploie le pronom pluriel **others** lorsque l'antécédent est au pluriel :

I want another.
J'en veux un autre / une autre.

I don't like these plates, I prefer the others.
Je n'aime pas ces assiettes, je préfère les autres.

EXERCICES

1) **Complétez les phrases avec** every, each, all, both **:**
   a) She goes swimming ____ day.
   b) He was carrying two heavy bags in ____ hand.
   c) Cook the meat until browned on ____ sides.
   d) He always knows ____ the answers to the teacher's questions.
   e) ____ time I call you, it's engaged.
   f) ____ room has a balcony.
   g) He lifted the dumbbell with ____ hands.
   h) ____ expenses will be reimbursed.

2) **Complétez les phrases avec** all, whole, every **:**
   a) My neighbour's dogs spend ____ their time barking.
   b) We redecorated the ____ flat.

c) She read _____ the books in one day.

d) We had to wait a _____ day at the airport.

e) Did you read the _____ book?

f) She travels to Manchester _____ day.

g) Yesterday, I spent _____ day on the road.

h) The _____ town was plunged into darkness.

3) Mettez les phrases suivantes à la forme négative :

a) She needs some help.

b) She sent a lot of postcards.

c) Your friend wants something.

d) There's somebody at the door.

e) He has put on a lot of weight.

f) We have something to tell you.

g) I bought some wine for tonight.

4) Choisissez le mot qui convient :

a) I need (another / other / others) pair of glasses.

b) He's not like (another / other / others) dogs.

c) (Another / Other / Others) day passed.

d) They have two (another / other / others) children.

e) Some say he's shy, (another / other / others) say he's just rude.

f) I have (another / other / others) five pages to write.

g) These trousers don't fit me, I'll try the (another / other / others).

5) Complétez les phrases avec any, both, either, neither, no, none :

a) _____ children were very tired but _____ of them wanted to sleep.

b) I'm waiting for James, Alice and Susan. _____ of them has arrived yet.

c) It could be _____ a crocodile or an alligator, don't go any nearer!

d) You can take _____ of these two books, I've read _____ of them.

e) "Do you want the red, the blue or the green one?" – "It doesn't matter, ____ one will do."

f) There are plenty of towels, but ____ dry towels.

6) Mettez les phrases suivantes à la forme affirmative :
a) Nobody wants to play with me.

b) Not everybody wanted to leave earlier.

c) There isn't anything in the fridge.

d) Nobody knows anything about it.

e) No one will listen to you.

f) Nothing will make them change their minds.

7) Complétez les phrases avec few, little, a few, a little, enough :
a) We've only got four eggs. Is that ____?

b) ____ people have heard the news yet.

c) We've made ____ progress but we need to do a lot more work.

d) Just add ____ flour.

e) I've invited ____ friends round for a barbecue.

f) We drank ____ glasses of wine.

g) She's taken some medicine but there has been ____ improvement.

h) There isn't ____ room for everybody.

8) Complétez les phrases avec a lot of, lots of, many, much, plenty of (plusieurs solutions sont parfois possibles) :
a) In August, there aren't ____ students in town.

b) You aren't having ____ luck, are you?

c) He has ____ energy.

d) Did you get ____ presents?

e) Do you still have ____ to do?

9) Traduisez en français :
a) She speaks several languages.

b) Neither of them could give me an answer.

c) She has a lot of relatives in Canada.

d) There isn't much to do.

e) He's got a ring in each ear. [ring = *anneau*]

f) They go to Italy every two years.

g) The whole village took part.

h) We went to every shop.

10) Traduisez en anglais :

a) Elle a beaucoup d'énergie mais pas beaucoup de temps.

b) Quelques personnes sont arrivées en retard.

c) Je n'ai rien à me mettre pour leur soirée. [soirée = *party*]

d) Il ne reste pas beaucoup de pâtes.

e) Est-ce que tu as un autre réveil ? Celui-ci ne marche pas.

f) Aucun des deux enfants ne voulait aller à l'école.

Les nombres

Points traités dans ce chapitre :
- · les nombres cardinaux
- · les nombres ordinaux
- · l'emploi de **zero** et autres termes équivalents
- · l'emploi de **one**
- · les nombres décimaux
- · les fractions
- · les opérations
- · les numéros de téléphone
- · le pluriel de **hundred**, **thousand**, **million** et autres adjectifs numéraux
- · l'emploi des nombres ordinaux dans les dates et les noms de souverains

Nombres cardinaux		
1	one	*un*
2	two	*deux*
3	three	*trois*
4	four	*quatre*
5	five	*cinq*
6	six	*six*
7	seven	*sept*
8	eight	*huit*
9	nine	*neuf*
10	ten	*dix*
11	eleven	*onze*
12	twelve	*douze*
13	thirteen	*treize*
14	fourteen	*quatorze*
15	fifteen	*quinze*
16	sixteen	*seize*
17	seventeen	*dix-sept*
18	eighteen	*dix-huit*
19	nineteen	*dix-neuf*
20	twenty	*vingt*
21	twenty-one	*vingt et un*

Il y a un trait d'union entre les dizaines et les unités :

sixty-five *soixante-cinq*
one hundred and twenty-six *cent vingt-six*
the fifty-third *le cinquante-troisième*

30	**thirty**	*trente*
40	**forty**	*quarante*
50	**fifty**	*cinquante*
60	**sixty**	*soixante*
70	**seventy**	*soixante-dix*
80	**eighty**	*quatre-vingts*
90	**ninety**	*quatre-vingt-dix*
100	**a / one hundred**	*cent*
101	**a / one hundred and one**	*cent un*
200	**two hundred**	*deux cents*

Hundred, **thousand** et **million** sont précédés de **a** ou **one** en anglais. L'emploi de **a** est plus courant que celui de **one**. **One** s'utilise surtout dans un contexte officiel ou pour insister sur l'unité :

> **I need a hundred envelopes.** **He gave me a cheque for one hundred pounds.**
> *Il me faut cent enveloppes.* *Il m'a donné un chèque de cent livres.*

Notez aussi que **hundred**, **thousand** et **million** sont invariables après un adjectif numéral (voir p. 90) : **two hundred** (*deux cents*), **two thousand** (*deux mille*), **two million** (*deux millions*).

1,000	**a / one thousand**	*mille*
1,345	**a / one thousand, three hundred and forty-five**	*mille trois cent quarante-cinq*

Les dizaines ou les unités qui suivent **hundred** et **thousand** doivent être précédées de **and** :

> **two hundred and forty-two** *deux cent quarante-deux*
> **three thousand and eight** *trois mille huit*
> **the two hundred and fifth** *le deux cent cinquième* (voir **Nombres ordinaux** ci-dessous)

Une virgule sépare les milliers, là où on utilise un espace en français :

3,292   *3 292*

1,000,000	**a / one million**	*un million*
1,000,000,000 (10^9)	**a / one billion**	*un milliard*
1,000,000,000,000 (10^{12})	**a / one trillion**	*un billion*

	Nombres ordinaux	
1st	**the first**	*le premier*
2nd	**the second**	*le deuxième*
3rd	**the third**	*le troisième, le tiers*
4th	**the fourth**	*le quatrième*
5th	**the fifth**	*le cinquième*
6th	**the sixth**	*le sixième*
7th	**the seventh**	*le septième*
8th	**the eighth**	*le huitième*

She called us early one morning.
Elle nous a appelé un matin de bonne heure.

→ **One** peut être pronom. Il permet dans ce cas de reprendre un nom dénombrable :

Julie ate all the pancakes, I only had one!
Julie a mangé toutes les crêpes, je n'en ai eu qu'une !

I love dogs but I've never had one.
J'aime bien les chiens mais je n'en ai jamais eu.

→ Le pronom **one** peut être précédé d'un déterminant et d'un adjectif. Au pluriel, il devient **ones** (voir aussi **Les démonstratifs** p. 63) :

I asked for a large whisky and he gave me a small one.
Je lui ai demandé un grand whisky, et il m'en a donné un petit.

Which shoes do you want to try on? The red ones?
Quelles chaussures veux-tu essayer ? Les rouges ?

These are the ones I meant.
Ce sont celles dont je parlais.

"Which one is your father?" – "The one dressed up as a gorilla."
« Lequel est ton père ? » – « Celui qui est déguisé en gorille. »

→ **One** peut être pronom indéfini et exprimer une généralité. Cet emploi reste rare et se rencontre surtout dans un style très soutenu, voire pompeux. Le pronom réfléchi correspondant est **oneself** et le déterminant possessif **one's** (voir **Traduction de « on »** p. 43, **Les pronoms réfléchis** p. 57 et **Les possessifs** p. 46) :

One can only do one's best.
On fait ce qu'on peut.

One should remain oneself.
Il faut rester soi-même.

→ **One** a parfois un sens proche de « quelqu'un » :

She's not one to complain.
Elle n'est pas du genre à se plaindre.

I'm not one for crosswords.
Je ne raffole pas des mots croisés.

■ Nombres décimaux

Contrairement au français, les décimales ne sont pas précédées d'une virgule mais d'un point. Ce point se prononce et les décimales qui le suivent se lisent une à une :

25.5   **twenty-five point five** *vingt-cinq <u>virgule</u> cinq*

25.552   **twenty-five point five five two** *vingt-cinq <u>virgule</u> cinq cent cinquante-deux*

■ Fractions

Comme en français, les fractions sont exprimées par un nombre cardinal suivi d'un nombre ordinal :

1/5   =   **a** ou **one fifth** *un cinquième*

3/8   =   **three-eighths** *trois huitièmes*

sauf pour **half** et **quarter** :

1/2   =   **a** ou **one half** *un demi*

1/4   =   **a quarter** *un quart*

3/4   =   **three-quarters** *trois quarts*

Voir également **La date et l'heure** p. 321.

■ Opérations

Il existe plusieurs façons d'exprimer les opérations :

l'addition	12 + 19 = 31	**twelve plus nineteen equals** ou **is thirty-one**
la soustraction	19 – 7 = 12	**nineteen minus seven equals** ou **is twelve** ou **seven from nineteen is** ou **leaves twelve**
la multiplication	4 x 5 = 20	**four times five equals** ou **is twenty** ou **four fives are** ou **equal twenty** ou **four multiplied by five equals** ou **is twenty**
la division	10 ÷ 2 = 5	**ten divided by two equals** ou **is five** ou **two into ten goes five**

■ Numéros de téléphone

Les numéros de téléphone se lisent chiffre par chiffre :

0141-231-5246 = **o** ou **zero one four one** – **two three one** – **five two four six**

Le chiffre 0 se prononce **zero** ou, en anglais britannique, comme la lettre **o** :

0141 se lit **o one four one** ou **zero one four one**

Lorsque deux chiffres identiques se suivent, l'emploi de **double** est courant en anglais britannique :

4662 se lit **four double six two** ou **four six six two**

■ Emploi du pluriel

→ **Hundred** (*cent*), **thousand** (*mille*), **million** (*million*) et **dozen** (*douzaine*) sont invariables lorsqu'ils sont précédés d'un autre adjectif numéral ou de **a few, several** ou **many** :

He won two million **pounds.**
Il a gagné deux millions de livres.

We sent over two hundred **invitations.**
Nous avons envoyé plus de deux cents invitations.

I need two dozen **eggs.**
Il me faut deux douzaines d'œufs.

There were several thousand **of them.**
Il y en avait plusieurs milliers.

> Seul « douzaine » a un équivalent en anglais. Pour traduire « dizaine », « vingtaine », « centaine », etc. on emploie **about** ou **around** suivi de l'adjectif numéral :
>
> *une dizaine de kilomètres*
> **about** ou **around ten kilometres**

→ Cependant ils prennent la marque du pluriel lorsqu'ils sont utilisés comme noms et suivis de la préposition **of** :

There were hundreds / thousands / millions **of them.**
Il y en avait des centaines / des milliers / des millions.

I've told you dozens **of times.**
Je te l'ai dit des dizaines de fois. [Notez la traduction idiomatique et non littérale : on ne dirait pas ici « douzaines » en français.]

→ Les autres adjectifs numéraux prennent également la marque du pluriel dans certaines tournures exprimant un nombre approximatif ou une décennie. Comparez :

He's forty.
Il a quarante ans.

He's in his forties.
Il a la quarantaine.

It happened in 1930 **(nineteen thirty).**
Ça s'est passé en 1930.

They emigrated in the thirties ou
the 1930s **(nineteen thirties).**
Ils ont émigré dans les années trente.

■ Noms propres et dates

Contrairement au français, on emploie les nombres ordinaux en anglais pour les noms de souverains et les dates :

Henry the Fourth
Henri IV

the fourteenth **of July**
le quatorze juillet

Voir également La date et l'heure p. 321.

EXERCICES

---

1) Écrivez les nombres cardinaux suivants en toutes lettres :
a) 662
b) 1,002
c) 100
d) 400
e) 1,532
f) 7,000
g) 1,497
h) 1,082.26

2) Écrivez les nombres ordinaux suivants en toutes lettres :
a) 63rd
b) 2008th
c) 342nd
d) 5,231st
e) 618th
f) 1,001st

3) Écrivez les opérations suivantes en toutes lettres :
a) $1 \div 2 = 0.5$
b) $10 \times 64 = 640$
c) $700 \div 3 = 233.33$
d) $99 + 2 = 101$
e) $1,231 - 31 = 1,200$

4) Traduisez en français :
a) He must be in his fifties.
b) He spent two-fifths of his fortune.
c) It must be forty degrees below zero.
d) The fifteenth of August is not a holiday in Britain.
e) I'm not scared of small spiders but I don't like big ones!
f) "Which roses do you want?" – "The white ones."

5) Traduisez en anglais :

a) « Laquelle est ta cousine ? » – « C'est celle qui a une queue de cheval. » [queue de cheval = *ponytail*]

b) Elle a gagné une dizaine de médailles.

c) Nous avons perdu deux buts à zéro.

d) Les dix dernières minutes ont été les plus difficiles.

e) C'est une recette très simple : il te faut deux poivrons, trois tomates et une aubergine. [poivron = *pepper*, aubergine = *aubergine*]

f) Il existe des centaines de fromages.

g) Des milliers de visiteurs sont attendus pour l'inauguration du musée.

h) Un jour, je ferai un tour en montgolfière. [montgolfière = *hot-air balloon*]

Les adjectifs

Points traités dans ce chapitre :
- · les adjectifs épithètes : définition d'un épithète ; la place qu'il occupe dans la phrase anglaise (devant le nom) et les exceptions
- · les adjectifs attributs : définition d'un attribut ; la place qu'il occupe dans la phrase ; les adjectifs uniquement employés comme attributs du sujet
- · l'ordre des adjectifs
- · les adjectifs substantivés : les adjectifs employés comme noms pour désigner un groupe de personnes ; les adjectifs employés comme noms abstraits ; les adjectifs de couleur ; les adjectifs de nationalité
- · les adjectifs composés : la formation des adjectifs composés ; les noms composés employés comme adjectifs
- · les adjectifs se terminant par **-ed** ou **-ing**

! Les adjectifs sont toujours invariables en anglais :
> **a hot drink** *une boisson chaude*
> **hot drinks** *des boissons chaudes* [et non ***hots drinks***]

1 Les adjectifs épithètes

→ L'adjectif épithète et le nom qu'il qualifie sont étroitement liés (ils ne sont pas séparés par un verbe) :

Red roses are her favourite flowers.
Les roses rouges sont ses fleurs préférées.

→ Un nom peut être employé comme adjectif épithète :

a cardboard box *une boîte en carton*
a computer game *un jeu informatique*
a school year *une année scolaire*

! L'adjectif épithète se place <u>devant le nom</u> en anglais (voir ci-après pour les exceptions) :

We found a small grey cat.   **I saw a very funny film last night.**
Nous avons trouvé un petit chat gris.   *J'ai vu un film très drôle hier soir.*

L'adjectif épithète n'est pas placé devant le nom ou pronom :

→ lorsqu'il qualifie un pronom indéfini composé de **some**, **any** ou **no** :

Tell them something reassuring.
Dis-leur quelque chose de rassurant.

Did you notice anything unusual?
Avez-vous remarqué quelque chose d'anormal ?

It's nothing serious.
Ce n'est pas grave.

→ dans certaines expressions toutes faites :

Prince Charming *le prince charmant*
the poet laureate *le poète lauréat*
the devil incarnate *le diable incarné*
etc.

→ lorsqu'une proposition relative est sous-entendue entre le nom et l'adjectif :

He used the time available to paint the kitchen. [= the time which was available]
Il a utilisé le temps dont il disposait pour peindre la cuisine.

The police questioned all the people involved. [= all the people who were involved]
La police a interrogé toutes les personnes impliquées.

2 Les adjectifs attributs

→ L'adjectif attribut est relié au nom ou au pronom par l'intermédiaire d'un verbe :

 L'adjectif attribut se place <u>après le verbe</u> :
I <u>am</u> very tired.
Je suis très fatigué.

The sauce <u>tastes</u> funny.
La sauce a un drôle de goût.

→ Certains adjectifs ne peuvent être qu'attributs. Il s'agit généralement d'adjectifs qui qualifient une condition physique ou un état mental. La plupart ont un équivalent pouvant être employé comme épithète :

Adjectif uniquement attribut	Adjectif épithète équivalent
to be afraid *avoir peur*	**frightened** → **a frightened dog** *un chien apeuré*
to be alive *être vivant*	**living** → **a living creature** *un être vivant*
to be alone *être seul*	**lone** → **a lone rider** *un cavalier solitaire*

Ne pas confondre **to be alone** et **to be lonely** qui se traduisent tous les deux « être seul ». **Alone** signifie « physiquement seul » tandis que **lonely** suggère un sentiment de solitude. Contrairement à l'adjectif **alone** qui est toujours utilisé comme attribut, **lonely** peut aussi être employé comme épithète : **She's lonely without the children.** *Elle se sent seule sans les enfants.*

to be ashamed *être honteux, avoir honte*	

Ne pas confondre **ashamed** et **shameful** qui se traduisent tous les deux par « honteux ». Contrairement à **ashamed** qui s'applique à des personnes, **shameful** ne s'utilise que pour des choses, des situations, des comportements, etc. Il peut être attribut ou épithète : **It's shameful to spread rumours!** *C'est honteux de faire courir des rumeurs !*, **a shameful story** *une histoire honteuse.*

to be asleep *être endormi, dormir*	**sleeping** → **a sleeping baby** *un bébé endormi* ou *qui dort*
to be awake *être réveillé*	
to be glad *être heureux*	**happy** → **a happy man** *un homme heureux*
to be poorly *être souffrant*	**sick** → **a sick child** *un enfant malade* ou *souffrant*

3 L'ordre des adjectifs

Lorsque plusieurs adjectifs se suivent, l'ordre va du plus subjectif au plus objectif. C'est l'adjectif considéré comme le plus objectif qui doit être le plus proche du nom :

We bought an elegant small black Japanese cast-iron teapot.
Nous avons acheté une élégante petite théière japonaise en fonte noire.

Eliot is a lively little red-haired two-year-old boy.
Eliot est un petit garçon roux de deux ans très éveillé.

Jugement subjectif	Caractéristiques physiques	Âge	Couleur	Origine	Matière
elegant	small		black	Japanese	cast-iron
lively	little, red-haired	two-year-old			

Attention toutefois à l'âge : lorsqu'on précise la taille et la forme d'un objet, on mettra l'âge entre les deux (**a big old square table** *une vieille table grande et carrée*).

Les adjectifs

4 Les adjectifs substantivés

Certains adjectifs peuvent s'employer comme noms pour désigner un ensemble d'individus ou une abstraction.

> Ces adjectifs sont toujours invariables et précédés de l'article **the**. Ils ont un sens collectif et sont donc suivis d'un verbe au pluriel.

■ Adjectifs substantivés désignant un groupe

→ Ces adjectifs substantivés désignent généralement un groupe ou une classe de personnes.

Our prospectus is printed in Braille for the blind.
Notre brochure est imprimée en braille pour les aveugles.

The wounded were rushed to hospital.
Les blessés ont été transportés d'urgence à l'hôpital.

The play is very popular with the young.
Cette pièce a beaucoup de succès auprès des jeunes.

→ Ces adjectifs désignant un groupe, il faut les faire suivre d'un substantif (**person**, **man** ou **woman**, **people**, etc.) pour désigner une seule personne ou quelques membres du groupe :

A young man gave us directions. [et non ***A young gave us directions.***]
Un jeune nous a indiqué le chemin.

A wounded passenger asked for help. [et non ***A wounded asked for help.***]
Un blessé a appelé au secours.

> Pour traduire un adjectif substantivé français, il est souvent nécessaire d'employer le pronom **one** (pluriel **ones**) en anglais lorsqu'on veut distinguer un ou plusieurs éléments d'un groupe :
>
> *Le grand ne va pas, donne-moi le petit.*
> **The big one doesn't work, give me the small one.**
>
> *La plupart des enfants se sont couchés tard, sauf les petits qui sont allés au lit de bonne heure.*
> **Most of the children stayed up late, except for the young ones, who went to bed early.**
>
> Voir également **Adjectifs substantivés désignant une abstraction** p. 97 et l'emploi du pronom **one** p. 88.

■ Adjectifs substantivés désignant une abstraction

Certains adjectifs peuvent être substantivés pour désigner une abstraction. Ces adjectifs sont également invariables et précédés de **the**, mais le verbe qui suit s'accorde au singulier :

He's scared of the unknown.   **The supernatural is his favourite topic.**
Il a peur de l'inconnu.   *Le surnaturel est son sujet préféré.*

La substantivation des adjectifs est beaucoup moins courante en anglais qu'en français. Ainsi, « l'important », « l'essentiel », « le principal » se traduisent par **the main thing** ou **the most important thing** (adjectif + nom) :

> *L'important, c'est que tu sois heureux.*
> **The main thing is for you to be happy.**

Voir également l'emploi du pronom **one** dans l'encadré p. 96.

■ Adjectifs de couleur

Certains adjectifs de couleur, complètement substantivés, prennent la marque du pluriel :

The Reds are winning 6–2.
Les rouges gagnent 6 buts à 2.

The Greens won several seats at the last elections.
Les verts ont gagné plusieurs sièges aux dernières élections.

Martin Luther King strove for equality between Blacks and Whites.
Martin Luther King lutta pour l'égalité entre les Noirs et les Blancs.

■ Adjectifs de nationalité

En anglais, les adjectifs et les noms désignant la nationalité et la langue prennent toujours une majuscule, contrairement au français où seul le nom désignant la nationalité prend une majuscule :

> **We found an excellent Chinese restaurant.**
> *Nous avons découvert un excellent restaurant chinois.*
>
> **He's German.**
> *Il est allemand.* ou *C'est un <u>A</u>llemand.*
>
> **She speaks very good French.**
> *Elle parle très bien français.*

Il existe quatre types d'adjectifs de nationalité en anglais répertoriés dans les tableaux des pages suivantes :

1. Nom invariable avec ajout du suffixe *-man* au singulier			
Terminaison de l'adjectif en *-sh* ou *-ch*			
Pays	Un habitant	Les habitants	Adjectif et nom de la langue (le cas échéant)
Britain	a British citizen	the British	British

L'adjectif **English** ne se rapporte qu'à l'Angleterre. Pour désigner ce qui se rapporte à l'ensemble de la Grande-Bretagne, il faut employer l'adjectif **British** :

I have four British friends: two of them are Scottish, one is English and the other is Welsh.
J'ai quatre amis britanniques : deux d'entre eux sont écossais, l'un est anglais et l'autre gallois.

England	an Englishman / English-woman	the English	English
France	a Frenchman / Frenchwoman	the French	French
Ireland	an Irishman / Irishwoman	the Irish	Irish
the Netherlands	a Dutchman / Dutchwoman	the Dutch	Dutch
Wales	a Welshman / Welshwoman	the Welsh	Welsh

2. Nom invariable ayant la même forme que l'adjectif			
Terminaison en *-ese*			
Pays	Un habitant	Les habitants	Adjectif et nom de la langue (le cas échéant)
China	a Chinese	the Chinese	Chinese
Japan	a Japanese	the Japanese	Japanese
Portugal	a Portuguese	the Portuguese	Portuguese
Vietnam	a Vietnamese	the Vietnamese	Vietnamese
Autre cas			
Switzerland	a Swiss	the Swiss	Swiss

Swiss et les noms se terminant par **-sh**, **-ch** ou **-ese** ne prennent pas la marque du pluriel pour des raisons de prononciation :

> **the British** *les Britanniques*
> **the Vietnamese** *les Vietnamiens*, etc.

Mais ces noms ont un sens collectif et doivent donc être suivis d'un verbe au pluriel :

> **The British are very polite.**
> *Les Britanniques sont très polis.*

Pour désigner quelques personnes, il faut utiliser le nom **people** :

> *Des Anglais m'ont demandé le chemin de la gare.*
> (Some) English people asked me the way to the station.

3. Nom prenant la marque du pluriel			
terminaison en *-an*			
Pays	Un habitant	Les habitants	Adjectif et nom de la langue (le cas échéant)
Africa	an African	the Africans	African
Algeria	an Algerian	the Algerians	Algerian
America	an American	the Americans	American
Australia	an Australian	the Australians	Australian
Belgium	a Belgian	the Belgians	Belgian
Canada	a Canadian	the Canadians	Canadian
Europe	a European	the Europeans	European
Germany	a German	the Germans	German
Italy	an Italian	the Italians	Italian
Morocco	a Moroccan	the Moroccans	Moroccan
Autre cas			
Greece	a Greek	the Greeks	Greek
Iraq	an Iraqi	the Iraqis	Iraqi
Israel	an Israeli	the Israelis	Israeli
Turkey	a Turk	the Turks	Turkish

4. Adjectif différent du nom			
Pays	Un habitant	Les habitants	Adjectif et nom de la langue (le cas échéant)
Arabia	an Arab	the Arabs	Arabic
Denmark	a Dane	the Danes	Danish
Iceland	an Icelander	the Icelanders	Icelandic
Poland	a Pole	the Poles	Polish
Scotland	a Scot	the Scots	Scottish
Spain	a Spaniard	the Spaniards / the Spanish	Spanish

5 Les adjectifs composés

→ Certains adjectifs sont formés à partir de plusieurs éléments :

1ᵉʳ élément	+ 2ᵉ élément	Adjectif composé
adjectif	+ adjectif	**light blue** *bleu clair*
nom	+ adjectif	**sky-blue** *bleu ciel*
nom adjectif adverbe	+ verbe + **-ing**	**heartrending** *déchirant* **good-looking** *beau* **fast-growing** *en plein essor*

Les adjectifs

adjectif	+ nom + **-ed**	**dark-haired** *aux cheveux foncés*
adverbe		**well-mannered** *bien élevé*
participe passé		**broken-hearted** *au cœur brisé*

→ Certains noms composés s'emploient comme adjectifs :

 Les différents termes composant l'adjectif sont toujours au singulier.

a **twelve-month-old baby** *un bébé de douze mois*
[et non ***a twelve-months-old baby***]

a **thirty-minute talk** *un exposé de trente minutes*
[et non ***a thirty-minutes talk***]

a **second-hand car** *une voiture d'occasion*

6 Les adjectifs se terminant par *-ed* ou *-ing*

Les adjectifs formés à partir d'un verbe ont un sens passif lorsqu'ils se terminent par **-ed** et un sens actif lorsqu'ils se terminent par **-ing**. Ces adjectifs peuvent être épithètes ou attributs :

Is anyone interested?
Est-ce que quelqu'un est intéressé ?

I'm disgusted!
Je suis écœuré !

Her last book is very interesting.
Son dernier livre est très intéressant.

This pasta is disgusting!
Ces pâtes sont dégoûtantes !

EXERCICES

1) Mettez les mots dans l'ordre pour reconstituer des phrases :

a) looking + my + linen + red + for + trousers + I'm

b) neighbours + to + something + has + our + happened + new + funny

c) girl + blond + she's + adorable + an + little

d) T-shirt + favourite + my + stripy + where's + blue + ?

e) looks + cake + delicious + chocolate + this + dark + !

f) the + responsible + schedule + the + you + new + ask + for + should + person

2) Complétez les phrases à l'aide des adjectifs suivants :

afraid – alone – ashamed – frightened – lonely – shameful

a) He's _____ of having lied to us.

b) She chose a _____ life as she likes being _____.

c) She's not proud of his _____ behaviour.

d) The _____ squirrel disappeared behind the bushes.

e) I'm _____ of heights.

3) Choisissez l'adjectif qui convient :

a) There are so many different aspects to the problem, I find it all very (confused / confusing).

b) She told me something very (worried / worrying).

c) You might find it (amused / amusing) but I'm not at all (amused / amusing)!

d) No wonder you're feeling (depressed / depressing) with these (depressed / depressing) thoughts!

e) I don't know what to do, I'm completely (confused / confusing).

f) He looks (worried / worrying) about something.

4) Remplacez les mots entre parenthèses par un adjectif substantivé :

a) Robin Hood would steal from (rich people) to help (poor people).

b) (Blind people) can read Braille.

c) (Deaf people) often use sign language.

d) (The injured passengers) were transported by ambulance.

e) (Young people) should be adventurous.

f) (Unemployed people) find it hard to make ends meet.

5) Traduisez en français :

a) We were white with fear.

b) She told me a fascinating story.

c) She has a fantastic red sports car.

d) You need to ask the people concerned.

e) He built a wonderful small wooden shed in his garden.

f) Elephants are scared of mice.

g) She's worried about him.

6) Traduisez en anglais :

a) Je cherche quelque chose de rouge.

b) J'ai acheté deux robes en coton.

c) Le cours d'informatique est très intéressant.

d) Cette jupe bleue est ravissante. [ravissante = *gorgeous*].

e) Je préfère la bière belge.

f) Ils ont un garçon de six ans et une fille de deux ans.

g) J'ai rencontré un Polonais. Sa langue maternelle est le polonais mais il parle très bien anglais.

11

Les comparatifs et les superlatifs

Points traités dans ce chapitre :

- les comparatifs et superlatifs réguliers des adjectifs courts et des adjectifs longs
- l'emploi de la conjonction **than** dans les comparaisons
- la formation et l'emploi du comparatif d'égalité, du comparatif et du superlatif d'infériorité, ainsi que du comparatif d'inégalité
- le comparatif des adverbes, des noms et des verbes
- la traduction de « de plus en plus », « de moins en moins », et de la tournure « plus / moins..., plus / moins »
- un récapitulatif sur la différence entre le comparatif et le superlatif
- les comparatifs et superlatifs irréguliers : la liste des principales irrégularités ; les différences entre les deux comparatifs et superlatifs des adjectifs **far** et **old** ; l'emploi de **the former... the latter**

1 Les comparatifs et superlatifs réguliers

Comparatif et superlatif de supériorité		
Adjectifs courts	**Comparatif : adj. + -er (+ *than*)**	**Superlatif : *the* + adj. + -est**
warm *chaud*	**warmer** *plus chaud*	**the warmest** *le plus chaud*
Adjectifs longs	**Comparatif : *more* + adj. (+ *than*)**	**Superlatif : *the most* + adj.**
beautiful *beau*	**more beautiful** *plus beau*	**the most beautiful** *le plus beau*

Comparatif et superlatif d'infériorité		
Tous les adjectifs	**Comparatif : *less* + adj. (+ *than*)**	**Superlatif : *the least* + adj.**
overcast *couvert*	**less overcast** *moins couvert*	**the least overcast** *le moins couvert*

Comparatif d'égalité	
Tous les adjectifs	**Comparatif : *as* + adj. + *as***
sunny *ensoleillé*	**as sunny as** *aussi ensoleillé que*

Comparatif d'inégalité	
Tous les adjectifs	**Comparatif : *not as* + adj. + *as, not so* + adj. + *as***
cloudy *nuageux*	**not as cloudy as** = **not so cloudy as** *pas aussi nuageux que*

Modifications orthographiques

· Lorsqu'un adjectif court se termine par une consonne + **-y**, le **-y** peut devenir **-i** :
    dry → **dryer** ou **drier** → **dryest** ou **driest**
· Lorsqu'un adjectif d'une syllabe se termine par une voyelle suivie d'une consonne, la consonne est redoublée :
    hot → **hotter** → **hottest**
· Lorsqu'un adjectif court se termine par **-e**, le **-e** n'est pas redoublé :
    large → **larger** → **largest**

■ Adjectif court ou adjectif long ?

La construction du comparatif et du superlatif de supériorité est déterminée par la longueur de l'adjectif :

→ Tous les adjectifs d'une syllabe sont considérés comme des adjectifs courts (comparatif en **-er** et superlatif en **-est**) :

cold → colder → the coldest

 Exceptions

les adjectifs formés à partir d'un participe passé qui construisent leur comparatif avec **more** et leur superlatif avec **most** :

bored → more bored → the most bored

→ La plupart des adjectifs de deux syllabes sont considérés comme des adjectifs longs :

burning → more burning → the most burning
gifted → more gifted → the most gifted
gorgeous → more gorgeous → the most gorgeous
humid → more humid → the most humid

! Exceptions

l'adjectif **quiet** et les adjectifs de deux syllabes se terminant par **-y**, **-er**, **-ow** ou **-le** qui sont considérés comme des adjectifs courts :

quiet → quieter → the quietest
sunny → sunnier → the sunniest
clever → cleverer → the cleverest
shallow → shallower → the shallowest
gentle → gentler → the gentlest

Mais certains de ces adjectifs se construisent aussi couramment avec **more** et **most** : **more clever, the most gentle person**, etc.

→ Tous les adjectifs de trois syllabes ou plus sont des adjectifs longs :

optimistic → **more optimistic** → **the most optimistic**

! Bien que l'on préfère employer **more** et **the most** avec les adjectifs de trois syllabes, les deux formes du comparatif et du superlatif sont possibles pour ceux formés à partir d'un adjectif court et du préfixe **un-** :

She's unhappier / more unhappy than ever.
Elle est plus malheureuse que jamais.

It's the untidiest / most untidy room in the house.
C'est la pièce la plus mal rangée de toute la maison.

■ **Than**

→ On emploie **than** pour introduire le complément du comparatif de supériorité ou d'infériorité :

It's quicker by train than by bus.　　**I was more disappointed than angry.**
Ça va plus vite en train qu'en bus.　　*J'étais plus déçu que fâché.*

He eats less than he used to.
Il mange moins qu'avant.

→ Le pronom sujet suivi de l'auxiliaire est souvent remplacé par le pronom complément dans la langue courante :

She's more patient than I am. = **She's more patient than me.**
Elle est plus patiente que moi.

! Lorsqu'il s'agit d'un comparatif d'égalité, « que » ne se traduit pas par **than** mais par **as** dans la construction **as... as** :

You're as talented as him.
Tu es aussi doué que lui.

Voir **Comparatif d'égalité** ci-dessous.

■ **Comparatif d'égalité**

→ Le comparatif d'égalité se construit avec la tournure **as... as** pour tous les adjectifs et les adverbes :

He's as absent-minded as his father.
Il est aussi distrait que son père.

Can you run as fast as him?
Est-ce que tu arrives à courir aussi vite que lui ?

As s'emploie également dans la tournure **the same... as** :

She's wearing the same **glasses** as **you.**
Elle porte les mêmes lunettes que toi.

→ Le comparatif d'égalité peut être précédé de **twice** (*deux fois*), **three times** (*trois fois*), **half** (*deux fois moins*), etc. Il se traduit dans ce cas par un comparatif de supériorité ou d'infériorité en français (*plus / moins... que*) :

Your suitcase is twice as **heavy as mine /** half as **heavy as mine.**
Ta valise est deux fois plus lourde que la mienne / deux fois moins lourde que la mienne.

→ Pour les noms, on emploie **as much... as** avec les noms indénombrables au singulier et **as many... as** avec les noms dénombrables au pluriel. La traduction est dans ce cas « autant de... que » en français :

I drink as much **coffee as you.**
Je bois autant de café que toi.

She has written as many **novels as screenplays.**
Elle a écrit autant de romans que de scénarios.

▪ Comparatif et superlatif d'infériorité

→ La forme du comparatif d'infériorité (**less... than**) est la même pour tous les adjectifs et adverbes :

It's less **difficult than I thought.**
C'est moins difficile que je ne le pensais.

→ L'infériorité peut également être exprimée à l'aide du comparatif d'inégalité **not as... as** ou **not so... as** (*pas aussi... que*) :

It's not as **difficult as I thought. = It's** not so **difficult as I thought.**
Ce n'est pas aussi difficile que je ne le pensais.

! La tournure **less... than** est rarement utilisée avec les adjectifs courts. On emploie donc le comparatif de supériorité de l'adjectif contraire correspondant ou le comparatif d'inégalité **not as... as** :

> *Il est _moins_ grand que toi.*

se traduira :

> **He isn't as tall as you.**   ou   **He's shorter than you.**
> *(Il n'est pas aussi grand que toi.)*   *(Il est plus petit que toi.)*

[et non : ***He's less tall than you.***]

→ Le superlatif d'infériorité se construit avec **the least of** :

He's the least successful of the three brothers.
C'est celui des trois frères qui a le moins réussi.

! Comme pour le comparatif d'infériorité, l'emploi du superlatif d'infériorité est très rare avec les adjectifs courts. On emploie donc le superlatif de supériorité de l'adjectif contraire correspondant :

C'est <u>le moins</u> rapide qui a gagné.

se traduira :

The slowest won. *(C'est le plus lent qui a gagné.)*

[et non : ***The least quick won.***]

■ **Comparatif des adverbes**

Le comparatif peut s'employer avec des adverbes :

She helps him less readily than before.
Elle l'aide moins volontiers qu'avant.

Les règles de formation du comparatif de supériorité sont les mêmes que pour les adjectifs :

Adverbe court	Adverbe long
I managed to jump higher **than him.**	**We should have looked** more closely.
J'ai réussi à sauter plus haut que lui.	*Nous aurions dû regarder plus attentivement.*

■ **Comparatif des noms et des verbes**

→ Le comparatif de supériorité des noms et des verbes se construit avec **more... than** :

There were more **boys** than **girls.**
Il y avait plus de garçons que de filles.

She eats more than **her brother.**
Elle mange plus que son frère.

→ Le comparatif d'infériorité des verbes se construit avec **less... than** :

He sleeps less than **his sister.**
Il dort moins que sa sœur.

→ Pour le comparatif d'infériorité des noms, on emploie **less... than** avec les noms indénombrables au singulier et **fewer... than** avec les noms dénombrables au pluriel :

He spends less **time working** than **sunbathing.**
Il passe moins de temps à travailler qu'à se faire bronzer.

There have been fewer **accidents** than **last year.**
Il y a eu moins d'accidents que l'année dernière.

■ « De plus en plus » et « de moins en moins »

Comparatif de supériorité : « de plus en plus »	
Avec un adjectif ou adverbe court : *...-er and ...-er*	Avec un adjectif ou adverbe long : *more and more...*
The days are getting shorter **and** shorter. *Les journées sont de plus en plus courtes.*	**It's getting** more and more **interesting.** *C'est de plus en plus intéressant.*
Comparatif d'infériorité : « de moins en moins »	
less and less...	

I'm less and less **sure.** *Je suis de moins en moins sûr.* **He's** less and less **enthusiastic.** *Il est de moins en moins enthousiaste.*	L'emploi de **less and less** avec un adjectif court n'est pas très courant. On préfère généralement employer le comparatif de supériorité de l'adjectif contraire correspondant : *Les journées sont <u>de moins en moins longues</u>.* **The days are getting shorter and shorter.** [et non ***The days are getting less and less long.***]

■ « Plus / moins..., plus / moins »

On emploie le comparatif précédé de **the** pour traduire la tournure « plus... plus » et ses variantes :

The hotter **it gets,** the less **I want to work.**
Plus il fait chaud, moins j'ai envie de travailler.

The more they have, **the more** they want.
Plus ils en ont, plus ils en veulent.

■ Comparatif ou superlatif ?

Pour comparer deux choses ou deux personnes, on doit employer le comparatif précédé de l'article **the** et non le superlatif :

Deux éléments : comparatif	Plus de deux éléments : superlatif
She's the **bold**er of the two. *C'est la plus intrépide des deux.*	She's the **bold**est in the class. *C'est la plus intrépide de la classe.*
He's the more **talkative** of the two. *C'est le plus bavard des deux.*	He's the most **talkative** of my pupils. *C'est le plus bavard de mes élèves.*
She's the less **enthusiastic** of the two. *C'est la moins enthousiaste des deux.*	She's the least **enthusiastic** of the three. *C'est la moins enthousiaste des trois.*

! Avec le superlatif, on doit employer la préposition **in** et non **of** devant un nom de lieu :

Mount Everest is the highest mountain in the world.
L'Everest est le plus haut sommet <u>du</u> monde.

2 Les comparatifs et superlatifs irréguliers

Formation des comparatifs et superlatifs irréguliers		
Adjectif / Adverbe	**Comparatif**	**Superlatif**
bad *mauvais* **badly** *mal*	**worse** *pire*	**the worst** *le pire*
far *éloigné*	**further / farther** *plus éloigné*	**the furthest / the farthest** *le plus éloigné*
good *bon* **well** *bien*	**better** *meilleur*	**the best** *le meilleur*
little *peu*	**less** *moins*	**the least** *le moins*
much / many *beaucoup*	**more** *davantage*	**the most** *le plus*

■ **Comparatifs et superlatifs de** *far* **:** *further / the furthest, farther / the farthest*

→ Les différentes formes du comparatif et du superlatif de **far** s'emploient pour exprimer la distance. **Further** et **the furthest** sont toutefois plus courants que **farther** et **the farthest** :

She walked to the further / farther end of the room.
Elle est allée à l'autre bout de la pièce.

I can't go any further.
Je ne peux pas aller plus loin.

→ Les formes **further** et **the furthest** s'emploient également dans un sens figuré :

I would like further details of the programme.
J'aimerais avoir quelques précisions supplémentaires sur le programme.

The police want to question him further.
La police veut encore l'interroger.

- **Comparatifs et superlatifs de** *old* **:** *older / the oldest, elder / the eldest*

  → Les formes irrégulières **elder** et **the eldest** s'emploient uniquement pour désigner les membres d'une même famille. Elles sont interchangeables avec **older** et **the oldest**. **Elder** est toujours épithète et ne peut pas être suivi de **than**. **Elder** s'emploie pour désigner l'aîné de deux personnes, **eldest** pour l'aîné de plus de deux personnes :

  She gets on very well with her elder ou older **sister.**
  Elle s'entend très bien avec sa sœur aînée.   [= elle n'a qu'une sœur]

  They have four children. Their eldest ou oldest **son lives in Italy.**
  Ils ont quatre enfants. Leur fils aîné vit en Italie.

  → Les formes régulières **older** et the **oldest** s'emploient pour toutes les comparaisons, qu'il s'agisse de personnes ou d'objets. **Older** peut être épithète ou attribut et peut être suivi de **than** :

  My brother is older than **me.**
  Mon frère est plus âgé ou plus vieux que moi.

  It's the oldest **piece in our museum.**
  C'est la pièce la plus ancienne de notre musée.

- *The former… the latter*

  The latter (*le second, le dernier*) est une forme irrégulière du comparatif de **late**. **The former** (*le premier*) s'emploie souvent en corrélation avec **the latter**, dans un style soutenu, pour désigner deux personnes ou deux choses que l'on vient de mentionner :

  The minister has considered both propositions; he prefers the former **to the** latter.
  Le ministre a examiné les deux propositions : il préfère la première à la dernière.

EXERCICES

1) Mettez au comparatif de supériorité les adjectifs et les adverbes suivants :

a) distracted   h) clever

b) jolly   i) narrow

c) unaffordable   j) extravagant

d) uneasy   k) spoilt

e) big   l) hard

f) white   m) cautiously

g) shy

2) Complétez les phrases avec as ou than :

a) Your car is bigger _____ mine but it doesn't go _____ fast.

b) Are there _____ many girls _____ boys coming tonight?

c) These are the same cups _____ ours.

d) He isn't _____ stupid _____ that! He's more intelligent _____ you think.

e) I don't have _____ much patience _____ he does.

f) He's not so crazy _____ to do that.

g) I ate twice _____ much _____ you.

h) She plays the violin better _____ I do.

i) It's easier to do _____ to explain.

3) Remplacez l'adjectif ou l'adverbe entre parenthèses par le comparatif ou le superlatif qui convient :

a) She's the (old) of my three children.

b) He's been ill for a while but he's starting to feel (well) now.

c) My dad is six years (old) than my mum.

d) What's the (bad) thing that could happen?

e) My grandfather lives in the (old) house in the village.

f) It's the (sunny) room in the house.

g) I'm an only child and would have loved to have had an (old) sister or brother.

h) I prefer the (dark) of the two colours.

4) Traduisez en français :

a) He's the faster of the two.

b) Tigers and cheetahs can run fast but the latter are much faster than the former. [cheetah = *guépard*]

c) I have as much homework to do as you.

d) For further information, please call this number.

e) It's getting more and more difficult to get hold of him.

f) He's the least self-centred person I've ever met. [self-centred = *égocentrique*]

5) Traduisez en anglais :

a) Il a plus peur des insectes que des bêtes sauvages.

b) Elle parle anglais moins bien que toi.

c) J'ai commandé le même dessert que toi.

d) Plus je le vois, moins j'ai envie de le voir.

e) Il fait moins froid ici que chez moi.

f) J'ai dépensé deux fois plus d'argent que toi.

g) Nous avons vendu autant de modèles que l'année dernière.

Les verbes

Points traités dans ce chapitre :
- · la formation du présent, du prétérit et du participe passé des verbes réguliers
- · la liste des principaux verbes irréguliers anglais

■ Verbes réguliers

→ En règle générale, les verbes anglais ne changent pas de forme aux différentes personnes du singulier et du pluriel, sauf à la 3e personne du singulier du présent simple :

I play *je joue*
you play *tu joues / vous jouez*
we play *nous jouons*
they play *ils / elles jouent*

She plays the double bass. *Elle joue de la contrebasse.*

I played *j'ai joué*
you played *tu as joué / vous avez joué*
he / she played *il / elle a joué*
we played *nous avons joué*
they played *ils / elles ont joué*

→ Les verbes réguliers forment leur prétérit et leur participe passé en ajoutant la terminaison **-ed** :

Infinitif	Prétérit	Participe passé
to play	played	played
to dance	danced	danced

Pour les différents temps, modes, aspects et leurs emplois, voir pp. 131–58.
Pour les formes des verbes irréguliers, voir la liste pp. 113–18.

→ Les verbes peuvent être utilisés seuls, avec un auxiliaire (voir **Les auxiliaires** *be, have, do* p. 120) ou avec un modal (voir **Les auxiliaires modaux** p. 171).

■ Verbes irréguliers

Les verbes irréguliers se caractérisent par leurs formes particulières au prétérit et au participe passé. La liste qui suit répertorie les plus courants :

Infinitif		Prétérit	Participe passé
arise	*survenir*	arose	arisen
awake	*s'éveiller*	awoke	awoken
be	*être*	was, were	been
bear	*porter, donner naissance à*	bore	borne

> Au passif, le participe passé est **born** : **He was born in France**. *Il est né en France.*

beat	*battre*	beat	beaten
become	*devenir*	became	become
begin	*commencer*	began	begun
bend	*courber*	bent	bent
bet	*parier*	bet	bet
bid	*offrir*	bid	bid
bind	*attacher*	bound	bound
bite	*mordre*	bit	bitten
bleed	*saigner*	bled	bled
blow	*souffler*	blew	blown
break	*casser*	broke	broken
breed	*élever*	bred	bred
bring	*apporter*	brought	brought
broadcast	*diffuser*	broadcast*	broadcast*
build	*construire*	built	built
burn	*brûler*	burnt*	burnt*
burst	*éclater*	burst	burst
buy	*acheter*	bought	bought
cast	*jeter*	cast	cast
catch	*attraper*	caught	caught
choose	*choisir*	chose	chosen
cling	*s'accrocher à*	clung	clung
come	*venir*	came	come
cost	*coûter*	cost	cost
creep	*ramper*	crept	crept
cut	*couper*	cut	cut
deal	*traiter*	dealt	dealt
dig	*fouiller*	dug	dug

* L'astérisque signale que la forme régulière (-**ed**) du prétérit et/ou du participe passé est également possible.

Infinitif		Prétérit	Participe passé
set	*mettre*	set	set
sew	*coudre*	sewed	sewn*
shake	*secouer*	shook	shaken
shed	*perdre*	shed	shed
shine	*briller*	shone	shone

En anglais américain, quand **shine** signifie « cirer », « faire briller », le prétérit et le participe passé sont réguliers : **shined**.

Infinitif		Prétérit	Participe passé
shoot	*abattre, tirer*	shot	shot
show	*montrer*	showed	shown*
shrink	*rétrécir*	shrank	shrunk
shut	*fermer*	shut	shut
sing	*chanter*	sang	sung
sink	*couler*	sank	sunk
sit	*s'asseoir*	sat	sat
sleep	*dormir*	slept	slept
slide	*glisser*	slid	slid
sling	*lancer*	slung	slung
slink	*se glisser furtivement*	slunk	slunk
slit	*fendre*	slit	slit
smell	*sentir*	smelt*	smelt*
sneak	*se faufiler, se glisser*	sneaked	sneaked
		ou snuck (*Am*)	snuck (*Am*)
sow	*semer*	sowed	sown*
speak	*parler*	spoke	spoken
speed	*aller vite*	sped*	sped*
spell	*écrire, épeler*	spelt*	spelt*
spend	*dépenser*	spent	spent
spill	*renverser*	spilt*	spilt*
spin	*filer, tisser*	spun	spun
spit	*cracher*	spat	spat
		ou spit (*Am*)	spit (*Am*)
split	*se briser*	split	split
spoil	*abîmer*	spoilt*	spoilt*
spread	*étendre*	spread	spread
spring	*bondir*	sprang	sprung
stand	*se tenir*	stood	stood

* L'astérisque signale que la forme régulière (**-ed**) du prétérit et/ou du participe passé est également possible.

Infinitif		Prétérit	Participe passé
steal	*voler*	stole	stolen
stick	*enfoncer, coller*	stuck	stuck
sting	*piquer*	stung	stung
stink	*puer*	stank	stunk
strew	*répandre*	strewed	strewn*
stride	*marcher à grands pas*	strode	stridden
strike	*frapper*	struck	struck
			ou stricken
string	*enfiler*	strung	strung
strive	*s'efforcer*	strove	striven
swear	*jurer*	swore	sworn
sweep	*balayer*	swept	swept
swell	*gonfler*	swelled	swollen*
swim	*nager*	swam	swum
swing	*se balancer*	swung	swung
take	*prendre*	took	taken
teach	*enseigner*	taught	taught
tear	*déchirer*	tore	torn
tell	*dire*	told	told
think	*penser*	thought	thought
thrive	*fleurir*	thrived	thrived
		ou throve	thriven
throw	*jeter*	threw	thrown
thrust	*pousser*	thrust	thrust
tread	*marcher*	trod	trodden
understand	*comprendre*	understood	understood
undertake	*s'engager*	undertook	undertaken
upset	*renverser, bouleverser*	upset	upset
wake	*se réveiller*	woke*	woken*
wear	*porter*	wore	worn
weave	*tisser*	wove	woven

Quand **weave** signifie « se faufiler », le prétérit et le participe passé sont réguliers : **weaved.**

weep	*pleurer*	wept	wept
wet	*mouiller*	wet*	wet*
win	*gagner*	won	won
wind	*remonter*	wound	wound

* L'astérisque signale que la forme régulière (**-ed**) du prétérit et/ou du participe passé est également possible.

Infinitif		Prétérit	Participe passé
withdraw	*retirer*	withdrew	withdrawn
wring	*tordre*	wrung	wrung
write	*écrire*	wrote	written

EXERCICES

1) Donnez le prétérit et le participe passé des verbes suivants :

a) look

b) happen

c) feel

d) ask

e) choose

f) tell

g) think

2) Relevez les verbes dans le texte suivant et donnez leur infinitif :

Mrs Bliss decided she wanted a pet. She initially wanted a cat, as she adores cats, but the doctor told her that she suffers from an allergy to cats. She rejected straightaway the idea of a dog: since she hurt her leg last year, she walks too slowly  for a dog. Her best friend swore by her monkey but Mrs Bliss found it too scary. She also gave up on a rabbit as her flat lacks a garden. She eventually saw a parrot and immediately thought: this is the perfect pet for me!

3) Réécrivez les phrases en mettant les verbes au prétérit :

a) He looks very happy with his new toy.

b) She tells me he leaves at 5.

c) He sings very well.

d) He knows the answer.

e) They play rugby together.

4) Traduisez en français :

a) Her dad taught her the electric guitar.

b) She made herself a cloak and a hat for the fancy dress party. [cloak = *cape*]

c) He told me about his trip to New Zealand.

d) I lent him my bike.

e) He built a puppet theatre for his children.

5) Traduisez en anglais en mettant les verbes conjugués au prétérit :

  a) Il enleva son chapeau et le posa sur la table. [enlever = *take off*].

  b) J'avais oublié qu'il était là.

  c) Je l'ai vue hier.

  d) Elle est partie de bonne heure.

  e) Je croyais qu'elle était en vacances.

Les auxiliaires *be, have, do*

Points traités dans ce chapitre :
- **be** : sa conjugaison ; sa fonction d'auxiliaire ; son emploi en tant que verbe et dans les traductions de l'expression « il y a »
- **have** : sa conjugaison ; sa fonction d'auxiliaire ; son emploi en tant que verbe et sa construction avec l'auxiliaire **do** aux formes interrogative et négative
- **do** : sa fonction d'auxiliaire avec ses formes au présent et au prétérit ; sa conjugaison et son emploi en tant que verbe à part entière

Be, **have** et do sont les trois auxiliaires utilisés en association avec d'autres verbes pour la formation de certains temps et de certaines tournures grammaticales. Ces auxiliaires sont également des verbes à part entière.

1 *Be*

Seuls le présent et le prétérit de **be** présentent des formes particulières. Les autres temps se construisent de la même manière que les verbes réguliers (voir **Les modes, les temps et les aspects** p. 131).

Présent				
Forme affirmative		**Forme négative**		**Forme interrogative**
Forme complète	Forme contractée	Forme complète	Forme contractée	
I am	I'm	I am not	I'm not	am I?
you are	you're	you are not	you're not / you aren't	are you?
he / she / it } is	he's / she's / it's	he / she / it } is not	he / she / it } 's not / isn't	is { he? / she? / it?
we are	we're	we are not	we're not / we aren't	are we?
you are	you're	you are not	you're not / you aren't	are you?
they are	they're	they are not	they're not / they aren't	are they?

Les formes contractées sont très employées, surtout à l'oral.

Prétérit		
Forme affirmative	**Forme négative**	**Forme interrogative**
I was	**I** was not	was **I**?
you were	**you** were not	were **you**?
he **she** **it** } was	**he** **she** **it** } was not	was { **he**? **she**? **it**?
we were	**we** were not	were **we**?
you were	**you** were not	were **you**?
they were	**they** were not	were **they**?

La forme négative peut être contractée :
was not = wasn't
were not = weren't
Ces formes sont très employées, surtout à l'oral.

Participe présent	Participe passé
being	been

■ *Be* **auxiliaire**

→ L'auxiliaire **be** s'emploie avec un verbe au participe passé pour construire la voix passive :

He was punished.
Il a été puni.

Voir **La voix passive** p. 199.

→ **Be** s'emploie également pour construire l'aspect progressif (forme en **-ing**) :

It's working!
Ça marche !

Voir **Les modes, les temps et les aspects** p. 131.

→ On emploie **be** suivi de **to** pour renvoyer à l'avenir lorsqu'on parle d'un événement prévu :

The next meeting is to take place on Wednesday.
La prochaine réunion aura lieu mercredi.

Voir p. 155.

■ *Be* **verbe**

De même que le verbe « être » en français, lorsque **be** est employé comme verbe à part entière, il désigne une caractéristique ou un état :

He is a bit eccentric.
Il est un peu excentrique.

I'm ill.
Je suis malade.

> **!** De nombreuses tournures construites avec **be** + adjectif en anglais ont pour
> équivalent en français une tournure construite avec le verbe « avoir » :
>
>   **I'm hungry and thirsty.** *J'ai faim et j'ai soif.*
>   **We were lucky!** *Nous avons eu de la chance !*
>   **"How old are you?" – "I'm six."** *« Quel âge as-tu ? » – « J'ai six ans. »*
>
> Dans d'autres cas, **be** se traduit par « aller », « faire » ou « mesurer » :
>
>   **"How are you?" – "I'm well, thank you."** *« Comment allez-vous ? » –*
>   *« Je vais bien, merci. »*
>   **It's cold.** *Il fait froid.*
>   **The table is two metres long.** *La table mesure deux mètres de long.*

■ **Traduction de « il y a »**

La traduction de l'expression « il y a », ou « il y avait », « il y aura » etc., dépend du
sens de la phrase :

→ Pour indiquer l'existence ou la présence de quelque chose, on emploie en anglais
there is avec un nom au singulier, et **there are** avec un nom au pluriel :

There's someone new in my class.
Il y a un nouveau dans ma classe.

There are lots of midges.
Il y a beaucoup de moucherons.

→ Le verbe **be** se conjugue au temps voulu :

There will be some music.
Il y aura de la musique.

There wasn't a single coin left in his piggy bank.
Il n'y avait plus une seule pièce dans sa tirelire.

Voir également **Les modes, les temps et les aspects** p. 131.

→ Pour exprimer la distance, on emploie **it is** :

It's at least three kilometres to the village.
Il y a bien trois kilomètres d'ici au village.

→ Pour exprimer la durée, on emploie **for** :

I've been waiting for an hour.
Il y a une heure que j'attends.

Voir également **L'expression de la durée** : *for, since*
et *ago* p. 314.

→ Lorsqu'on parle d'un moment éloigné dans le temps, on emploie **...ago**, ou **it is...**
+ **since** :

We came back two days ago.
Nous sommes rentrés il y a deux jours.

It was a long time ago.
C'était il y a longtemps.

It's two years since I had a holiday.
Il y a deux ans que je ne prends pas de vacances.

Voir également **L'expression de la durée** : *for, since* et *ago* p. 314.

2 *Have*

Présent				
Forme affirmative		**Forme négative**		**Forme interrogative**
Forme complète	Forme contractée	Forme complète	Forme contractée	
I have	**I**'ve	**I** have not	**I** haven't	have **I**?
you have	**you**'ve	**you** have not	**you** haven't	have **you**?
he **she** **it** } has	**he**'s **she**'s **it**'s	**he** **she** **it** } has not	**he** **she** **it** } hasn't	has { **he**? **she**? **it**?
we have	**we**'ve	**we** have not	**we** haven't	have **we**?
you have	**you**'ve	**you** have not	**you** haven't	have **you**?
they have	**they**'ve	**they** have not	**they** haven't	have **they**?

 Les formes contractées ne s'emploient que lorsque **have** est auxiliaire, c'est-à-dire suivi d'un participe passé :

I haven't <u>finished</u>. *Je n'ai pas fini.*

Par ailleurs, ne pas confondre :

He's old. [forme contractée de **is**] *Il est vieux.*

et :

He's gone. [forme contractée de **has**] *Il est parti.*

Prétérit	
I had	
you had	
he **she** **it** } had	
we had	
you had	
they had	

Participe présent	Participe passé
having	had

Les formes du prétérit sont souvent contractées (<u>uniquement</u> lorsque **have** est auxiliaire) :
I had = I'd
I had not = I hadn't

■ *Have* auxiliaire

Lorsque **have** est auxiliaire, il sert à construire les temps et les aspects d'autres verbes (voir **Les modes, les temps et les aspects** p. 131) :

My alarm clock has stopped.
Mon réveil s'est arrêté.

■ *Have* verbe

→ Lorsque **have** est un verbe à part entière, il se conjugue avec l'auxiliaire **do** comme tous les autres verbes.

Présent		
Forme affirmative	**Forme interrogative**	**Forme négative**
I/You/We/They have a piano.	Do **I/you/we/they** have a piano?	**I/You/We/They** do not have a piano.
He **She** **It** } has a piano.	Does { **he** **she** **it** } have a piano?	**He** **She** **It** } does not have a piano.
Prétérit		
Forme affirmative	**Forme interrogative**	**Forme négative**
I/You/We/etc. had a piano.	Did **I/you/he/**etc. have a piano?	**I/You/We/**etc. did not have a piano.

! Lorsque **have** n'est pas auxiliaire mais verbe à part entière, on n'emploie pas les formes contractées :

She has a piano. [et non ***She's a piano.***]
They had a piano. [et non ***They'd a piano.***]

À la forme négative, **do no**t et **did not** sont souvent contractés, surtout à l'oral :

I do not have = I don't have
she does not have = she doesn't have
I did not have = I didn't have

→ Comme le verbe « avoir » en français, **have** permet d'exprimer la possession ou un lien de parenté :

She has two brothers and a sister.
Elle a deux frères et une sœur.

They have a farm.
Ils ont une ferme.

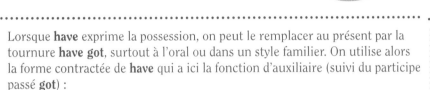

! Lorsque **have** exprime la possession, on peut le remplacer au présent par la tournure **have got**, surtout à l'oral ou dans un style familier. On utilise alors la forme contractée de **have** qui a ici la fonction d'auxiliaire (suivi du participe passé **got**) :

> **They have a caravan.** = **They've got a caravan.** *Ils ont une caravane.*
> **She has a watch.** = **She's got a watch.** *Elle a une montre.*

Have got se conjugue sans **do** :

> **She doesn't have a watch.** = **She hasn't got a watch.** *Elle n'a pas de montre.*
> **Do you have a lot of work?** = **Have you got a lot of work?** *Est-ce que tu as beaucoup de travail ?*

→ **Have** s'emploie également pour exprimer une activité. Sa traduction varie alors selon le sens :

Did you have a bath or a shower?
Est-ce que tu as pris un bain ou une douche ?

We had a little chat.
Nous avons eu une petite discussion.

Have a good time!
Amusez-vous bien !

We had a walk.
Nous nous sommes promenés.

→ Lorsque **have** exprime une activité, il peut s'employer à l'aspect progressif (forme en **-ing**) :

We're having lunch.
Nous sommes en train de déjeuner.

Voir **Les modes, les temps et les aspects** p. 131.

Les auxiliaires *be, have, do*

"Can I open the window?" – "Please do."

« Puis-je ouvrir la fenêtre ? » – « Je vous en prie. »

She plays better than I do.

Elle joue mieux que moi.

Voir également **Les *question tags*** et les réponses elliptiques p. 281, et **Les comparatifs et les superlatifs** p. 102.

■ *Do* verbe

→ Lorsque **do** est un verbe à part entière, comme tous les autres verbes, il se conjugue à l'aide de l'auxiliaire **do** dans les phrases négatives et interrogatives :

Présent		
Forme négative		**Forme interrogative**
Forme complète	Forme contractée	
I/you/we/they do not do	**I/you/we/they** don't do	do **I/you/we/they** do?
he she it } does not do	he she it } doesn't do	does { he she it } do?
Prétérit		
Forme négative		**Forme interrogative**
Forme complète	Forme contractée	
I/you/he/etc. did not do	**I/you/he/**etc. didn't do	did **I/you/he/**etc. do?

Participe présent	Participe passé
doing	done

→ Lorsque **do** est un verbe à part entière, il se traduit souvent par le verbe « faire » en français :

What did you do at school?

Qu'est-ce que tu as fait à l'école ?

What have they done to you?

Qu'est-ce qu'ils t'ont fait ?

Do ou **make** ?

Do et **make** se traduisent souvent par « faire » en français, mais ils ne sont pas interchangeables. On tend à employer **do** pour parler d'une activité et **make** pour parler de quelque chose que l'on a fabriqué ou créé :

> "What did you do today?" – "I did the shopping."
> « Qu'est-ce que tu as fait aujourd'hui ? » –
> « J'ai fait les courses. »

> "What did you make today?" – "I made a cake."
> « Qu'est-ce que tu as fait aujourd'hui ? » –
> « J'ai fait un gâteau. »

EXERCICES

1) Complétez les phrases suivantes en insérant l'auxiliaire qui convient :

a) _____ you see him yesterday?

b) _____ they completed the form?

c) _____ you have a good holiday?

d) The children _____ sent home.

e) She _____ writing a play at the moment.

f) "_____ she speak Japanese?" – "No, she _____."

g) Believe me, I _____ understand!

h) I wanted to watch television but he _____.

2) Mettez les phrases suivantes à la forme interrogative puis à la forme négative (en utilisant la forme contractée) :

a) They have friends in New York.

b) She travels a lot.

c) She liked the play.

d) He has told his family.

e) She does all the decorating.

f) He's preparing his speech.

g) They were working when you left.

3) Indiquez, pour chaque verbe souligné, s'il s'agit d'un auxiliaire (A) ou d'un verbe à part entière (B) :

John is[1] very brave or completely mad. We were[2] walking on the beach when he said: "Surely, the water isn't[3] that cold!" (ok, the sun was[4] shining, the water was[5] blue, but we were[6] still north of Aberdeen). The next minute, he had[7] taken his clothes off and was[8] swimming in the North Sea! Needless to say, he now has[9] a bad cold and doesn't[10] want to do[11] it again.

4) Complétez les phrases à l'aide de do ou make à la forme qui convient :

a) Did you _____ this dress?

b) He doesn't _____ the cleaning but he _____ the cooking.

c) I _____ this boat yesterday.

d) What do you _____ for a living? [for a living = *dans la vie*]

e) He's going to _____ an apple pie.

f) You _____ a good impression on him last night.

g) What do you _____ on your day off? [day off = *jour de congé*]

5) Traduisez en français :

a) Does he know how to make pancakes?

b) He doesn't complain as much as you do.

c) They moved six months ago.

d) She had to go back to Montreal.

e) I did tell you to be careful!

f) "Did she do it?" – "Yes, she did."

g) We've known each other for years.

6) Traduisez en anglais :

a) Il y a un passage secret dans le château.

b) Il y avait beaucoup de moustiques près du lac.

c) Enfin, tu as fait réparer la voiture !

d) J'ai fait un gâteau ce matin.

e) Il y a deux kilomètres de la maison à la plage.

f) Est-ce que tu as un ordinateur ?

Points traités dans ce chapitre :

- · l'infinitif et la base verbale : leurs principaux emplois et leur forme au passé
- · l'impératif : la formation de l'impératif et l'emploi emphatique avec l'auxiliaire **do**
- · le subjonctif : la forme et l'emploi du subjonctif anglais et les différentes traductions du subjonctif français
- · le présent :
  - - le présent simple ;
  - - les différentes traductions du présent français ;
  - - le présent en **be** + **-ing** ;
  - - les verbes qui ne prennent pas la terminaison **-ing**
- · l'expression du passé :
  - - la correspondance entre le français et l'anglais ;
  - - le prétérit simple ;
  - - le prétérit en **be** + **-ing** ;
  - - les différentes traductions du prétérit anglais ;
  - - le prétérit modal et les différentes traductions du verbe **wish** ;
  - - le *present perfect* simple et le *present perfect* en **be** + **-ing** ;
  - - le *past perfect* simple et le *past perfect* en **be** + **-ing** ;
  - - le *past perfect* modal ;
  - - l'emploi de **used to** et **would**
- · l'expression du futur :
  - - les différentes tournures anglaises permettant d'exprimer le futur ;
  - - l'emploi de l'auxiliaire modal **will** et de la construction **will be** + **-ing** ;
  - - l'emploi du présent en **be** + **-ing**, de l'expression **be going to** + V et du présent simple pour parler d'un événement à venir ;
  - - les tournures **be about to** + V et **be to** + V ;
  - - l'emploi de l'auxiliaire modal **shall** ;
  - - le renvoi au passé dans l'avenir et le renvoi à l'avenir dans le passé (tableau des concordances des temps)
- · l'expression du conditionnel : l'emploi de l'auxiliaire modal **would** pour traduire le conditionnel présent et le conditionnel passé

Il n'existe que deux temps grammaticaux en anglais : le présent et le prétérit. Il n'y a donc pas de correspondance exacte entre les temps français et les formes verbales anglaises.

Pour traduire les temps français, on emploie des formes verbales construites à partir d'auxiliaires modaux (voir p. 171) ou d'aspects tels que l'aspect progressif (**be** + **-ing**) ou le *perfect*.

Pour les conjugaisons des auxiliaires **be**, **have**, **do**, voir p. 120.

Pour les conjugaisons des auxiliaires modaux (**will** / **would**, **shall** / **should**, **can** / **could**, **may** / **might**, **must** / **had to**, **ought to**, **dare** et **need**), voir p. 171.

1 L'infinitif et la base verbale

On distingue l'infinitif complet (**he's learning** to swim) de l'infinitif sans **to** (**he can** swim). On appelle « base verbale » la forme sans **to**, que l'on désignera parfois uniquement par la lettre V :

■ Infinitif (*to* + V)

→ L'infinitif s'emploie comme complément d'un autre verbe. Que le verbe précédant l'infinitif se construise sans préposition ou avec les prépositions « à » ou « de » en français, l'infinitif se forme toujours avec **to** en anglais :

I prefer to take **the train.**
Je préfère prendre le train.

I was beginning to worry.
Je commençais <u>à</u> m'inquiéter.

He refuses to move.
Il refuse <u>de</u> bouger.

She wants to go **to Russia.**
Elle veut aller en Russie.

→ L'infinitif peut être sujet de la phrase :

To go out in this weather is sheer madness!
Sortir par ce temps, c'est de la folie !

→ Lorsqu'il y a une négation, elle doit être placée avant **to** :

I prefer <u>not</u> to say anything.
Je préfère ne rien dire.

■ Base verbale (V)

On emploie la base verbale :

→ après les modaux **can**, **could**, **may**, **might**, **will**, **shall**, **would**, **should**, **must**, **dare** et **need** :

Can you walk on your hands?
Est-ce que tu sais marcher sur les mains ?

You must try!
Tu dois essayer !

How dare you interrupt me!
Comment oses-tu m'interrompre !

You needn't come if you don't want to.
Vous n'êtes pas obligé de venir si vous n'en avez pas envie.

> Lorsque **dare** et **need** sont employés comme verbes et non comme auxiliaires modaux, ils sont suivis de l'infinitif complet (voir p. 195) :
> **Nobody dared <u>to</u> tell him the truth.**
> *Personne n'a osé lui dire la vérité.*
> **Do you need <u>to</u> go now?**
> *Es-tu obligé de partir maintenant ?*

→ après les expressions **would rather**, **had better**, **had best** :

I'd rather walk.
Je préfère y aller à pied.

You'd better apologize.
Tu ferais mieux de t'excuser.

→ après les verbes **have**, **let** et **make** suivis du complément d'objet direct (voir p. 263) :

We had him say a few words.
Nous lui avons fait dire quelques mots.

We let them watch the programme.
Nous les avons laissés regarder l'émission.

They made me wait.
Ils m'ont fait attendre.

> Le verbe **help** peut être suivi d'un infinitif ou d'une base verbale :
> **We helped him (to) move house.**
> *Nous l'avons aidé à déménager.*

→ après **why** ou **why not** :

Why stay indoors in this lovely weather?
Pourquoi rester à l'intérieur par ce beau temps ?

Why not go for a picnic?
Pourquoi ne ferions-nous pas un pique-nique ?

→ après les verbes de perception : voir pp. 168–9 et 262.

■ **Infinitif et base verbale au passé**

On forme le passé avec l'auxiliaire **have** suivi du verbe au participe passé :

I'm sorry to have bothered you.
Je suis désolé de vous avoir dérangé.

He may have left already.
Il est peut-être déjà parti.

Lorsque l'infinitif suit une préposition en français, on emploie V + **-ing** en anglais (voir **Le nom verbal (ou gérondif)** pp. 163–4) :

Il est parti <u>sans</u> rien dire. **He left without saying a word.**
Ils sont venus <u>sans</u> avoir été invités. **They came without having been invited.**

2 L'impératif

L'impératif est le mode employé pour donner un ordre ou un conseil. Il peut être affirmatif ou négatif.

■ **Impératif à la 2ᵉ personne**

Forme affirmative : base verbale (V)	Forme négative : *do not* ou *don't* + V
Be quick! *Fais vite ! / Faites vite !*	**Do not exceed the stated dose.** *Ne pas dépasser la dose prescrite.*
Lend him your books! *Prête-lui tes livres ! / Prêtez-lui vos livres !*	**Don't cry!** *Ne pleure pas ! / Ne pleurez pas !*
	Don't tell anybody! *Ne dis rien à personne ! / Ne dites rien à personne !*

■ **Impératif à la 1ʳᵉ et à la 3ᵉ personne**

L'impératif à proprement parler n'existe qu'à la 2ᵉ personne (voir ci-dessus). Pour les autres personnes, on emploie des tournures formées à partir de **let** :

1ʳᵉ personne	
Forme affirmative : *let us* (*let's*) + V	Forme négative : *let's not* ou *don't let's* + V
Let's hurry up! *Dépêchons-nous !*	**Let's not panic!** *Ne paniquons pas !*
	Don't let's go out tonight. *Ne sortons pas ce soir.*

3ᵉ personne	
Forme affirmative : *let her / him / it / them* + V	**Forme négative :** *don't let her / him / it / them* + V
Let him **sulk!** *Qu'il boude !*	Don't let them **fight!** *Qu'ils ne se disputent pas !*

■ **Emploi emphatique**

À la forme affirmative, l'impératif peut être précédé de l'auxiliaire **do** pour marquer l'insistance :

> Do stop **crying!**
>
> *Mais arrête de pleurer, enfin !*

3 Le subjonctif

Il n'existe plus vraiment de mode subjonctif en anglais, uniquement quelques traces que l'on trouve surtout dans des expressions figées.

→ Le subjonctif présent correspond à la base verbale (l'infinitif sans **to**), à toutes les personnes. Il est beaucoup plus employé en anglais américain qu'en anglais britannique, dans les subordonnées qui suivent un verbe ou une expression indiquant un souhait ou une suggestion :

> **!** À la différence du présent de l'indicatif, il n'y a pas de **-s** à la 3ᵉ personne du singulier (voir **Présent simple** p. 137).

> **It's important that he** take **emergency steps.**
>
> *Il est important qu'il prenne des mesures d'urgence.*
>
> **He requested that the meeting** start **as soon as possible.**
>
> *Il a exigé que la réunion commence le plus tôt possible.*

> **!** En anglais britannique, il est beaucoup plus courant d'employer l'indicatif ou, dans un style plus soutenu, **should** + V (voir p. 190) :
>
> **It's important that he takes emergency steps.**
>
> ou **It's important that he should take emergency steps.** [plus soutenu]
>
> **He requested that the meeting started as soon as possible.**
>
> ou **He requested that the meeting should start as soon as possible.** [plus soutenu]

→ On retrouve le subjonctif présent dans certaines expressions figées :

Long live the King!
Vive le roi !

God save the Queen!
Vive la reine !

If need be, we can walk there.
S'il le faut, nous pouvons y aller à pied.

! Traduction du subjonctif français

L'emploi du subjonctif est beaucoup plus fréquent en français qu'en anglais.

· Le subjonctif français correspond très souvent à un indicatif en anglais :

J'irai le voir à moins qu'il ne soit en vacances. **I'll go and see him unless he's on holiday.**
Je suis déçue qu'elle ne vienne pas. **I'm disappointed she isn't coming.**

· Il peut se traduire par une proposition infinitive (voir p. 297) :

Voulez-vous que je reste ? **Do you want me to stay?**
Je ne m'attendais pas à ce qu'il revienne. **I wasn't expecting him to come back.**

· Lorsqu'il est employé pour exprimer un souhait ou un regret en français, il se traduit souvent par un prétérit modal (voir p. 144) ou un *past perfect* modal (voir p. 150) en anglais :

Je préfère que tu n'en dises rien à personne. **I'd rather you didn't tell anybody.**
Je regrette que tu sois parti si tôt. **I wish you hadn't left so early.**

· Lorsqu'il exprime l'incertitude ou l'obligation, on emploie un auxiliaire modal + V en anglais (voir **Les auxiliaires modaux** p. 171) :

Il faut que je parte. **I must go.**
Il se peut que je vienne. **I might come.**
Il se pourrait bien qu'il n'y ait plus de places. **It might well be fully booked.**

---

4 Le présent

Le présent peut s'exprimer en anglais au moyen du présent simple ou du présent en **be + -ing**.

■ Présent simple

Présent simple : V (+ -s à la 3ᵉ personne du singulier)		
Forme affirmative	**Forme négative**	**Forme interrogative**
I write	I don't write	do I write?
you write	you don't write	do you write?
he she } write**s** it	he she } do**esn't** write it	do**es** { he she } write? it
we write	we don't write	do we write?
you write	you don't write	do you write?
they write	they don't write	do they write?

> Les formes contractées **don't** (**do not**) et **doesn't** (**does not**) sont très employées, surtout à l'oral.

Modifications orthographiques à la 3ᵉ personne du singulier

· Lorsqu'un verbe se termine par une consonne + **-y**, le **-y** devient **-i** et on ajoute **-es** :

  to fly → it flies

· Lorsqu'un verbe se termine par **-o, -s, -x, -z, -ch** ou **-sh**, on ajoute **-es** :

  to go → he goes
  to finish → he finishes
  to box → he boxes

On emploie le présent simple :

→ pour parler d'une vérité universelle, d'un événement habituel ou d'une caractéristique :

The Earth revolves around the Sun.
La Terre tourne autour du Soleil.

We dine at seven o'clock every evening.
Nous dînons à sept heures tous les soirs.

She works with computers.
Elle travaille dans l'informatique.

→ avec des verbes exprimant une opinion, un sentiment, une perception :

I think she's right.
Je pense qu'elle a raison.

I don't like him.
Je ne l'aime pas beaucoup.

It smells good.
Ça sent bon.

→ dans les narrations, les instructions et les commentaires journalistiques, pour décrire une action ou une série d'actions successives :

He walks into an ironmonger's and asks for a cough mixture.
Il entre dans une quincaillerie et demande un sirop contre la toux.

"How do I install this programme?" – "Just insert the CD in the drive."
« Comment je fais pour installer ce programme ? » – « Il suffit d'insérer le CD dans le lecteur. »

He dodges Trevis, dribbles round Peterson, shoots and... goal!
Il évite Trevis, dribble Peterson, tire et... but !

→ pour parler d'un horaire ou d'un emploi du temps (voir p. 154) :

The train leaves in half an hour.
Le train part dans une demi-heure.

→ dans les subordonnées introduites par **after**, **as soon as**, **if**, **until**, **when**, etc. (voir **Subordonnées de temps** p. 300) :

I'll be there when you arrive.
Je serai là quand tu arriveras.

!   Le présent en français ne correspond pas toujours à un présent en anglais.

· Lorsqu'il a un sens futur, il se traduit souvent par le modal **will** suivi du verbe à l'infinitif :

> *Je te <u>rappelle</u> demain.* **I'll call you back tomorrow.**

· Lorsqu'il exprime une action qui a débuté dans le passé et qui dure, il se traduit par un *present perfect* simple ou en **be + -ing** :

> *Je <u>porte</u> des lunettes depuis que j'ai six ans.* **I've worn glasses since I was six.**
> *Nous <u>répétons</u> la pièce depuis trois mois.* **We've been rehearsing the play for three months.**

· L'expression « c'est la première fois que... » est suivie d'un présent en français, alors que **it's the first time...** s'emploie avec le *present perfect* :

> *C'est la première fois qu'il prend l'avion.*
> **It's the first time he's been on a plane.**

Voir **Will** pp. 152–3, *Present perfect* simple p. 145 et *Present perfect* en **be + -ing** p. 146.

Présent en *be* + *-ing*

Présent en *be* + *-ing* : *be* au présent + V + *-ing*		
Forme affirmative	**Forme négative**	**Forme interrogative**
I'm writing	I'm not writing	am I writing?
you're writing	you aren't writing	are you writing?
he's ⎫ she's ⎬ writing it's ⎭	he ⎫ she ⎬ isn't writing it ⎭	is ⎧ he ⎫ ⎨ she ⎬ writing? ⎩ it ⎭
we're writing	we aren't writing	are we writing?
you're writing	you aren't writing	are you writing?
they're writing	they aren't writing	are they writing?

· Les formes contractées de **be** (voir p. 120) sont très employées, surtout à l'oral.
· Le radical de certains verbes change lorsqu'on ajoute la terminaison **-ing** (voir p. 162).

Le présent en **be** + **-ing** s'emploie :

→ pour parler d'une action en cours ou qui vient de commencer :

Is something burning?
Il y a quelque chose qui brûle ?

"Where's Susan?" – **"She's waiting outside."**
« Où est Susan ? » – « Elle attend dehors. »

He's trying to start the car.
Il essaie de faire démarrer la voiture.

→ pour parler d'une situation ou d'une activité temporaire :

Paul is working in a pub until the end of August.
Paul travaille dans un pub jusqu'à la fin du mois d'août.

→ pour indiquer un changement ou une évolution :

My eyes are getting weaker.
Ma vue baisse.

The situation is becoming more and more complicated.
La situation se complique.

→ pour exprimer une intention ou un projet :

We're leaving for Mexico tomorrow.
Nous partons pour le Mexique demain.

> ***!***   Certains verbes ne sont pas employés à l'aspect progressif (**be** + **-ing**) car ils expriment un état et non une activité :
>
> · les verbes indiquant une réaction ou une opinion tels que **agree, believe, forget, know, like, promise, think, understand, want**, etc. :
>
> > **She knows how to cook.** [et non ***she's knowing***]
> > *Elle sait cuisiner.*
> > **I don't like running.** [et non ***I'm not liking***]
> > *Je n'aime pas courir.*
>
> · les verbes exprimant une vérité générale tels que **contain, include, mean**, etc. :
>
> > **"De rien" means "you're welcome".** [et non ***is meaning***]
> > *« De rien » signifie « you're welcome ».*
>
> · les verbes de perception tels que **appear, see, seem, sound, taste**, etc. :
>
> > **He seems friendly.** [et non ***he's seeming***]
> > *Il a l'air sympa.*
> > **The sauce tastes funny.** [et non ***is tasting***]
> > *La sauce a un drôle de goût.*
>
> Cependant, **be** + **-ing** devient possible dès que le verbe indique une activité en cours. Comparez :
>
> > **The sauce tastes funny.**   et   **He's tasting the sauce.**
> > *La sauce a un drôle de goût.*   *Il goûte la sauce.*
> >
> > **He thinks he's always right.**   et   **He's thinking about his holi-**
> > *Il croit qu'il a toujours raison.*   **days.**
> >   *Il pense à ses vacances.*

5 L'expression du passé

Il n'existe pas de correspondance exacte entre les formes verbales anglaises et les temps du passé en français. La traduction du passé composé, de l'imparfait et du passé simple dépend donc de la valeur exprimée :

Valeur	Temps en français	Correspondance en anglais
fait révolu, coupé du présent	PASSÉ COMPOSÉ *Ils sont arrivés hier.* *Ils ont travaillé ensemble pendant six mois.* PASSÉ SIMPLE *Il se leva et sortit.*	PRÉTÉRIT SIMPLE (p. 141) **They arrived yesterday.** **They worked together for six months.** He got up and left.
lien avec le présent : résultat	PASSÉ COMPOSÉ *Je ne retrouve pas mes clés.* *Tu les as vues ?*	*PRESENT PERFECT* (p. 145) **I can't find my keys. Have you seen them?**

situation ou fait passés	IMPARFAIT *Mon grand-père était musicien.* *Il jouait du violon.*	PRÉTÉRIT SIMPLE (ci-dessous) **My grand-father** was **a musician.** **He** played **the violin.**
habitude, action répétée	IMPARFAIT *Nous allions à la plage tous les jours.*	**USED TO** (p. 150), **WOULD** (p. 150) ou PRÉTÉRIT SIMPLE (ci-dessous) **We** used to / would go **to the beach every day.** **We** went **to the beach every day.**
action en cours dans le passé	IMPARFAIT *Je faisais du jardinage quand ils sont arrivés.* *Il neigeait le jour où il est arrivé.*	PRÉTÉRIT EN **BE** + **-ING** (p. 142) **I** was gardening **when they arrived.** **It** was snowing **the day he arrived.**
hypothèse introduite par « si » (voir p. 301)	IMPARFAIT *Peut-être qu'il viendrait si tu l'invitais.*	PRÉTÉRIT SIMPLE (ci-dessous) **Maybe he** would come **if you** invited **him.**
insistance sur le déroulement d'une action passée + lien avec le présent	PASSÉ COMPOSÉ *L'herbe est mouillée puisqu'il a plu toute la nuit.*	*PRESENT PERFECT* EN **BE** + **-ING** (p. 146) **The grass is wet as it** has been raining **all night.**
action passée antérieure à une autre	PLUS-QUE-PARFAIT *Est-ce qu'ils étaient déjà partis lorsque vous êtes arrivés ?*	*PAST PERFECT* (p. 148) Had **they already** left **when you arrived?**
insistance sur le déroulement d'une action à un moment donné du passé	PLUS-QUE-PARFAIT *L'herbe était mouillée car il avait plu.*	*PAST PERFECT* EN **BE** + **-ING** (p. 149) **The grass was wet as it** had been raining.
action en cours dans le passé + durée (**for**) ou point de départ (**since**) (voir p. 314)	IMPARFAIT *Je dormais depuis deux heures quand il m'a réveillé.*	*PAST PERFECT* EN **BE** + **-ING** (p. 149) **I** had been sleeping **for two hours when he woke me up.**

■ Prétérit simple

Prétérit simple des verbes réguliers : V + *-ed*		
Forme affirmative	**Forme négative**	**Forme interrogative**
I danced	I didn't dance	did I dance?
you danced	**you** didn't dance	did **you** dance?
he **she** } danced **it**	**he** **she** } didn't dance **it**	did { **he** **she** } dance? **it**
we danced	**we** didn't dance	did **we** dance?
you danced	**you** didn't dance	did **you** dance?
they danced	**they** didn't dance	did **they** dance?

> La forme contractée **didn't** (**did not**) est très employée, surtout à l'oral.

Pour le prétérit des auxiliaires **be**, **have** et **do**, voir p. 120.

Pour le prétérit des verbes irréguliers, voir pp. 113–18.

On emploie le prétérit simple :

→ pour parler d'un fait, d'une action ou d'un état passés, entièrement révolus :

They caught the train yesterday.
Ils ont pris le train hier.

He didn't say a word all evening.
Il n'a rien dit de la soirée.

→ pour parler d'une habitude ou d'actions répétées également révolues :

We travelled to Canada every year.
Nous allions au Canada tous les ans.

He never played football as a boy.
Il ne jouait jamais au football quand il était jeune.

Voir également l'emploi de **used to** et **would** p. 150.

→ pour parler d'un fait, d'une action ou d'un état imaginaire ou irréel ; il s'agit dans ce cas du prétérit modal (voir p. 144) :

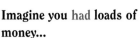

Imagine you had loads of money...
Imagine que tu aies beaucoup d'argent...

Modifications orthographiques

· Lorsqu'un verbe se termine par une consonne + **-y**, le **-y** devient **-i** :
  dry → dried
  bury → buried

· Lorsqu'un verbe se termine par un **-e**, le **-e** n'est pas redoublé :
  argue → argued
  love → loved
  agree → agreed

· Lorsqu'un verbe se termine par un **-c**, on ajoute **-k** :
  picnic → picnicked

· Lorsqu'un verbe d'une syllabe se termine par une consonne + voyelle + consonne, la consonne finale est redoublée :
  blur → blurred
  shop → shopped

· Lorsqu'un verbe de plus d'une syllabe se termine par une syllabe accentuée, la consonne finale est redoublée :
  refer → referred

· Lorsque la dernière syllabe d'un verbe de plus d'une syllabe n'est pas accentuée, la consonne finale n'est pas redoublée :
  vomit → vomited

· Lorsqu'un verbe se termine par un **-l**, le **-l** est redoublé en anglais britannique mais pas en anglais américain :
  travel → travelled (*Br*)
  travel → traveled (*Am*)

■ Prétérit en *be* + *-ing*

Prétérit en *be* + *-ing* : *be* au prétérit + V + *-ing*		
Forme affirmative	**Forme négative**	**Forme interrogative**
I was dancing	**I** wasn't dancing	was **I** dancing?
you were dancing	**you** weren't dancing	were **you** dancing?
he **she** **it** } was dancing	**he** **she** **it** } wasn't dancing	was { **he** **she** **it** } dancing?

we were dancing	we weren't dancing	were we dancing?
you were dancing	you weren't dancing	were you dancing?
they were dancing	they weren't dancing	were they dancing?

· Les formes contractées de **be** (voir p. 120) sont très employées, surtout à l'oral.
· Le radical de certains verbes change lorsqu'on ajoute la terminaison **-ing** (voir p. 162).
· Certains verbes ne s'emploient pas avec **be** + **-ing** (voir l'encadré p. 140).

On emploie le prétérit en **be** + **-ing** :

→ pour parler d'un fait ou d'une action en cours dans le passé :

"What were you doing in Glasgow?" – "I was studying architecture."
« Que faisiez-vous à Glasgow ? » – « Je faisais des études d'architecture. »

→ avec l'adverbe **just**, pour parler d'un fait très récent :

He was just telling me a joke.
Il était justement en train de me raconter une blague.

/   Prétérit simple ou prétérit en **be** + **-ing** ?

Activité en cours :   Événement soudain qui interrompt
prétérit en **be** + **-ing**   l'action en cours : prétérit simple

↓   ↓

We were playing tennis when the storm broke. *Nous étions en train de jouer au tennis quand l'orage a éclaté.*

/   Traduction du prétérit anglais

· Dans un récit, le prétérit se traduit souvent par le passé composé ou, dans un style plus soutenu, le passé simple :

    Suddenly it started to rain. *Soudain il s'est mis ou il se mit à pleuvoir.*

· Dans le cas d'une action qui dure ou qui est répétée, on emploie l'imparfait :

    My grandparents spoke Italian to us. *Mes grands-parents nous parlaient en italien.*
    I often went to the cinema when I was a student. *J'allais souvent au cinéma quand j'étais étudiant.*

· On emploie également l'imparfait lorsque le prétérit renvoie à une situation imaginaire (voir **Prétérit modal** p. 144) :

    If only we knew the magic words! *Si seulement nous connaissions la formule magique !*

- **Prétérit modal**

→ Le prétérit modal, également appelé « prétérit du non-réel », n'exprime pas le passé mais une situation hypothétique ou irréelle. Les formes sont les mêmes que pour le prétérit simple (voir p. 141), sauf pour le verbe **be** conjugué **were** à toutes les personnes.

Prétérit modal : *to be*		
I		
you		
he		
she	}	were
it		
we		
you		
they		

→ On emploie le prétérit modal dans les propositions exprimant un souhait ou une hypothèse :

I wish I were **a bird!**
Je voudrais être un oiseau !

If only that were **true!**
Si seulement c'était vrai !

You're looking at me as if I were **mad!**
Tu me regardes comme si j'étais fou !

Imagine you won **the lottery...**
Imagine que tu gagnes au loto...

> **Were** tend à être remplacé par **was** dans la langue courante :
> **I wish I was a bird!**
> **If only that was true!**
> etc.

! Le verbe **wish** peut se traduire de différentes façons en français.

· Lorsqu'il exprime un souhait considéré comme irréalisable ou un reproche, le sens est très proche de **if only** (*si seulement*) ; il peut également se traduire par le verbe « aimer » ou « vouloir » au conditionnel :

> **I wish I were on holiday!** *Comme je voudrais être en vacances !*
> **I wish I could draw.** *J'aimerais bien savoir dessiner.*
> **I wish I could drive.** *Si seulement je savais conduire !*
> **I wish you wouldn't play that music so loud.** *J'aimerais bien que tu ne mettes pas la musique aussi fort.*

· Lorsqu'il exprime un regret, il se traduit par le verbe « regretter » en français. Si la phrase est affirmative en anglais, elle est négative en anglais et inversement :

> **I wish Jim were here.** *Je <u>regrette</u> que Jim <u>ne soit pas</u> là.*
> **I wish I had thought of that before.** *Je <u>regrette</u> de <u>ne pas y avoir pensé</u> plus tôt.*
> **I wish I hadn't told them.** *Je <u>regrette</u> de leur <u>avoir dit</u>.*

· Lorsqu'il exprime un vœu, il se traduit généralement par le verbe « souhaiter » :

> **I wish you every success.** *Je te souhaite beaucoup de réussite.*
> **I wished him happy birthday.** *Je lui ai souhaité bon anniversaire.*

· Lorsqu'il exprime la volonté, il se traduit par « souhaiter » ou « désirer » :

> **The managing director wishes to see you.** *Le directeur général souhaite vous voir.*

· **Wish** ne peut pas être suivi de **will** pour exprimer un souhait réalisable dans le futur. On emploie dans ce cas le verbe **hope** en anglais :

> *Je souhaite que tout aille bien.* **I hope it will all go well.** [et non ***I wish it will...***]
> *Nous souhaitons vous revoir bientôt.* **We hope we'll see you again soon.** [et non ***we wish we'll...***]

■ *Present perfect* simple

Present perfect simple : *have* au présent + participe passé				
Forme affirmative		**Forme négative**		**Forme interrogative**
Forme complète	Forme contractée	Forme complète	Forme contractée	
I have danced	**I**'ve danced	**I have** not danced	**I haven't** danced	have **I** danced?
you have danced	**you**'ve danced	**you have** not danced	**you haven't** danced	have **you** danced?
he she it } **has** danced	he's she's it's } danced	he she it } **has** not danced	he she it } **hasn't** danced	has { he she it } danced?
we have danced	**we**'ve danced	**we have** not danced	**we haven't** danced	have **we** danced?
you have danced	**you**'ve danced	**you have** not danced	**you haven't** danced	have **you** danced?
they have danced	**they**'ve danced	**they have** not danced	**they haven't** danced	have **they** danced?

Les formes contractées de **have** (voir p. 123) sont très employées, surtout à l'oral.

Pour le participe passé des verbes irréguliers, voir pp. 113–18.

Le *present perfect* indique un lien entre le passé et le présent. On l'emploie :

→ pour parler d'un fait passé qui se poursuit dans le présent :

> **She's always worked hard.**
> *Elle a toujours travaillé dur.*

→ pour parler d'un fait passé qui a une incidence sur le présent :

> **He's broken a toe and can't walk.**
> *Il s'est cassé l'orteil et ne peut pas marcher.*

- *Past perfect* simple

Past perfect simple : *have* au prétérit + participe passé				
Forme affirmative		**Forme négative**		**Forme interrogative**
Forme complète	Forme contractée	Forme complète	Forme contractée	
I had danced	**I**'d danced	**I** had not danced	**I** hadn't danced	had **I** danced?
you had danced	**you**'d danced	**you** had not danced	**you** hadn't danced	had **you** danced?
he **she** **it** } had danced	**he**'d **she**'d **it**'d } danced	**he** **she** **it** } had not danced	**he** **she** **it** } hadn't danced	had { **he** **she** **it** } danced?
we had danced	**we**'d danced	**we** had not danced	**we** hadn't danced	had **we** danced?
you had danced	**you**'d danced	**you** had not danced	**you** hadn't danced	had **you** danced?
they had danced	**they**'d danced	**they** had not danced	**they** hadn't danced	had **they** danced?

Les formes contractées de **have** (voir p. 123) sont très employées, surtout à l'oral.

Pour le participe passé des verbes irréguliers, voir pp. 113–18.

On emploie le *past perfect* :

→ pour parler d'un fait antérieur à un autre dans le passé ; le *past perfect* correspond ici souvent au <u>plus-que-parfait</u> en français :

I felt ill. I had eaten **too much.**
Je ne me sentais pas bien. J'<u>avais</u> trop <u>mangé</u>.

She had left **when I arrived.**
Elle <u>était partie</u> lorsque je suis arrivé.

→ avec l'adverbe **just**, pour parler d'un fait qui venait de se produire à un moment
du passé ; on emploie alors l'<u>imparfait</u> en français :

I had just gone **to sleep when the racket started.**
Je <u>venais</u> juste de m'endormir lorsque le raffut a commencé.

→ pour exprimer une situation passée non réelle ou non réalisée (après **if**, **if only**,
I wish, **I would rather**, etc.) ; il s'agit ici de l'emploi du *past perfect*
modal (voir p. 150) :

I wish you hadn't said **anything.**
J'aurais préféré que tu ne dises rien.

If only we had gone **by train!**
Si seulement nous avions pris le train !

→ pour exprimer la durée avec **for** et **since** ; le *past perfect* se traduit dans ce cas
par un <u>imparfait</u> en français (voir aussi p. 314) :

We had been in Toronto for two years when we moved to New York.
Nous <u>vivions</u> à Toronto depuis deux ans lorsque nous sommes partis à New York.

> **!** Prétérit ou *past perfect* ?
>
> Fait antérieur : *past perfect*   Fait simultané : prétérit
> ↓   ↓
> **He had left when I arrived.**   **He left when I arrived.**
> *Il <u>était parti</u> quand je suis arrivé.*   *Il <u>est parti</u> quand je suis arrivé.*

■ *Past perfect* en *be* + *-ing*

Past perfect en *be* + *-ing* : *have* au prétérit + *been* + V + *-ing*		
Forme affirmative	**Forme négative**	**Forme interrogative**
I had been dancing	**I** hadn't been dancing	had **I** been dancing?
you had been dancing	**you** hadn't been dancing	had **you** been dancing?
he **she** **it** } had been dancing	**he** **she** **it** } hadn't been dancing	had { **he** **she** **it** } been dancing?
we had been dancing	**we** hadn't been dancing	had **we** been dancing?
you had been dancing	**you** hadn't been dancing	had **you** been dancing?
they had been dancing	**they** hadn't been dancing	had **they** been dancing?

· Les formes contractées de **have** (voir p. 123) sont très employées, surtout à l'oral.
· Le radical de certains verbes change lorsqu'on ajoute la terminaison **-ing** (voir p. 162).
· Certains verbes ne s'emploient pas avec **be** + **-ing** (voir l'encadré p. 140).

→ De même que le *present perfect* en **be** + **-ing**, le *past perfect* en **be** + **-ing** permet d'insister sur l'activité même plutôt que sur son résultat. On met l'accent sur la durée de cette activité :

They were tired as they had been driving all night.
Ils étaient fatigués car ils avaient conduit toute la nuit.

→ Le *past perfect* en **be** + **-ing** s'emploie donc aussi avec **for** et **since** pour exprimer la durée (voir aussi p. 314). Il se traduit dans ce cas par un <u>imparfait</u> en français :

We had been living there for two weeks when the boiler broke down.
Nous <u>habitions</u> là depuis deux semaines lorsque la chaudière tomba en panne.

They had been driving since the night before.
Ils <u>conduisaient</u> depuis la veille au soir.

! *Past perfect* simple ou *past perfect* en **be** + **-ing** ?

On emploie le *past perfect* simple lorsqu'on s'intéresse au <u>résultat</u> d'une activité :

↓

He felt sick because he had eaten the whole cake.
Il avait mal au cœur parce qu'il avait mangé tout le gâteau.

On emploie le *past perfect* en **be** + **-ing** lorsqu'on s'intéresse à l'activité même, à sa <u>durée</u> :

↓

He felt sick because he had been eating the whole day.
Il avait mal au cœur parce qu'il avait passé toute la journée à manger.

■ ***Past perfect* modal**

→ De même que le prétérit modal, le *past perfect* modal, également appelé « *past perfect* du non-réel », exprime une situation hypothétique ou irréelle. Les formes sont les mêmes que pour le *past perfect* simple (voir p. 148).

→ On emploie le *past perfect* modal dans les propositions exprimant un souhait ou une hypothèse :

I wish I had travelled with you.
J'aurais aimé voyager avec vous.

If only you had told me!
Si seulement tu me l'avais dit !

Imagine you had just won the lottery...
Imagine que tu viennes de gagner au loto...

■ ***Used to, would***

→ Pour parler d'actions répétées dans le passé, on peut employer la tournure **used to** ou, dans un style plus soutenu, le modal **would** :

On Sundays we used to go to my grandmother's.
On Sundays we would go to my grandmother's.
Le dimanche, nous allions chez ma grand-mère.

My grandpa used to do magic tricks.
My grandpa would do magic tricks.
Mon grand-père faisait des tours de magie.

→ **Used to** insiste sur la différence entre la situation passée et la situation actuelle ; les faits rapportés ne sont plus vrais :

There used to be a bakery here.
Autrefois il y avait une boulangerie ici.

He used to smoke a lot.
Il fumait beaucoup avant.

→ Pour parler d'un état ou d'une situation dans le passé, on ne peut pas employer **would**, mais uniquement **used to** :

We used to live in Chicago. [et non ***We would live in Chicago.***]
Avant nous habitions à Chicago.

There used to be a pond in the garden. [et non ***There would be a pond...***]
Autrefois il y avait un étang dans le jardin.

> Notez qu'il est souvent nécessaire d'ajouter « autrefois » ou « avant » dans la traduction française.

→ **Used** est le prétérit du verbe **use** ; dans les phrases négatives et interrogatives, on emploie, comme pour tous les verbes, l'auxiliaire **did** (prétérit de **do**), suivi de la base verbale **use** :

Did you use to travel a lot?
Est-ce que tu voyageais beaucoup ?

He didn't use to smoke.
Autrefois il ne fumait pas.

Ne pas confondre la tournure **used to** avec la construction **to be used to** + V + **-ing** (*avoir l'habitude de*) :

I used to go by train.	≠	**I'm used to going by train.**
Autrefois je prenais le train.		*J'ai l'habitude de prendre le train.*

6 L'expression du futur

Contrairement au français, il n'existe pas de temps futur en anglais. Différentes tournures permettent d'exprimer le renvoi à l'avenir, en fonction du sens :

Valeur du futur	Tournure employée	
intention	WILL + V (ci-dessous)	I'll leave **tomorrow.** *Je partirai demain.* I'll have **a coffee, please.** *Je prendrai un café, s'il vous plaît.*
		Les formes contractées **'ll (will)** et **won't (will not)** sont très employées, à l'oral comme à l'écrit.
	PRÉSENT EN BE + -ING (p. 153)	I'm not **telling you.** *Je ne te le dirai pas.*
	BE GOING TO + V (p. 154)	I'm going to stop **smoking.** *Je vais arrêter de fumer.*
prévision	WILL + V (ci-dessous)	It will rain **tomorrow.** *Il va pleuvoir demain.*
prévision à partir d'indices dans le présent	BE GOING TO + V (p. 154)	There's going to be **a storm.** *Il va y avoir un orage.*
activité en cours imaginée dans son déroulement	WILL BE + -ING (p. 153)	This time next week I'll be lying **on the beach.** *À cette heure-ci la semaine prochaine, je serai allongé sur la plage.*
annonce d'un événement prévu	WILL BE + -ING (p. 153)	We'll be meeting **again in New York.** *Nous nous reverrons à New York.*
futur proche, action déjà décidée	PRÉSENT EN BE + -ING (p. 153)	I'm working **tomorrow.** *Je travaille demain.*
programme établi, horaire	PRÉSENT SIMPLE (p. 154)	Our train leaves **at 11 a.m.** *Notre train part à 11h.*
futur imminent	BE ABOUT TO + V (p. 155)	The film is about to **start.** *Le film va commencer.*
engagement, projet officiel	BE TO + V (p. 155)	The next meeting is to take place **on Wednesday.** *La prochaine réunion aura lieu mercredi.*
action antérieure à une autre dans le futur	WILL HAVE + PARTICIPE PASSÉ (p. 155)	They will have finished **by tonight.** *Ils auront fini d'ici ce soir.*

- **Will**

Le futur français se traduit le plus souvent en anglais à l'aide du modal **will** (voir **Les auxiliaires modaux** p. 171).

La forme **will** s'emploie à toutes les personnes. Elle est suivie de la base verbale :

Forme affirmative		Forme négative		Forme interrogative
Forme complète	Forme contractée	Forme complète	Forme contractée	
I/you/he/etc. will dance	I'll dance	I will not dance	I won't dance	will I dance?

On emploie **will** :

→ pour faire une prévision :

They won't accept.

Ils n'accepteront pas.

I'm sure she'll manage.

Je suis sûr qu'elle réussira.

→ pour exprimer une intention, une décision que l'on prend sur le moment :

Don't worry, I'll deal **with it.**

Ne t'inquiète pas, je vais m'en occuper.

→ à la 1re personne du singulier et du pluriel (**I** et **we**), **will** est parfois remplacé par **shall**, dans un style soutenu et de plus en plus rare (voir p. 155).

Pour les autres emplois de **will**, voir pp. 191–3.

■ *Will be + -ing*

On emploie cette tournure :

→ pour insister sur le déroulement d'une activité que l'on visualise à un moment de l'avenir :

Tomorrow at 10 a.m. I'll be sitting **my exam.**

Demain à 10h, je serai en train de passer mon examen.

→ pour annoncer un événement qui est prévu :

She'll be giving **a concert in London next week.**

Elle donnera un concert à Londres la semaine prochaine.

La forme en **be** + **-ing** est souvent plus polie et moins directe que la forme simple (**will** + infinitif) :

"Will you be coming with us?" – "No, I won't be coming."

« As-tu l'intention de venir avec nous ? » – « Non, je ne viendrai pas. »

Le ton est plus sec si l'on emploie **will** sans **be** + **-ing** :

"Will you come?" – "No, I won't come."

« Viendras-tu ? » – « Non, je ne viendrai pas. »

■ *Présent en be + -ing*

On emploie le présent en **be** + **-ing** :

→ pour exprimer une intention :

I'm **not** going.
Je n'irai pas.

→ pour annoncer une action qui aura lieu dans un futur proche et qui a déjà été décidée :

She's leaving **tomorrow.**
Elle part demain.

- **Be going to**

Le verbe **go** s'emploie dans la tournure **be going to** + V :

→ pour exprimer une intention lorsque la décision a été déjà prise :

We're going to sell **the house.**
Nous allons vendre la maison.

→ lorsqu'on prévoit quelque chose à partir de signes que l'on constate :

Look at the sky! It's going to rain.
Regarde le ciel ! Il va pleuvoir.

I know what you're going to say.
Je sais ce que tu vas dire.

> **Be going to** correspond souvent à la tournure française « aller + verbe à l'infinitif » exprimant le futur immédiat.

- **Présent simple**

Comme en français, le présent simple peut renvoyer à l'avenir lorsqu'on parle d'un programme établi, d'un horaire officiel, etc. :

Classes start **on 6 October.**
Les cours reprennent le 6 octobre.

I have **a geography lesson tomorrow.**
J'ai un cours de géographie demain.

The boat leaves **at 6.55 a.m.**
Le bateau part à 6h55.

! Dans les subordonnées temporelles ou conditionnelles introduites par **when, as soon as, until, after** et **if,** on emploie le présent en anglais et non le futur :

I'll call you when I arrive. [et non ***when I'll arrive***]
Je t'appellerai quand j'arriverai.

Voir **Subordonnées de temps** p. 300 et **Subordonnées conditionnelles** p. 301.

- **Be about to**

On emploie la tournure **be about to** + V pour parler d'un événement imminent :

Please take your seats, the show is about to start.
Veuillez vous asseoir, le spectacle va commencer.

- **Be to**

On emploie le verbe **be** conjugué et suivi de **to** + V pour renvoyer à l'avenir lorsqu'on parle d'un événement prévu. Il s'agit le plus souvent d'un engagement ou d'un projet officiel :

The President is to visit **the disaster zone.**
Le président doit se rendre dans la zone sinistrée.

We are to be **there by 10 o'clock.**
Nous devons y être pour 10h.

> La tournure **be to** se traduit souvent à l'aide du verbe « devoir » en français.

- **Shall**

> La forme contractée de **shall** est **'ll** à la forme affirmative et **shan't** à la forme négative :
>
> We shall go. = We'll go.
> We shall not go. = We shan't go.

→ À la 1ʳᵉ personne du singulier et du pluriel (**I** et **we**), dans un style soutenu, on trouve parfois **shall** au lieu de **will** pour exprimer le futur. Cet emploi est de plus en plus rare car on tend à utiliser **will** à toutes les personnes (voir p. 152) :

We shall visit **them in Japan.**
Nous irons les voir au Japon.

→ Mais l'emploi de **shall** est très fréquent à la forme interrogative, toujours avec **I** ou **we**, pour formuler une suggestion ou une offre :

Shall **we** go **for a walk?**	Shall **I** call **a cab?**
On va se promener ?	*Voulez-vous que j'appelle un taxi ?*

Voir p. 189.

- **Renvoi au passé dans l'avenir**

→ Pour parler d'une action antérieure à une autre dans le futur, on emploie **will have** + participe passé :

By the time we get there he will already have left.
Le temps que nous arrivions, il sera déjà parti.

→ Pour insister sur la durée (préposition **for**), on emploie **will have been** + **-ing** :

In January, we'll have been working **on this project for five years.**
En janvier, cela fera cinq ans que nous travaillons sur ce projet.

- **Renvoi à l'avenir dans le passé**

Pour parler au passé du moment où une action se situait dans l'avenir, on emploie les mêmes tournures que pour exprimer le futur mais en changeant les temps. Voici la correspondance des temps :

Expression du futur	Expression du futur dans le passé
PRINCIPALE AU PRÉSENT, **WILL** DANS LA SUBORDONNÉE **I'm sure she**'ll manage. *Je suis sûr qu'elle réussira.*	PRINCIPALE AU PRÉTÉRIT, **WOULD** DANS LA SUBORDONNÉE **I was sure she** would manage. *J'étais sûr qu'elle réussirait.*
PRÉSENT SIMPLE **I have a geography lesson tomorrow.** *J'ai un cours de géographie demain.*	PRÉTÉRIT SIMPLE **I** had **a geography lesson the next day.** *J'avais un cours de géographie le lendemain.*
PRÉSENT EN **BE** + **-ING** **She can't go out as she**'s leaving **tomorrow.** *Elle ne peut pas sortir car elle part demain.*	PRÉTÉRIT EN **BE** + **-ING** **She couldn't go out as she** was leaving **the next day.** *Elle ne pouvait pas sortir car elle partait le lendemain.*
AM / IS / ARE GOING TO **We**'re going to sell **the house.** *Nous allons vendre la maison.*	**WAS / WERE GOING TO** **We** were going to sell **the house but changed our minds.** *Nous allions vendre la maison mais nous avons changé d'avis.*
AM / IS / ARE ABOUT TO **The show** is about to start. *Le spectacle va commencer.*	**WAS / WERE ABOUT TO** **The show** was about to start **when a phone rang.** *Le spectacle allait commencer quand un téléphone sonna.*
AM / IS / ARE TO **We** are to be **there by 10 o'clock.** *Nous devons y être pour 10h.*	**WAS / WERE TO** **We** were to be **there by 10 o'clock.** *Nous devions y être pour 10h.*

7 L'expression du conditionnel

Il n'existe pas de mode conditionnel en anglais. Pour exprimer le conditionnel, on emploie le plus souvent le modal **would** (voir **Les auxiliaires modaux** p. 171).

- **Traduction du conditionnel présent**

Pour traduire le conditionnel présent français, on emploie **would** à toutes les personnes, suivi de la base verbale :

Forme affirmative		Forme négative		Forme interrogative
Forme complète	Forme contractée	Forme complète	Forme contractée	
I/you/he/etc. would dance	**I'd dance**	**I would not dance**	**I wouldn't dance**	**would I dance?**

! Ne pas confondre la forme contractée de **would** avec celle de **had** :

She'd already left. ≠ **She'd like to travel.**
(She had already left.) **(She would like to travel.)**
Elle était déjà partie. *Elle aimerait voyager.*

Would + V permet d'exprimer le conditionnel :

→ pour demander ou offrir quelque chose de manière polie :

I'd like some information. **Would you like to meet her?**
Je voudrais un renseignement. *Aimeriez-vous faire sa connaissance ?*

→ au discours indirect (voir p. 309) :

Sheila said she would deal with it.
Sheila a dit qu'elle s'en occuperait.

→ avec les subordonnées de condition introduites par **if** (voir p. 301) ou lorsque la condition est sous-entendue :

If you saw her, you wouldn't recognize her.
Si tu la voyais, tu ne la reconnaîtrais pas.

She would understand.
Elle comprendrait.

En anglais britannique, on trouve parfois **should** au lieu de **would** à la 1re personne, mais cet emploi est de plus en plus rare :

If I won that amount of money, I should just spend it all.
Si je gagnais une telle somme d'argent, je dépenserais tout.

Voir pp. 190–1 pour les autres emplois de **should**.

5) Reliez les questions et les réponses :

1) What did you do on holiday?
2) What does she do for a living?
3) How long have you been living in New York for?
4) What are you going to do this week-end?
5) Have you heard the news?
6) Where will you be tomorrow?

a) What's happened?
b) I'll be on my way to California.
c) She's a freelance journalist.
d) We went skiing.
e) I've been living here for the past six months.
f) We're going to paint the kitchen.

6) Trouvez les verbes à partir des illustrations puis complétez les légendes en utilisant be + -ing au temps qui convient :

a) Yesterday it _____.

b) Today the sun _____.

c) The children _____ football.
   (présent)

d) The clown _____ on his hands.
   (présent)

e) The little boys _____ behind trees.
   (passé)

f) The little girl _____ a pony.
   (passé)

7) Choisissez les bonnes réponses pour compléter ce récit :

1) Susan has a pen friend. Her name is Nathalie and she _____ in Grenoble.
   a) had been living **b)** lives **c)** lived **d)** was living

2) They _____ to each other for the past two years.
   a) had been writing **b)** were writing **c)** have been writing **d)** wrote

3) Last year, they even _____ for the first time.
   a) met **b)** have met **c)** had been meeting **d)** have been meeting

4) Susan and her family_____the summer in France

  a) spent **b)** are spending **c)** were spending **d)** had spent

5) so they decided _____ Danielle's family in Grenoble.

  a) to visit **b)** were visiting **c)** are visiting **d)** visited

6) The two families _____ very well

  a) got on **b)** had been getting on **c)** are getting **d)** had got on

7) and promised they _____ again very soon.

  a) meet **b)** met **c)** would meet **d)** would have met

8) Répondez aux questions suivantes par une phrase affirmative puis par une phrase négative :

Exemple :

Did you go to the countryside last weekend?

– Yes, I went to the countryside last weekend.

– No, I didn't go to the countryside last weekend.

a) Have you ever been to Florida?

b) Did you enjoy the film?

c) Is she playing tonight?

d) Will you be travelling a lot?

e) Have they been away for long?

f) Did they go out last night?

9) Traduisez en français :

a) Please do not feed the animals.

b) Let's not wait any longer.

c) We were about to leave when he arrived.

d) There used to be a theatre here.

e) If you had told us, we would have come to see you.

f) He was pulling funny faces when the headteacher walked in.

  [funny faces = *grimaces*]

10) Traduisez en anglais :

a) Je n'aime pas regarder la télévision.

b) Où as-tu trouvé mes boucles d'oreilles ? Je les ai cherchées partout.

c) Elle était en train de regarder son émission préférée quand le téléphone a sonné.

d) Je t'appellerai dès que j'en saurai un peu plus.

e) Autrefois j'allais souvent au cinéma.

f) Si j'avais su, je ne serais pas venu.

Le nom verbal et le participe présent

Points traités dans ce chapitre :
- · les modifications orthographiques dues à l'ajout de la terminaison **-ing**
- · le nom verbal (ou gérondif) : ses caractéristiques nominales et verbales
- · l'emploi de la forme en **-ing** ou de l'infinitif après un verbe et les différences de sens entre ces deux constructions
- · le participe présent
- · les verbes qui peuvent être suivis d'une base verbale ou d'un participe présent

La terminaison **-ing**, très courante en anglais, a différentes valeurs : en ajoutant **-ing** à la base verbale (V), on obtient soit le gérondif, également appelé « nom verbal », soit le participe présent, qui permet de construire l'aspect progressif **be** + **-ing** (voir **Les modes, les temps et les aspects p. 131**).

Modifications orthographiques

Le radical de certains verbes change lorsqu'on ajoute la terminaison **-ing** :

· Lorsqu'un verbe se termine par un **-e**, le **-e** final disparaît (à l'exception de **being**) :
> **argue** → **arguing**
> **love** → **loving**

· Lorsqu'un verbe se termine par **-ie**, **-ie** devient **-y** :
> **lie** → **lying**
> **die** → **dying**

· Lorsqu'un verbe se termine par un **-c**, on ajoute **-k** :
> **picnic** → **picnicking**

· Lorsqu'un verbe d'une syllabe se termine par consonne + voyelle + consonne finale, la consonne est redoublée :
> **hit** → **hitting**
> **shop** → **shopping**
> **swim** → **swimming**

· Lorsqu'un verbe de plus d'une syllabe se termine par une syllabe accentuée, la consonne finale est redoublée :
> **refer** → **referring**

· Lorsque la dernière syllabe d'un verbe de plus d'une syllabe n'est pas accentuée, la consonne n'est pas redoublée :
> **vomit** → **vomiting**

· Lorsqu'un verbe se termine par un **-l**, le **-l** est redoublé en anglais britannique mais pas en anglais américain :

travel → **travelling** (*Br*)

travel → **traveling** (*Am*)

1 Le nom verbal (ou gérondif)

! Ne pas confondre le nom verbal avec la tournure progressive **be** + **-ing** :

She's travelling a lot at the moment.   ≠   **She has a passion for travelling.**
Elle voyage beaucoup en ce moment.   *Elle a la passion des voyages.*

           ↓   ↓

aspect progressif : **be** + **-ing** (voir p. 139)   gérondif ou nom verbal : V + **-ing**

Le gérondif possède à la fois les caractéristiques d'un nom et celles d'un verbe, d'où l'appellation « nom verbal ». Il permet de décrire une activité en en « visualisant » le déroulement.

! Le gérondif peut se traduire par un nom ou par un verbe en français.

■ Caractéristiques nominales

→ Comme un nom, le gérondif (V + **-ing**) peut être sujet, attribut ou COD :

Drawing is his favourite pastime.
Le dessin est son passe-temps préféré.

That's cheating!
C'est de la triche !

He loves reading.
Il adore lire.

→ Il peut être précédé d'un article, d'un possessif ou d'un génitif, ou modifié par un adjectif :

The timing of the statement was unfortunate.
Cette déclaration est vraiment tombée à un mauvais moment.

Sarah's guitar playing is very good.
Sarah joue très bien de la guitare.

Do you mind <u>my</u> smoking?
Cela ne vous dérange pas que je fume ?

His careless driving cost him his licence.
Ses imprudences au volant lui ont coûté son permis.

→ Enfin, comme un nom, il se place après les prépositions (voir l'encadré p. 165) :

I did it without noticing.
Je l'ai fait sans m'en rendre compte.

! On peut aussi employer un pronom complément et donner alors une valeur plus verbale que nominale à la forme V + **-ing**. Le sens de la phrase reste le même qu'avec l'adjectif possessif. Les deux formes sont correctes mais on préfère employer le pronom dans le langage courant :

Do you mind <u>me</u> smoking?
Cela ne vous dérange pas que je fume ?

Toutefois, en anglais américain, l'emploi de l'adjectif possessif est plus courant qu'en anglais britannique.

■ **Caractéristiques verbales**

Comme un verbe, la forme V + **-ing** peut être suivie d'un COD :

His back hurt from lifting <u>heavy boxes</u>.
Il avait mal au dos après avoir soulevé de gros cartons.

2 Verbe + gérondif, ou verbe + infinitif ?

■ **Gérondif ou « nom verbal » (V + -ing)**

Puisque la forme V + **-ing** permet de décrire une activité ou d'en « visualiser » le déroulement, les verbes suivants sont suivis du gérondif :

→ les verbes qui permettent de donner une opinion sur une activité (**dislike, enjoy, hate, like, prefer**, etc.) :

I hate ironing.
Je déteste repasser.

I love painting.
J'adore peindre.

Mais l'infinitif est aussi très courant avec les verbes **like, love, hate** et **prefer** (voir **Verbes acceptant les deux constructions** p. 166).

→ les verbes qui indiquent le début, la continuation ou l'achèvement d'une activité (**begin, continue, finish, keep (on), start, stop**, etc.) :

It hasn't stopped raining all day.
Il n'a pas cessé de pleuvoir toute la journée.

He gave up skiing as he kept falling.
Il a renoncé au ski car il n'arrêtait pas de tomber.

(Voir l'encadré ci-dessous pour les verbes à particules comme **give up**.)

Mais l'infinitif est également possible après les verbes **begin, continue, start** et **stop**. Le sens peut être identique ou différent selon le contexte (voir **Verbes acceptant les deux constructions** p. 166).

→ les verbes qui indiquent qu'on envisage une activité (**avoid**, **consider**, **imagine**, **risk**, **suggest**, etc.) :

We can't avoid inviting them.
Nous ne pouvons pas faire autrement que de les inviter.

Have you ever considered becoming a singer?
Avez-vous jamais songé à devenir chanteur ?

You don't want to risk missing the train.
Il ne faut pas que tu rates le train.

I suggest postponing the meeting.
Je propose de remettre la réunion à plus tard.

→ les verbes qui évoquent une activité réalisée (**admit**, **deny**, **remember**, etc.) :

He admitted writing graffiti on the wall.
Il a reconnu avoir écrit des graffitis sur le mur.

(Voir aussi le tableau p. 168.)

! Seule la forme V + **-ing** est possible après les prépositions, y compris les particules prépositionnelles qui suivent certains verbes (voir **Les verbes à particules** p. 205) :

They're <u>thinking of</u> moving. **I couldn't <u>keep from</u> laughing.**
Ils envisagent de déménager. *Je n'ai pas pu m'empêcher de rire.*

She <u>feels like</u> going to the countryside.
Elle a envie d'aller à la campagne.

Ne pas confondre la préposition **to** suivie de V + **-ing**, avec **to** marque de l'infinitif :

I look forward to seeing her again. **to** = préposition
J'ai hâte de la revoir.

I forgot to tell her. **to** = marque de
J'ai oublié de lui dire. l'infinitif

■ **Infinitif (*to* + V)**

On emploie l'infinitif pour parler d'une action à venir. C'est pourquoi les verbes suivis de l'infinitif expriment généralement une volonté, une intention ou un but. On trouve donc l'infinitif après des verbes tels que **agree, ask, decide, expect, hope, learn, promise, refuse, remind, tend, want, wish**, etc. :

He decided to go **to the top.**
Il décida d'aller jusqu'au sommet.

She refuses to tell **me the truth.**
Elle refuse de me dire la vérité.

She wants to talk **to you.**
Elle veut te parler.

■ **Verbes acceptant les deux constructions**

Certains verbes peuvent être suivis soit de l'infinitif soit de V + **-ing**. Il n'est pas toujours facile pour un francophone d'opter pour l'une ou l'autre de ces deux constructions. Le choix dépendra parfois du verbe principal et du sens que l'on veut donner à la phrase.

→ Les deux constructions ont souvent le même sens avec des verbes tels que **begin, continue, hate, like, plan, prefer, start**, etc. :

He started crying.
= **He started** to cry.
Il se mit à pleurer.

We can't bear seeing you **like this.**
= **We can't bear** to see you **like this.**
Nous ne supportons pas de te voir comme ça.

> La forme V + **-ing** est caractéristique de l'anglais britannique. On emploie beaucoup plus l'infinitif en anglais américain :
>
> **I like cooking.** [plus courant en Grande-Bretagne]
> **I like to cook.** [plus courant aux États-Unis]
> *J'aime faire la cuisine.*
>
> Mais les deux constructions sont correctes et utilisées des deux côtés de l'Atlantique.

Toutefois, même si le sens est généralement le même, il y a parfois quelques connotations ou nuances différentes en anglais britannique. On a tendance en Grande-Bretagne à employer la forme V + **-ing** pour généraliser :

She likes walking.　　≠　　**She likes** to walk.
Elle aime la marche.　　　　*Elle aime marcher.*

↓　　　　　　　　　　　　↓

Généralisation [= tout le temps]　　Plus ponctuel [= quand elle en a l'occasion]
(valeur descriptive et subjective)　　(remarque plus objective)

La question pourrait être :

"What is her hobby?"   **"What does she do in her free time?"**
« Quel est son passe-temps ? »   *« Que fait-elle pendant son temps libre ? »*
"She likes walking."   **"She likes to walk."**

Autre exemple :

I hate getting up early.   ≠   **I hate to get up early when everyone**
J'ai horreur de me lever tôt.   **else is still in bed.**
J'ai horreur de me lever tôt quand tout le monde est encore au lit.

↓   ↓

Généralisation   Plus spécifique, occasionnel

→ Les deux constructions sont interchangeables après le verbe **try** lorsqu'il signifie simplement « essayer ». Cependant, on emploiera **to** + V lorsque **try** a le sens de « s'efforcer », et V + **-ing** lorsqu'on essaie de faire quelque chose dans l'intention de résoudre un problème ou de voir comment les choses vont évoluer :

I tried to make a cake but it wasn't very good.
= **I tried making a cake but it wasn't very good.**
J'ai essayé de faire un gâteau mais il n'était pas très bon.

"I'm not feeling very well."
"Try to eat something."   →   Sous-entendu : fais un effort, même si c'est dur

≠ **"Try eating something."**   →   Sous-entendu : essaie, tu vas bien voir ce qui va se passer

« Je ne me sens pas très bien. »
« Essaie de manger quelque chose. »

I really tried to understand.
J'ai vraiment cherché à comprendre.

I tried sending her a letter of apology, but it didn't work.
J'ai essayé de lui envoyer une lettre pour m'excuser, mais ça n'a pas marché.

→ Elles ont un sens différent avec des verbes tels que **forget, remember, go on, stop**, etc. :

V + *-ing* : activité visualisée (passée ou présente)	*to* + V : action à venir ; intention ou but
I won't forget asking her to dinner. *Je n'oublierai pas que je l'ai invitée à dîner.*	**I won't forget to ask her to dinner.** *Je n'oublierai pas de l'inviter à dîner.*
She remembered closing the window. *Elle se souvient d'avoir fermé la fenêtre.*	**She remembered to close the window.** *Elle n'a pas oublié de fermer la fenêtre.*
They went on talking about the weather. *Ils ont continué à parler du temps.*	**They went on to talk about the weather.** *Ils se sont mis à parler du temps.*
I stopped watching TV. *J'ai arrêté de regarder la télé.*	**I stopped to watch TV.** *Je me suis arrêté pour regarder la télé.* [Sous-entendu : **I stopped walking/ working/**etc. **to watch TV**]
He's too busy talking to her. *Il est trop occupé à lui parler.*	**He's too busy to talk to her.** *Il est trop occupé pour pouvoir lui parler.*

3 Le participe présent

La forme V + **-ing** peut également correspondre au participe présent.

→ Le participe présent s'emploie avec **be** pour former l'aspect progressif (voir les différents temps en **be** + **-ing** p. 131) :

I'm reading.
Je suis en train de lire.

→ Le participe présent sert à former des propositions (voir **Les subordonnées participiales** p. 299) :

Being artistic, she loved art galleries.
Ayant la fibre artistique, elle aimait beaucoup les musées d'art.

I didn't hear you coming back.
Je ne t'ai pas entendu rentrer.

4 Verbe + base verbale, ou verbe + participe présent ?

Les verbes de perception tels que **feel**, **hear**, **listen**, **notice**, **see** et **watch** peuvent être suivis soit de la base verbale soit du participe présent :

→ Avec le participe présent, on considère l'action dans son déroulement (valeur descriptive) :

I saw her talking to the neighbour.
Je l'ai vue qui parlait au voisin.

→ Avec la base verbale, on considère l'action de manière globale, on s'intéresse plutôt au fait en tant que tel et au résultat :

I saw her talk to the neighbour.
Je l'ai vue parler au voisin.

Mais à la voix passive, les verbes de perception peuvent être suivis du participe présent ou de **to + V** ; les nuances entre ces deux constructions sont les mêmes :

> **He was seen coming in late.** [action vue dans son déroulement]
> = **He was seen to come in late.** [action vue de façon globale]
> *On l'a vu rentrer tard.*

EXERCICES

1) Mettez le verbe entre parenthèses à la forme qui convient (gérondif, présent en be + -ing, infinitif ou base verbale) :

a) He kept (interrupt) me.

b) She wants (go) to Peru.

c) Remember (pack) your swimming costume.

d) They (talk) about (move) to France.

e) He likes (travel) but he hates (camp).

f) I was tired of (wait) for the bus so I decided (walk).

g) She (look) for a new job.

h) She'd like (learn) to play the piano.

i) I didn't notice her (behave) differently.

j) How about (go) to the pub?

2) Reliez les éléments de chaque colonne :

1) He dislikes   a) to travel more often.

2) Did you hear   b) is fun.

3) They'd like   c) being late.

4) Ice-skating   d) to water the plants.

5) She reminded me   e) the birds singing?

3) **Transformez les phrases en utilisant un nom verbal :**
Exemple :
It is strictly forbidden to smoke. → Smoking is strictly forbidden.

   a) It is not always possible to get it right.

   b) It isn't good for you to work so hard.

   c) It's easy to ride a bike.

   d) It's not advisable to drive in this weather.

   e) It's difficult to be the eldest child.

4) **Traduisez en français :**

   a) Gardening is exhausting!

   b) I don't want to risk upsetting him.

   c) He prefers to be called by his first name.

   d) I hope to hear from you soon.

   e) I'm tired of listening to the same thing all the time!

5) **Traduisez en anglais :**

   a) Nous nous sommes arrêtés pour admirer le paysage. [paysage = *view*]

   b) Arrête de te plaindre !

   c) Cela ne me dérange pas de t'attendre.

   d) Il aime cuisiner.

   e) J'ai oublié de leur dire.

Les auxiliaires modaux

Points traités dans ce chapitre :

- les formes des modaux et leurs fonctions : les particularités essentielles des modaux ; les formes des modaux au présent et au prétérit, leurs substituts et leurs fonctions
- l'expression de la probabilité
- l'expression de la capacité de l'obligation, de la permission, du conseil, etc.
- **can** : la possibilité et la quasi-impossibilité ; la capacité et l'incapacité ; la permission et l'interdiction ; les offres et les demandes ; la suggestion
- **could** : l'éventualité et la quasi-impossibilité ; la capacité et l'incapacité ; la permission et l'interdiction ; les offres et les demandes ; la suggestion ; le reproche
- **may** : la possibilité ; la permission et l'interdiction ; les offres et les demandes ; le souhait
- **might** : l'éventualité ; la suggestion ; le reproche ; la permission
- **must** : la certitude ; l'obligation ; l'emploi emphatique
- **ought to** : la probabilité ; le devoir ; la suggestion ; le reproche
- **shall** : la suggestion ; l'obligation
- **should** : la probabilité ; le devoir ; la suggestion ; le reproche
- **will** : la certitude ; les offres, les demandes et les ordres ; la volonté et le refus ; la capacité et l'incapacité ; la caractéristique et l'habitude
- **would** : les offres, les demandes et les ordres ; la volonté et le refus ; la capacité et l'incapacité ; la caractéristique et l'habitude
- **dare** et **need** : leur emploi comme modaux et comme verbes à part entière

En utilisant un modal, le locuteur exprime souvent la façon dont il voit les choses.

Le modal peut porter sur la phrase entière et exprimer la probabilité de l'action, avec un plus ou moins grand degré de certitude (voir p. 173).

Lorsque le modal porte sur le sujet de la phrase, il permet au locuteur d'exprimer une capacité, une volonté, une suggestion, une obligation, une interdiction, une permission, un conseil, etc. (voir p. 174).

Les auxiliaires modaux

1 Les formes des modaux et leurs fonctions

!

Les modaux :
- ne prennent pas de **-s** à la 3ᵉ personne du singulier du présent :
  She can swim. *Elle sait nager.* [mais **She swims.** *Elle nage.*]
- s'emploient sans **do** et **did** aux formes interrogative et négative :
  Can he swim? *Est-ce qu'il sait nager ?*
  He couldn't swim. *Il ne savait pas nager.*
- n'ont ni de gérondif ni de participe présent ou passé ;
- ne peuvent pas prendre la terminaison **-ing** ;
- ne peuvent pas être suivis de **to** + V (à l'exception de **ought to** et des substituts **be able to, be allowed to** et **have to**) ;
- ne peuvent pas être précédés d'un autre modal ; il faut employer un substitut :
  I should be able to come with you. *Je devrais pouvoir venir avec vous.*
  [et non ***I should can***]
- sont suivis d'une base verbale simple (V), progressive (**be** + **-ing**) ou passée (**have** + participe passé) :
  I must go. *Il faut que je parte.*
  You must be joking! *Tu veux rire !*
  She must have forgotten. *Elle a dû oublier.*
  You must have been sleeping! *Tu étais sans doute en train de dormir !*

Dans les cas ne permettant pas l'emploi d'un modal, il est parfois possible de recourir à une tournure équivalente. Ces formes de remplacement ou « substituts » (**be able to, be allowed to** et **have to**) se conjuguent normalement.

Forme du modal au présent		Forme du modal au prétérit		Substituts
CAN	possibilité (p. 175) capacité (p. 176) permission (p. 177) offres / demandes (p. 178) suggestion (p. 178)	**COULD**	éventualité (p. 179) capacité (p. 179) permission (p. 180) offres / demandes (p. 181) suggestion (p. 181) reproche (p. 181)	**BE ABLE TO** capacité **BE ALLOWED TO** permission
MAY	possibilité (p. 181) permission (p. 182) offres / demandes (p. 182) souhait (p. 183)	**MIGHT**	éventualité (p. 183) permission (p. 184) suggestion (p. 184) reproche (p. 184)	**BE ALLOWED TO** permission
MUST	certitude (p. 185) obligation (p. 186)			**HAVE TO** obligation

SHALL	suggestion (p. 189) obligation (p. 189)	**SHOULD**	forte probabilité (p. 190) devoir (p. 190) suggestion (p. 190) reproche (p. 191)
WILL	forte certitude (p. 192) offres / demandes / ordres (p. 192) volonté (p. 192) capacité (p. 193) caractéristique / habitude (p. 193)	**WOULD**	offres / demandes / ordres (p. 193) volonté (p. 194) capacité (p. 194) caractéristique / habitude (p. 194)
OUGHT TO	forte probabilité (p. 188) devoir (p. 188) suggestion (p. 188) reproche (p. 189)		

> **!** Les formes du prétérit des modaux n'ont pas nécessairement un sens passé. Voir les tableaux ci-dessous et pp. 174–5, et les différents emplois de **could**, **might**, **should** et **would** pp. 179, 183, 190, 193.

Les formes contractées suivantes sont très courantes, surtout à l'oral :
· à la forme affirmative : **'ll** (**will**) et **'d** (**would**)
· à la forme négative : **can't, couldn't, won't** (**will not**), **wouldn't, shouldn't, mustn't, needn't.**

Il existe en outre deux verbes, **dare** et **need**, qui peuvent être employés soit comme modaux, soit comme verbes à part entière (voir p. 195).

2 L'expression de la probabilité

Le modal employé varie en fonction du degré de certitude :

	Modal	Au présent : + V	Au passé : + *have* + part. passé ou changement de modal
Forte certitude	MUST	It must be difficult. *Ça doit être difficile.*	It must have been difficult. *Ça a dû être difficile.*
	WILL	That'll be your cab. *Ça doit être ton taxi.*	
Quasi-impossibilité	CAN'T	She can't be 17! *Ce n'est pas possible qu'elle ait 17 ans !*	She can't have left already! *Ce n'est pas possible qu'elle soit déjà partie !*
	COULDN'T	I couldn't possibly accept your offer. *Je ne puis accepter votre proposition.*	That couldn't have been true. *Ça ne pouvait pas être vrai.*
Forte probabilité	SHOULD	He should be back any minute. *Il devrait rentrer d'un instant à l'autre.*	He should have finished. *Il devrait avoir fini.*
	OUGHT TO	They ought to reach the summit. *Ils devraient atteindre le sommet.*	They ought to have reached the summit. *Il devraient avoir atteint le sommet.*
Possibilité	CAN / COULD	The roads can get dangerous in the winter. *Les routes sont parfois dangereuses en hiver.*	The roads could get dangerous in the winter. *Les routes étaient parfois dangereuses en hiver.*

Éventualité	COULD	He could be lying.	He could have been lying.
		Il se pourrait qu'il mente.	*Il mentait peut-être.*
	MAY	You may be right.	You may have been right.
		Il se peut que vous ayez raison.	*Vous aviez peut-être raison.*
	MIGHT	I might join you later.	He might have forgotten.
		Je vous rejoindrai peut-être plus tard.	*Il a peut-être oublié.*

3 L'expression de la capacité, de l'obligation, de la permission, du conseil, etc.

	Au présent	Au passé
Capacité	I can give you a lift to the station.	She could run fast.
	Je peux te déposer à la gare.	*Elle courait vite.*
	This digital camera will store up to 400 photos.	substitut = **BE ABLE TO**
	Cet appareil numérique peut contenir jusqu'à 400 photos.	I haven't been able to see him.
		Je n'ai pas pu le voir.
		It would store up to 400 photos.
		Il pouvait contenir jusqu'à 400 photos.
Obligation	You must lock the door.	substitut de **MUST** = **HAVE TO**
	Vous devez fermer la porte à clé.	We had to leave early.
	It shall be done.	*Nous avons dû partir de bonne heure.*
	Ce sera fait.	
Devoir	I should / ought to call them.	Voir Reproche p. 175
	Je devrais les appeler.	
Permission	Can / Could / May I come with you?	substitut = **BE ALLOWED TO**
	Est-ce que je peux / pourrais venir avec vous ?	He was allowed to come with us.
	You may go.	*Il a pu venir avec nous.*
	Vous pouvez partir.	
	Might I suggest something?	
	Puis-je me permettre de faire une suggestion ?	

> **!** Could et **might** n'expriment la permission que dans les questions. Au passé, ces modaux ne s'emploient plus vraiment car le sens serait aujourd'hui ambigu avec l'expression de la capacité ou de la probabilité. On emploiera plutôt **be allowed to**. Il en est de même pour l'interdiction.

Refus de la permission, interdiction	You can't go.	substitut = **BE ALLOWED TO** (forme négative)
	Tu n'as pas le droit d'y aller.	You weren't allowed to go.
	Drinks may not be taken into the cinema.	*Tu n'avais pas le droit d'y aller.*
	Les boissons sont interdites dans la salle de cinéma.	Since his illness, he hasn't been allowed to drink.
	You mustn't smoke.	*Depuis sa maladie, il n'a plus le droit de boire d'alcool.*
	Tu ne dois pas fumer.	

Conseil, suggestion	**You** should / ought to **have a rest.** *Tu devrais te reposer.* **You** could **join us later.** *Tu pourrais nous retrouver plus tard.* **You** might **try using a different approach.** *Vous pourriez adopter une approche différente.* Shall **we go for a walk?** *On va se promener ?*	
Reproche, regret		**You** could / might / should / ought to **have warned me!** *Tu aurais pu me prévenir !* **I** would **rather have gone alone.** *J'aurais préféré y aller seul.*
Offres	Would **you like another drink?** / Will **you have another drink?** *Est-ce que tu veux encore quelque chose à boire ?* Can / Could / May **I get you a drink?** *Je peux / Puis-je t'offrir quelque chose à boire ?*	**Could** est plus poli que **can**, et **may** beaucoup plus soutenu que **could**. De même, **would** est légèrement plus poli que **will**.
Demandes, ordres	**If you** will / would **come with me.** *Si vous voulez bien venir avec moi.* Will / Would **you please keep still!** *Voulez-vous rester tranquilles, s'il vous plaît !*	
Volonté, intention, préférence	**I can't find anyone who** will **help me.** *Je ne trouve personne pour m'aider.* Will **you marry me?** *Veux-tu m'épouser ?* **I** would **rather go alone.** *J'aimerais mieux y aller seul.*	**I couldn't find anyone who** would **help me.** *Je n'ai trouvé personne pour m'aider.*
Refus	**She** won't **give me an answer.** *Elle ne veut pas me donner de réponse.*	**She** wouldn't **give me an answer.** *Elle a refusé de me répondre.*
Habitude	**When I find a book I like I'**ll **stay up all night reading.** *Quand je trouve un livre qui me plaît, je passe la nuit à lire.*	**She** would **read the letter every day.** *Elle relisait la lettre tous les jours.*

4 Can

La forme négative de **can** est **cannot**, souvent contractée en **can't**.

- **La possibilité et la quasi-impossibilité**

→ Lorsque **can** exprime la possibilité, il s'agit souvent d'une déduction logique ou d'un simple fait :

The contract can **still be cancelled.**
Il est encore possible d'annuler le contrat.

→ On emploie **can** à la forme négative pour parler de quelque chose que l'on considère comme impossible :

You can't **miss it, it's just opposite the station.**
Vous ne pouvez pas le rater, c'est juste en face de la gare.

It can't **be true!**
C'est impossible !

→ Pour parler d'une activité en cours, on emploie **be** + **-ing** :

She can't **still** be sleeping!
Ce n'est pas possible qu'elle dorme encore !

→ On emploie **can't** + **have** + participe passé pour renvoyer au passé :

He can't have finished **already!**
Ce n'est pas possible qu'il ait déjà fini !

■ **La capacité et l'incapacité (***can* **et** *be able to***)**

→ Lorsque **can** exprime une capacité ou une aptitude, il se traduit souvent par « pouvoir » ou « savoir » en français :

I can **wait until tomorrow.**	**He** can **sew.**
Je peux attendre jusqu'à demain.	*Il sait coudre.*

→ Lorsqu'il est suivi d'un verbe de perception, **can** ne se traduit généralement pas :

We can hear **everything our neighbours say.**
Nous entendons tout ce que disent nos voisins.

Can you see **something?**
Tu vois quelque chose ?

→ Pour exprimer l'incapacité, on emploie la forme négative :

Sorry, I can't **give you an answer.**
Désolé, je ne peux pas vous répondre.

→ Dans une situation passée, on emploie **could** (voir p. 179).

→ Dans les cas ne permettant pas l'emploi de **can** ou **could** (voir l'encadré sur les modaux p. 172), on utilise la tournure **be able to** (*être capable de*) pour exprimer la capacité ; pour exprimer l'incapacité, on emploie la forme négative **not be able to** ou la tournure **be unable to** :

Prétérit →	Present perfect (**have** + participe passé) [**can** n'ayant pas de participe passé, on emploie **be able to**]
I could speak to him. *Je pouvais lui parler.*	**I have been able to speak to him.** *J'ai pu lui parler.*

Gérondif (V + **-ing**) [**can** n'ayant pas de forme en **-ing**, on emploie **be able to**]

I enjoyed being able to speak to him.
J'ai apprécié le fait d'avoir pu lui parler.

Infinitif (**to** + V) [**can** n'ayant pas d'infinitif, on emploie **be able to**]
I would have liked to be able to speak to him.
J'aurais aimé pouvoir lui parler.

Certitude →	Probabilité [la présence du modal **should** ne permet pas l'emploi d'un deuxième modal]
I can give you the answer tomorrow. *Je peux te donner la réponse demain.*	**I should be able to give you the answer tomorrow.** *Je devrais pouvoir te donner la réponse demain.*

Présent →	Futur [la présence du modal **will** ou **won't** ne permet pas l'emploi d'un deuxième modal]
Unfortunately, I can't come. *Malheureusement, je ne peux pas venir.*	**Unfortunately, I won't be able to come.** **Unfortunately, I'll be unable to come.** *Malheureusement, je ne pourrai pas venir.*

■ La permission et le refus de la permission (*can* et *be allowed to*)

→ On peut employer **can** pour demander ou donner la permission. Avec **can**, on attend généralement une réponse positive :

"Can I borrow your pen?" – "Yes, you can."
« Je peux t'emprunter ton stylo ? » – « Oui, bien sûr. »

You can come with us.
Tu peux venir avec nous.

> Pour demander une permission, on peut également employer **could** (p. 180) ou **may** (p. 182) qui sont légèrement plus polis.

→ On emploie la forme négative **can't** pour exprimer la non-autorisation :

I'm afraid you can't smoke in here.
Je regrette mais il est interdit de fumer ici.

> **May not** (p. 182) et **mustn't** (p. 187) peuvent également exprimer l'interdiction.

Dans les cas ne permettant pas l'emploi de **can** ou **can't** (voir l'encadré sur les modaux p. 172), on utilise la tournure **be allowed to** (*être autorisé à*) à la forme affirmative pour exprimer la permission et à la forme négative pour indiquer le refus de cette permission :

<u>Formule neutre</u> → <u>Formule plus polie</u> [la présence du modal **may** ne permet pas l'emploi d'un deuxième modal]

If I can make a point... | **If I may be allowed to make a point...**
Si je peux faire une remarque... | *Si je peux me permettre de faire une remarque...*

<u>Présent</u> → <u>Futur</u> [la présence du modal **will** ne permet pas l'emploi d'un deuxième modal]

You can't take your dog on the plane. | **You won't be allowed to take your dog on the plane.**
Vous n'avez pas le droit de prendre votre chien avec vous dans l'avion. | *On ne vous autorisera pas à prendre votre chien avec vous dans l'avion.*

Notez qu'on pourrait aussi exprimer l'incapacité en mettant **You won't be able to take your dog on the plane.** *Vous ne pourrez pas prendre votre chien avec vous dans l'avion.*

■ **Les offres et les demandes**

Can peut s'employer pour offrir ou demander quelque chose. Le style est plus direct et moins soutenu qu'avec **could** (voir p. 181) :

Can I buy you a coffee?
Je vous offre un café ?

Can you open the door for me, please?
Est-ce que tu peux m'ouvrir la porte, s'il te plaît ?

■ **La suggestion**

On peut employer **can** à la forme négative pour faire une suggestion. Le ton est plus insistant qu'avec **could** (voir p. 181) :

Can't we at least talk about it?
Est-ce que nous pouvons au moins en discuter ?

5 Could

La forme négative contractée de **could** est **couldn't**.

■ **L'éventualité et la quasi-impossibilité**

→ **Could** peut exprimer une éventualité dans un contexte présent ou futur :

"Where's Kate?" – "She could be on her way."
« Où est Kate ? » – « Elle est peut-être déjà en route. »

Could, **may** (p. 181) et **might** (p. 183) sont plus ou moins interchangeables lorsqu'ils expriment l'éventualité :

She could / may / might be on her way.
Elle est peut-être déjà en route.

→ Pour parler d'une activité en cours, on emploie **be + -ing** :

Could he be lying?
Se pourrait-il qu'il mente ?

→ De même que **can't** (voir p. 176), **couldn't** est employé pour parler de quelque chose que l'on considère comme impossible :

He couldn't be in Paris.
Ce n'est pas possible qu'il soit à Paris.

→ Pour parler de quelque chose qui aurait pu avoir lieu dans le passé, on emploie **have** + participe passé :

He could have been lying.
Il mentait peut-être.

He couldn't have gone without saying goodbye.
Ce n'est pas possible qu'il soit parti sans dire au revoir.

■ **La capacité et l'incapacité (*could* et *be able to*)**

→ **Could** et **couldn't** peuvent exprimer la capacité et l'incapacité dans le passé :

Five years ago I could run a mile in four minutes but I can't any more.
Il y a cinq ans, je courais un mile en quatre minutes mais je ne peux plus maintenant.

We couldn't sleep because of the noise.
Nous n'avons pas pu dormir à cause du bruit.

Could et **be able to** au passé sont généralement interchangeables pour parler de la capacité :

Five years ago I was able to **run a mile in four minutes but I can't any more.
We** weren't able to **sleep because of the noise.**

→ Lorsque la capacité est hypothétique ou imaginée, **could** et **couldn't** ne font pas référence au passé. Ils se traduisent par un conditionnel en français :

You could **do a lot better if you'd only try.**
Tu pourrais faire bien mieux si seulement tu faisais un effort.

→ Pour exprimer cette capacité hypothétique dans le passé, il faut employer **could** + **have** + participe passé qui se traduit par un conditionnel passé en français :

She could have succeeded **if she'd really wanted to.**
Elle aurait pu réussir si elle l'avait vraiment voulu.

■ **La permission et le refus de la permission (***could* et *be allowed to***)**

→ **Could** peut s'employer dans le présent pour demander une permission de façon plus polie qu'avec **can** (voir p. 177) :

"Could **I borrow your pen?" – "Yes, of course."**
« Puis-je ou pourrais-je vous emprunter votre stylo ? » – « Oui, bien sûr. »

Notez qu'on ne pourrait pas dire **yes, you could** pour accorder la permission car cette réponse exprimerait, comme en français, l'éventualité (*« Oui, vous pourriez. »*).

→ On n'emploie pas **could** mais **be allowed to** pour parler d'une permission dans un contexte passé, et ce pour éviter toute confusion avec l'expression de la capacité ou de la probabilité :

We were allowed to **go and see her.**
Nous avons eu le droit d'aller la voir.

[**We could go and see her.** = capacité dans le passé : *On pouvait aller la voir.*
ou = probabilité dans le présent : *On pourrait aller la voir.*]

→ De même, on emploierait plus **be allowed to** à la forme négative pour exprimer la non-autorisation dans un contexte passé (**couldn't** s'emploie essentiellement pour l'incapacité au passé) :

I wasn't allowed to **eat sweets.** [= non-autorisation]
Je n'avais pas le droit de manger des bonbons.

I couldn't **eat sweets because I had toothache.** [= incapacité]
Je ne pouvais pas manger de bonbons parce que j'avais mal aux dents.

Pour l'emploi de **be allowed to**, voir aussi pp. 178 et 182.

8 *Must*

La forme négative de **must** est **must not**, contractée en **mustn't**. Elle ne s'emploie que pour exprimer l'obligation de ne pas faire quelque chose (voir p. 187).

■ **La certitude**

→ On emploie **must** lorsqu'on est presque sûr de quelque chose :

He must be in a hurry.
Il doit être pressé.

It must be Alison.
Ça doit être Alison.

 Ne pas confondre **must** exprimant la certitude et **must** exprimant l'obligation (voir p. 186) :

It must be finished by now.	≠	**It must be finished by next week.**
Ça doit être fini à l'heure qu'il est.		*Il faut que ce soit fini d'ici la semaine prochaine.*
↓		↓
Certitude		Obligation

→ Pour renvoyer au passé, on emploie **must** + **have** + participe passé :

They must have been surprised to see you.
Ils ont dû être surpris de te voir.

→ Lorsqu'on considère l'activité dans son déroulement, on emploie **be** + **-ing** :

They must still be sleeping.
Ils doivent être encore en train de dormir.

They must have been partying all night.
Ils ont dû faire la fête toute la nuit.

→ On peut employer **have to** pour exprimer la certitude lorsqu'il s'agit d'une déduction logique :

If she says so, it has to be true. [= it must be true]
Si elle le dit, ça doit être vrai.

→ **Must** ne s'emploie pas à la forme négative pour exprimer la certitude. Pour parler de quelque chose que l'on considère comme impossible, on utilise **can't** (voir p. 176) :

It can't be Alison.
Ça ne peut pas être Alison.

■ **L'obligation (de faire ou de ne pas faire)**

→ **Must** peut exprimer l'obligation ou la nécessité. Le sens est plus fort qu'avec **ought to** (voir p. 188) et **should** (voir p. 190) :

I must go.	**You must try harder.**
Je dois partir.	*Il faut que tu fasses un effort.*

→ Pour exprimer l'obligation au passé et dans les cas ne permettant pas l'emploi de **must** (voir l'encadré sur les modaux p. 172), on utilise la tournure **have to** :

Présent → Prétérit [**must** n'ayant pas de prétérit, on emploie **have to** au passé]

I must apologize for breaking the mirror.
Je dois m'excuser d'avoir cassé le miroir.

I had to apologize.
J'ai dû m'excuser.

Gérondif (V + **-ing**) [**must** n'ayant pas de forme en **-ing**, on emploie **have to**]

I hate having to apologize.
Je déteste devoir m'excuser.

Futur [la présence du modal **will** ne permet pas l'emploi d'un deuxième modal]

I will have to apologize.
Je vais devoir m'excuser.

Probabilité [la présence du modal **may** ne permet pas l'emploi d'un deuxième modal]

I may have to apologize.
Il se peut que j'aie à m'excuser.

→ Au présent, on peut employer soit **must**, soit **have to** soit, dans un style plus familier, **have got to**. On choisit généralement **must** lorsque l'obligation dépend du locuteur et **have to / have got to** lorsqu'elle dépend de circonstances extérieures :

I have toothache; I must go to the dentist.
J'ai mal aux dents ; je dois aller chez le dentiste.

I have to go to the dentist ou I've got to go to the dentist; I have an appointment.
Je dois aller chez le dentiste ; j'ai rendez-vous.

Toutefois, **must** et **have to** sont très souvent interchangeables. Le sens de **must** est parfois plus fort qu'avec **have to**.

→ À la forme négative, on emploie **must not** ou **mustn't** :

You mustn't open the door.
Tu ne dois pas ouvrir la porte.

> ! **Have to** et **have got to** peuvent avoir le même sens que **must** à la forme affirmative mais sont toujours différents à la forme négative :
>
> **You have to park here.** = **You must park here.**
> *Tu dois te garer ici.*
>
> **You don't have to park here.**   ≠   **You mustn't park here.**
> *Tu n'es pas obligé de te garer ici.*   *Tu ne dois pas te garer ici.*
>
> ↓   ↓
> Absence d'obligation   Obligation de ne pas faire
>   quelque chose, interdiction

■ Emploi emphatique

Must peut être employé de manière emphatique pour exprimer une suggestion ou une invitation :

You must try this chocolate cake!
Il faut absolument que tu goûtes ce gâteau au chocolat !

You must come and visit us in Vancouver.
Il faut que tu viennes nous voir à Vancouver.

9 Ought to

 Contrairement aux autres modaux, **ought** est toujours suivi de la particule de l'infinitif : **ought + to + V**. Il se comporte toutefois comme un modal puisqu'il ne prend pas de **-s** à la 3ᵉ personne du singulier du présent et n'a pas d'autres formes.

Ought to ne s'emploie pas à la forme interrogative, et la forme négative **oughtn't to** est très rare. On emploie généralement **should** (voir pp. 190–1) dans les questions et les négations.

Ought to peut s'employer avec **be + -ing** (voir le deuxième encadré p. 191).

Should et **ought to** ont des emplois semblables et sont très souvent interchangeables, bien que l'emploi de **should** soit un peu plus fréquent et que **ought to** ait parfois une valeur légèrement plus objective, découlant du bon sens.

■ **La probabilité**

→ On emploie **ought to** pour dire que quelque chose est très probable :

They ought to be home now. [= **They should be home now.**]
À l'heure qu'il est, ils devraient être rentrés.

→ Pour renvoyer au passé, on emploie **ought to** + **have** + participe passé :

They ought to have crossed the finishing line this morning.
Ils devraient avoir atteint la ligne d'arrivée ce matin.

■ **Le devoir**

De même que **should** (p. 190), **ought to** peut exprimer le devoir ou l'obligation morale :

She ought to talk to him.   **You ought to visit him in hospital.**
Il faudrait qu'elle lui parle.   *Tu devrais aller le voir à l'hôpital.*

I know I really ought to, but I don't want to.
Je sais bien que je devrais, mais je n'en ai pas envie.

■ **La suggestion**

De même que **should** (p. 190), **ought to** peut exprimer un conseil ou une suggestion. Avec **ought to**, la suggestion s'appuie sur l'usage, le bon sens ou la morale :

You ought to get up at six if you want to catch your plane.
Il faudrait que tu te lèves à six heures si tu veux avoir ton avion.

Perhaps we ought to **discuss this further.**
Peut-être devrions-nous en discuter plus longuement.

■ **Le reproche**

Ought to + **have** + participe passé exprime un reproche ou un regret :

They ought to have told **us!**
Ils auraient dû nous le dire !

I ought to have helped **him.**
J'aurais dû l'aider.

10 *Shall*

La forme négative contractée de **shall**, peu employée, est **shan't**.

Pour l'expression du futur, voir p. 155.

■ **La suggestion**

Shall s'emploie à la forme interrogative, uniquement à la 1re personne du singulier et du pluriel, pour faire des suggestions ou pour demander un conseil :

Shall **we go?**
On y va ?

Shall **I open the window?**
Voulez-vous que j'ouvre la fenêtre ?

What shall **we buy?**
Qu'est-ce qu'on va acheter ?

■ **L'obligation**

Shall s'emploie à la forme affirmative dans le langage officiel et juridique, ou dans un style très soutenu, pour exprimer l'obligation :

The contract shall **be subject to English law.**
Le contrat sera régi par la loi anglaise.

It shall **be done.**
Ce sera fait.

11 *Should*

> La forme négative contractée de **should** est **shouldn't**.

Pour l'expression du conditionnel, voir p. 156.
Pour la traduction du subjonctif, voir p. 135.

■ **La probabilité**

→ Comme **ought to** (p. 188), on emploie **should** pour dire que quelque chose est très probable :

The peaches should **be ripe now.** [= **The peaches ought to be ripe now.**]
Les pêches devraient être mûres maintenant.

→ Pour renvoyer au passé, on emploie **should** + **have** + participe passé :

They should have reached **the summit this morning.**
Ils devraient avoir atteint le sommet ce matin.

■ **Le devoir**

Should peut exprimer le devoir ou l'obligation morale :

I should **pay them a visit.**
Je devrais aller les voir.

! Ne pas confondre **should / ought to** avec **must / have to** (p. 186) :

I must write to her.	≠	I should write to her.
= I have to write to her.		= I ought to write to her.
Je dois lui écrire.		*Il faudrait que je lui écrive.* ou *Je devrais lui écrire.*
↓		↓
Obligation, nécessité, contrainte		Obligation morale, devoir

■ **La suggestion**

Should peut exprimer un conseil ou une suggestion :

You must be tired, you should **take a break.**
Tu dois être fatigué, tu devrais faire une pause.

■ **Le reproche**

Should + **have** + participe passé exprime un reproche ou un regret :

You shouldn't have done **that!**
Tu n'aurais pas dû faire ça !

I should have left **earlier.**
J'aurais dû partir plus tôt.

 Ne pas confondre **should** / **ought to** exprimant le reproche et **should** / **ought to** exprimant la probabilité :

She should have finished by now. ≠	**She should have called us.**
= **She ought to have finished by now.**	= **She ought to have called us.**
Elle devrait avoir fini maintenant.	*Elle aurait dû nous appeler.*
↓	↓
Probabilité	Reproche

 Dans tous les emplois de **should** et de **ought to**, on peut employer **be** + **-ing** lorsqu'on considère l'action dans son déroulement :

They should be arriving any moment now. [= probabilité]
They ought to be arriving any moment now.
Ils devraient arriver d'un instant à l'autre.

I should be working, not talking to you. [= devoir]
I ought to be working, not talking to you.
Je devrais être en train de travailler au lieu de parler avec toi.

You should be getting ready. [= suggestion]
You ought to be getting ready.
Tu devrais te préparer.

You shouldn't be laughing at him. [= reproche]
Tu ne devrais pas te moquer de lui.

You ought to be doing your homework. [= reproche]
Tu devrais être en train de faire tes devoirs.

12 *Will*

La forme négative contractée de **will** est **won't**.

Pour l'expression du futur, voir p. 152.

- **La certitude**

  → On emploie **will** pour dire que l'on est presque sûr de quelque chose. La certitude est encore plus forte qu'avec **must** (p. 185) :

  She'll be grown up now.
  Elle doit être grande maintenant.

  That'll be the postman.
  Ça doit être le facteur.

  They'll be there by now.
  Ils doivent être arrivés maintenant. ou *Ils sont sûrement arrivés maintenant.*

  → Pour renvoyer au passé, on emploie **will** + **have** + participe passé :

  They will have missed the train.
  Ils ont dû rater le train.

- **Les offres, les demandes et les ordres**

  → On emploie **will** à la forme interrogative pour offrir ou demander quelque chose de manière polie :

  Will you have another cup of tea?
  Voulez-vous une autre tasse de thé ?

  Will you please open the window?
  Pouvez-vous ouvrir la fenêtre, s'il vous plaît ?

  > **Will** et **would** sont interchangeables dans ce sens même si **would** est plus poli que **will**.

  → **Will** s'emploie aussi pour formuler des demandes plus insistantes ou des ordres :

  Will you leave the cat alone!
  Veux-tu laisser le chat tranquille !

  Will you stop that right now!
  Arrête ça tout de suite !

- **La volonté et le refus**

  Will peut exprimer la volonté ou, à la forme négative, le refus :

  We can manage it if you will help me.
  On peut y arriver si tu veux bien m'aider.

  He won't open the door.
  Il refuse d'ouvrir la porte.

La voix passive

Points traités dans ce chapitre :
- · la formation du passif au présent et aux temps du passé
- · l'emploi du passif avec un modal
- · le passif et la forme **be** + **-ing**
- · le passif et les verbes à particules
- · la construction du passif avec le verbe **get**
- · la différence entre la voix active et la voix passive
- · la correspondance avec le français : les différentes traductions françaises de la voix passive et les emplois particuliers du passif anglais
- · le complément d'agent
- · le passif des verbes à deux compléments

1 La construction du passif

Le passif se construit avec l'auxiliaire **be** conjugué au temps voulu et le participe passé du verbe :

Passif : *be* + participe passé	
Présent	**Most works of art** are stolen **by professional thieves.**
	La plupart des œuvres d'art sont volées par des cambrioleurs professionnels.
Prétérit	**Several statuettes** were stolen **last year.**
	Plusieurs statuettes ont été volées l'année dernière.
Present perfect	**A painting** has been stolen **this time.**
	On a volé un tableau cette fois.
Past perfect	**It** had **never** been stolen **before.**
	On ne l'avait encore jamais volé.

■ Emploi du passif avec un modal

Le passif peut être utilisé avec un modal pour exprimer le futur, la probabilité, l'obligation, etc. On emploie la construction « modal + **be** + participe passé » ou « modal + **have been** + participe passé » pour renvoyer au passé :

Her latest novel will be published **in the autumn.**

Son dernier roman paraîtra à l'automne.

He might have been delayed.

Il a peut-être été retardé.

- **Le passif et la forme** *be + -ing*

Le passif peut être utilisé avec la forme **be + -ing** lorsqu'on considère l'action dans son déroulement. On a dans ce cas **be** conjugué au temps voulu + **being** + participe passé :

> **He's being considered for the position of pastry chef.**
> *On pense à lui pour le poste de chef pâtissier.*

- **Le passif et les verbes à particules**

Lorsqu'un verbe à particule est mis au passif, le participe passé est toujours suivi de la particule :

> **An expert was called <u>in</u>.**
> *On a fait venir un expert.*
>
> **He hates being laughed <u>at</u>.**
> *Il déteste qu'on se moque de lui.*

> **All the expenses were paid <u>back</u>.**
> *Tous les frais ont été remboursés.*

Voir **Les verbes à particules** p. 205.

- **Construction du passif avec le verbe** *get*

Dans la langue parlée, on emploie parfois **get** + participe passé pour exprimer le passif. Cette construction ne décrit pas un état mais un changement, **get** ayant généralement le sens de « devenir » (**to get married** *se marier* ≠ **to be married** *être marié*) :

> **He finally got caught by the police.**
> *Il a fini par se faire prendre par la police.*

2 La voix active et la voix passive

→ De même qu'en français, le sujet accomplit l'action à la voix active et il la subit à la voix passive. Le choix entre la voix passive et la voix active dépend de l'élément que l'on veut mettre en valeur :

voix active : **<u>Christopher Columbus</u> discovered <u>America</u>.**
Christophe Colomb découvrit l'Amérique.

voix passive : **<u>America</u> was discovered by <u>Christopher Columbus</u>.**
L'Amérique fut découverte par Christophe Colomb.

→ La voix passive est très employée dans le langage technique et scientifique car on met l'accent sur les actions plutôt que sur les personnes qui les accomplissent :

Additional tests were required.

Des examens supplémentaires furent nécessaires.

3 La correspondance avec le français

La voix passive est beaucoup plus utilisée en anglais qu'en français. Un passif en anglais ne se traduit donc pas nécessairement par un passif en français :

→ On doit parfois naturellement opter pour la <u>voix active</u> dans la traduction :

The case is being investigated by the police.

La police est en train de mener l'enquête sur cette affaire.

→ Le passif se traduit souvent par le <u>pronom « on »</u> en français (voir **Traduction de « on »** pp. 43–4), notamment lorsqu'on ne connaît pas le complément d'agent, lorsqu'on considère qu'il n'est pas important ou lorsqu'on ne veut pas révéler son identité (voir aussi **Le complément d'agent** p. 202) :

A new museum has just been inaugurated.

On vient d'inaugurer un nouveau musée.

I've been told he's leaving soon.

On m'a dit qu'il partait bientôt.

We are being asked to make a profit.

On nous demande de faire du bénéfice.

They were seen kissing each other.

On les a vus s'embrasser.

→ Dans certains cas, le passif peut se traduire par un <u>verbe pronominal</u> en français :

This sentence can be translated in different ways.

Cette phrase peut se traduire de différentes façons.

A good time was had by all.

Tout le monde s'est bien amusé.

→ On a parfois recours à une <u>tournure impersonnelle</u> en français :

What needs to be done?

Qu'est-ce qu'il faut faire ?

! Emplois particuliers du passif anglais

Les tournures passives suivantes sont caractéristiques de la langue anglaise. Très courantes, elles sont toutefois souvent impossibles à traduire littéralement en français :

- **be** + verbe exprimant une opinion générale (**believe, consider, say, think, understand**, etc.) suivi d'une subordonnée infinitive (construction V + **to** + V) :

> **She is thought to be one of the best.**
> *On dit qu'elle fait partie des meilleurs.*
> **He is believed to be innocent.**
> *On pense qu'il est innocent.*

- **be** + verbe exprimant une permission, un ordre, une interdiction, une demande, etc. (**allow, ask, expect, forbid, force, make, order, tell**, etc.) suivi d'une subordonnée infinitive (V + **to** + V) :

> **She was asked to wait outside.**
> *On lui a demandé d'attendre dehors.*
> **He was forced to resign.**
> *Il a été obligé de démissionner.*

- **be** + verbe de perception (**feel, hear, see, watch**, etc.) suivi d'une subordonnée infinitive (V + **to** + V) ou d'un participe présent (V + **-ing**) :

> **The aircraft was seen to crash just after take-off.**
> *On a vu l'avion s'écraser juste après le décollage.*
> **Birds could be heard singing.**
> *On entendait les oiseaux chanter.*

4 Le complément d'agent

→ Lorsque le complément d'agent est mentionné, il est introduit par **by** :

The sailors were welcomed by **dolphins.**
Les marins ont été accueillis par des dauphins.

→ Le complément d'agent est souvent omis, notamment lorsque l'identité de l'agent n'a pas d'importance ou qu'elle est inconnue :

The castle has been restored.	**My car was stolen last night.**
Le château a été restauré.	*On m'a volé ma voiture hier soir.*

5 Le passif des verbes à deux compléments

→ Certains verbes tels que **bring, buy, give, lend, offer, pay, promise, sell, send, read, teach, tell, write,** etc. peuvent avoir deux compléments : un complément d'objet direct et un complément d'objet indirect. Ces verbes peuvent donc se construire de deux manières différentes à la voix active et à la voix passive, contrairement au français où seul le COD devient sujet à la voix passive :

Voix active	Voix passive
Susan gave the monkeys some nuts. ou **Susan gave some nuts to the monkeys.** *Susan a donné des cacahouètes aux singes.*	COI devient sujet : The monkeys **were given some nuts (by Susan).** *On a donné des cacahouètes aux singes. (Des cacahouètes ont été données aux singes par Susan.)*
	COD devient sujet : Some nuts **were given to the monkeys (by Susan).** *On a donné des cacahouètes aux singes. (Des cacahouètes ont été données aux singes par Susan.)*

→ Le choix de la construction passive dépend de l'élément que l'on veut mettre en avant. La première construction (COI devenant sujet) est beaucoup plus fréquente car il est plus naturel de mettre en avant le destinataire plutôt que l'objet inanimé :

The students **were handed out the exam papers.**
[plus courant que : **The exam papers were handed out to the students.**]
On a distribué aux étudiants les sujets d'examen.

The children **were told a story.**
[plus courant que : **A story was told to the children.**]
On a raconté une histoire aux enfants.

Voir Les verbes à deux compléments p. 259.

EXERCICES

1) **Mettez les phrases suivantes à la voix passive en omettant le complément d'agent lorsqu'il n'est pas nécessaire :**
   a) The witches have prepared a magic potion.
   b) Both of them signed the contract.
   c) They must return the application forms by the end of the week.
   d) The children made all the costumes.
   e) An avalanche destroyed the village.

2) **Mettez les phrases suivantes au passif en donnant les deux constructions possibles (sans préciser le complément d'agent) :**
a) Someone sent me a letter.
b) I gave Ben a book for his birthday.
c) Adrian read a story to the children.
d) They will send a card to all the relatives.
e) She had never told her family the truth.

3) **Choisissez la forme qui convient :**
1) The name of the winner _____ tomorrow.
   a) will be announced **b)** will announce **c)** is being announced **d)** is announcing
2) A lot of research into climate change _____ now.
   a) was being done **b)** was done **c)** is being done **d)** is doing
3) He _____ for burglary last week.
   a) is arrested **b)** was arrested **c)** has been arrested **d)** had been arrested
4) From tomorrow, you _____ to join in.
   a) will expect **b)** were expected **c)** have been expected **d)** will be expected
5) The theatre _____ by the City Council.
   a) is funded **b)** funds **c)** will fund **d)** has funded

4) **Traduisez en français :**
a) They got arrested at the border.
b) A new airport is being built.
c) Her brother is called George.
d) I hadn't been told that.
e) Something needs to be done.
f) She was made to do it.
g) He was never seen again.

5) **Traduisez en anglais (en utilisant la voix passive) :**
a) On l'a vu partir avec une valise hier.
b) Ce modèle se fabrique en Angleterre.
c) On lui a interdit de sortir.
d) On vient de construire une nouvelle école.
e) L'appartement va être repeint. [repeindre = *to redecorate*]
f) On vous a réservé une chambre.

18

Les verbes à particules

Points traités dans ce chapitre :

- · la distinction entre les particules adverbiales et les particules prépositionnelles des « phrasal verbs »
- · l'emploi des verbes à particules adverbiales et les caractéristiques de ces particules
- · l'emploi des verbes à particules prépositionnelles et les particularités de ces prépositions
- · les verbes à deux particules
- · le procédé de traduction utilisé pour certains verbes à particules

→ Les verbes courants, d'origine anglo-saxonne, sont très souvent suivis d'une particule adverbiale ou prépositionnelle. Ces structures, appelées « phrasal verbs », sont caractéristiques de la langue anglaise et réputées difficiles.

→ Les mêmes mots peuvent servir de préposition ou de particule adverbiale ; il est donc important de pouvoir les distinguer :

La particule adverbiale...	La particule prépositionnelle...
· fait corps avec le verbe, qu'elle modifie ou précise	· fait corps avec le COD
· se place avant ou après le COD, mais toujours après lorsque le COD est un pronom	· se place toujours avant le COD, même lorsque celui-ci est un pronom
· est toujours accentuée	· n'est pas accentuée devant le groupe nominal
· ne peut être omise à l'impératif	· est omise à l'impératif, sans complément

Voir aussi **Les adverbes** p. 212 et **Les prépositions** p. 230.

■ Verbe + particule adverbiale

Les principales particules adverbiales sont :

about – across – along – around – aside – away – back – down – forward – in – off – on – out – over – round – through – up

→ La particule adverbiale modifie le sens du verbe :

She turned the music up. ≠ **She turned the music down.**
Elle a mis la musique plus fort.   *Elle a baissé la musique.*

Les adverbes

Points traités dans ce chapitre :

- · la formation des adverbes : présence ou absence de suffixe
- · la fonction de l'adverbe : les éléments de la phrase que peut modifier un adverbe
- · la place de l'adverbe et ses emplois : les adverbes de fréquence ; les adverbes de temps et la traduction de « déjà », « encore » et « toujours » ; les adverbes de lieu ; les adverbes de manière ; les adverbes de degré ; les adverbes de liaison ; les adverbes permettant d'introduire une opinion ; les adverbes de modalité ; **only** et **just** ; **very** et **much** ; **all** ; **enough** ; **not** ; **also**, **too** et **as well**

1 La formation des adverbes

→ De nombreux adverbes se forment à partir d'un adjectif auquel on ajoute le suffixe **-ly**. Par exemple :

kind (*gentil*)	→	**kindly** (*gentiment*)
mad (*fou*)	→	**madly** (*follement*)
polite (*poli*)	→	**politely** (*poliment*)
usual (*habituel*)	→	**usually** (*habituellement*)

Certains adjectifs se terminant par **-ly** ne peuvent pas prendre ce même suffixe (**friendly**, **jolly**, **silly**, **lovely**, **lonely**, etc.). On a alors recours à une expression adverbiale :

They greeted me in a friendly manner.   **The argument started in a silly way.**
Ils m'ont accueilli chaleureusement.   *La dispute a commencé bêtement.*

Modifications orthographiques

· Lorsqu'un adjectif se termine par une consonne + **-y**, le **-y** devient **-i** :
  funny → **funnily**

· Lorsqu'un adjectif se termine par **-ic**, on ajoute **-ally** pour former l'adverbe :
  hysteric → **hysterically**   [la terminaison **-cally** se prononce /-kəlɪ/ ou /-klɪ/,
  ironic → **ironically**   comme si l'orthographe était en fait "-cly"]

 Exception
  public → **publicly**

· Lorsqu'un adjectif se termine par **-e**, ce **-e** final disparaît :

noble → **nobly**

true → **truly**

→ Un adverbe peut aussi être formé à partir d'un nom auquel on ajoute un suffixe :

· Nom + suffixe **-ly**

hour (*heure*)	→	**hourly** (*par heure, toutes les heures*)
month (*mois*)	→	**monthly** (*par mois, tous les mois*)
year (*année*)	→	**yearly** (*annuellement*)

· Nom + suffixe **-wise**

Ce suffixe s'emploie avec des noms désignant une direction :

I think it will go in lengthwise / widthwise.
Je crois que ça rentrera dans le sens de la longueur / de la largeur.

On pourrait également utiliser ici le suffixe synonyme **-ways** : **lengthways**, **widthways**.

You have to turn it (anti)clockwise.
Il faut que tu le tournes dans le sens (inverse) des aiguilles d'une montre.

Notez que le suffixe **-ward(s)**, associé à un nom, un adverbe ou une préposition, permet également d'indiquer une direction (sauf **afterwards** *après*) : **backwards** *en arrière*, **downwards** *vers le bas*, **forward** *en avant*, **homewards** *vers sa maison, son pays, etc.*, **skywards** *vers le ciel*, **upwards** *vers le bas*, etc.

Mais le suffixe **-wise** s'emploie aussi avec le sens général de « en ce qui concerne ». Cet emploi, bien que très courant à l'oral, est familier. Les expressions très fixes, qui ne prennent généralement pas de trait d'union, ne sont toutefois que légèrement familières :

How are you getting on workwise / moneywise / healthwise?
Comment ça va côté travail / côté argent / côté santé ?

What are you doing holiday-wise?
Qu'est-ce que vous faites pour les vacances ?

→ D'autres adverbes très courants ont leur propre forme qui ne dérive ni d'un adjectif, ni d'un nom. Par exemple :

always (*toujours*)	**now** (*maintenant*)	**then** (*alors*)
here (*ici*)	**often** (*souvent*)	**very** (*très*)
never (*ne... jamais*)	**soon** (*bientôt*)	**well** (*bien*)

→ Certains adverbes, avec ou sans suffixe, ont la même forme que l'adjectif correspondant. Par exemple :

	Adjectif	Adverbe
daily	His money is earning interest on a daily basis. *Son argent lui rapporte des intérêts au quotidien.*	This medicine is to be taken twice daily. *Ce médicament est à prendre deux fois par jour.*
early	I had an early breakfast today. *J'ai déjeuné de bonne heure aujourd'hui.*	I want to leave early tonight. *Je veux partir de bonne heure ce soir.*
far	He came in and sat at the far end of the room. *Il est entré et s'est assis au fond de la salle.*	He doesn't live far from the station. *Il n'habite pas loin de la gare.*
fast	He always takes the fast lane. *Il prend toujours la voie rapide.*	If only they didn't speak so fast! *Si seulement ils ne parlaient pas si vite !*
hard	He's had a hard day. *Il a eu une journée difficile.*	Pull hard to open. *Tirez fort pour ouvrir.*
little	The little hand of the clock is broken. *La petite aiguille de l'horloge est cassée.*	He talked very little. *Il a très peu parlé.* ou *Il n'a presque pas parlé.*
long	It's a long way to the beach. *La plage est loin.*	I haven't been here long. *Ça ne fait pas longtemps que je suis là.*
only	You're the only person who knows. *Tu es la seule personne à le savoir.*	It's only a scratch! *Ce n'est qu'une égratignure !*
weekly	We have weekly meetings. *Nous avons des réunions hebdomadaires.*	They go swimming twice weekly. *Ils vont à la piscine deux fois par semaine.*

→ Il existe parfois deux adverbes de sens différent pour le même adjectif :

Adjectif	Adverbe sans suffixe	Adverbe + suffixe -*ly*
hard *dur, difficile*	hard *fort, durement*	hardly *à peine*
last *dernier*	last *en dernier, la dernière fois*	lastly *pour finir*
late *tardif, en retard*	late *tard*	lately *dernièrement*
pretty *joli*	pretty *assez*	prettily *joliment*
right *droit, juste*	right *à droite, juste, bien*	rightly *correctement*
wrong *mauvais, faux*	wrong *mal, incorrectement*	wrongly *à tort, mal*

Comparez par exemple :

He was standing right behind me. ≠ **If I remember rightly...**
Il se tenait juste derrière moi.   *Si je me souviens bien...*

He always comes late.   ≠ **We haven't been seeing much of him lately.**
Il arrive toujours en retard.
     Nous ne le voyons pas beaucoup ces derniers temps.

2 La fonction de l'adverbe

L'adverbe permet de modifier le sens de différents éléments de la phrase :

le verbe	**Sometimes my brother behaves** strangely. *Mon frère se comporte parfois de façon bizarre.*
l'adjectif	**Afterwards he's** absolutely **mortified.** *Après, il est extrêmement gêné.*
le nom	**Once, he went to work with his slippers on: he's** quite **an embarrassment sometimes!** *Un jour, il est parti au travail avec ses chaussons : il me fait honte parfois !*
un autre adverbe	**Of course, he realized** almost **immediately.** *Bien sûr, il s'en est rendu compte presque tout de suite.*
toute la phrase	Luckily, **he has a good sense of humour.** *Heureusement, il a le sens de l'humour.*

3 La place de l'adverbe et ses emplois

La place de l'adverbe dépend du choix de l'adverbe lui-même, du sens que l'on veut donner à la phrase ou des éléments que l'on souhaite mettre en valeur. Certains adverbes admettent plusieurs possibilités, alors que le choix est plus limité pour d'autres.

Contrairement au français, le verbe ne peut être séparé de son complément en anglais. L'adverbe n'est donc jamais placé entre les deux :

She speaks English well. [et non ***She speaks well English.***]
Elle parle bien anglais.

We often go to the theatre. [et non ***We go often to the theatre.***]
Nous allons souvent au théâtre.

■ **Adverbes de fréquence**

always, frequently, never, often, rarely, seldom, sometimes, usually…

→ Les adverbes de fréquence se placent devant le verbe principal, ou après le premier auxiliaire aux temps composés :

My husband always **gets up before me.**
Mon mari se lève toujours avant moi.

We have often seen shooting stars.
Nous avons souvent vu des étoiles filantes.

I would never have managed it without you.
Je n'aurais jamais réussi sans toi.

→ Mais ils se placent après le verbe **be** aux temps simples :

She's rarely hungry.
Elle a rarement faim.

■ Adverbes de temps

afterwards, eventually, now, once, presently, today, tomorrow, tonight...

→ Les adverbes de temps se placent généralement en début ou en fin de phrase. Lorsqu'ils sont placés en tête de phrase, ils indiquent la chronologie des événements, alors qu'en fin de phrase, ils apportent simplement un complément d'information :

Today you're going to stay in bed and tomorrow you'll feel better.
Aujourd'hui tu vas rester au lit et demain tu te sentiras mieux.

What are you doing tonight?   **Eventually she decided to go.**
Qu'est-ce que tu fais ce soir ?   *Elle s'est finalement décidée à partir.*

> **!** L'adverbe **eventually** est un faux ami ! Il ne signifie pas « éventuellement » mais « finalement », « en fin de compte ». « Éventuellement » se traduit souvent par l'adverbe **possibly**.

→ Ces règles ne sont pas toujours très strictes. Certains adverbes peuvent avoir plusieurs positions dans la phrase en fonction du sens voulu :

Soon, they were spending their days on the beach.
Ils n'ont pas tardé à passer toutes leurs journées sur la plage.

But they soon got tired of that.
Mais ils se sont vite lassés.

And yet, they want to go back there soon.
Et pourtant, ils veulent y retourner bientôt.

■ Traduction de « déjà »

→ Dans les phrases affirmatives, « déjà » se traduit généralement par **already** qui se place comme les adverbes de fréquence (voir p. 215 et ci-dessus) ou en fin de phrase lorsqu'on veut insister davantage :

You're already here!
= **You're here already!**
Vous êtes déjà là !

He's already finished mowing the lawn.
Il a déjà fini de tondre la pelouse.

He's eaten enough sweets already!
Il a mangé assez de bonbons comme ça !

→ Lorsqu'on parle d'une action qui a déjà eu lieu, on peut également employer **before** qui se place à la fin de la phrase :

I've already ridden a camel.
= **I've ridden a camel before.**
Je suis déjà monté à dos de chameau.

→ À la forme interrogative, on emploie généralement **ever**, pour parler d'une action qui a déjà eu lieu, ou **yet**, pour parler d'une action prévue. **Ever** se place après le sujet tandis que **yet** se met en fin de phrase :

Have you ever heard my canary sing?
Avez-vous déjà entendu chanter mon canari ?

Does he ever buy you flowers?
Est-ce qu'il lui arrive de t'acheter des fleurs ?

Has he gone yet?
Est-ce qu'il est déjà parti ?

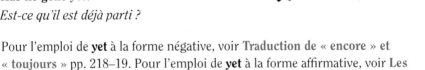

Pour l'emploi de **yet** à la forme négative, voir **Traduction de « encore »** et **« toujours »** pp. 218–19. Pour l'emploi de **yet** à la forme affirmative, voir **Les conjonctions** p. 248.

→ Pour demander si c'est la première fois qu'une action a lieu, on emploie **before** :

Have you seen this film before?
Est-ce que tu as déjà vu ce film ?

→ On emploie **already** dans les questions lorsqu'on veut exprimer la surprise :

Are they already up?
= **Are they up already?**
Ils sont déjà levés ?

→ Pour redemander une information que l'on a oubliée, on emploie **again** :

Where do they live again? [et non ***Where do they live already?***]
Où habitent-ils déjà ?

Pour **again** dans le sens de « encore », voir ci-dessous.

■ **Traduction de « encore » et « toujours »**

→ Lorsque « encore » et « toujours » indiquent qu'une action se poursuit, on emploie **still** en anglais. **Still** se place comme les adverbes de fréquence dans les phrases affirmatives (voir pp. 215–16) mais il se place devant l'auxiliaire dans les phrases négatives :

He's still watching TV!   **He still doesn't know my name.**
Il regarde encore la télé !   *Il ne connaît toujours pas mon nom.*

→ Lorsque « toujours » indique qu'une action est fréquente ou permanente, on emploie **always** en anglais. **Always** se place comme les autres adverbes de fréquence (voir pp. 215–16) :

I always get up at seven.
Je me lève toujours à sept heures.

→ On emploie également **always** pour traduire « toujours » dans les suggestions :

You can always try phoning him; he might be home.
Tu peux toujours essayer de l'appeler ; il est peut-être chez lui.

→ Lorsque « encore » signifie « à nouveau », il se traduit par **again** qui se place en fin de phrase :

They're fighting again!
Ils se battent encore !

! Il s'agit donc de ne pas confondre **still** et **again** :

Il joue encore aux jeux vidéo.   →   durée de l'action : **He's still playing video games.**

                                        →   répétition de l'action : **He's playing video games again.**

! Comme tous les adverbes, **again** ne peut jamais se placer entre le verbe et le complément, contrairement au français :

It's me again!   **They went to the cinema again.**
[et non ***It's again me!***]   [et non ***They went again to the**
C'est encore moi !   **cinema.***]
                                            Ils sont encore allés au cinéma.

→ Dans une phrase négative, « ne... pas encore » se traduit par **not... yet** ou **still... not**. **Yet** se place en fin de phrase tandis que **still** se met devant l'auxiliaire, ou devant **not** avec le verbe **be** :

No, I haven't done it yet.　　　　**He's not here** yet.
= **No, I** still **haven't done it.**　= **He's** still **not here.**
Non, je ne l'ai pas encore fait.　　*Il n'est pas encore là.*

→ Lorsque « encore » signifie « davantage », on emploie **more, some more**, numéral + **more, another**, ou **another** + numéral selon que le nom qui suit est dénombrable ou indénombrable (voir **Les noms dénombrables et indénombrables** p. 28) :

encore + nom dénombrable	encore + nom indénombrable
Would you like (some) **more potatoes?** *Voulez-vous encore des pommes de terre ?*	Some more **wine?** ou More **wine?** *Encore du vin ?*
One more **drink?** *Encore un verre ?*	
Another **cup of coffee?** *Encore une tasse de café ?*	
Can you wait another five **minutes?** *Peux-tu attendre encore cinq minutes ?*	

→ Devant un comparatif, « encore » se traduit par **even** :

His brother is even **taller than him.**
Son frère est encore plus grand que lui.

■ **Adverbes de lieu**

downstairs, everywhere, here, there, outside...

→ Les adverbes de lieu se placent le plus souvent à la fin de la phrase ou de la proposition. Ils ne peuvent pas se mettre entre le sujet et le verbe :

My book must be somewhere. **– I'm sorry, I really looked** everywhere.
Mon livre doit bien être quelque part. – Je suis désolé mais j'ai vraiment regardé partout.

The children are playing inside / outside.
Les enfants sont en train de jouer à l'intérieur / dehors.

He was going upstairs **when she ran** downstairs.
Il montait les escaliers lorsqu'elle est descendue en courant.

! Here et **there** se placent en début de phrase dans le sens de « voici » et
« voilà ». Il y a dans ce cas inversion sujet-verbe, sauf pour les pronoms :

> Here <u>comes</u> Alison! [mais : **Here she** <u>comes</u>.]
> *Voici Alison !*
>
> There<u>'s</u> the postman. [mais : **There he** <u>is</u>.]
> *Voilà le facteur.*

■ **Adverbes de manière**

beautifully, carefully, clumsily, cruelly, gently, kindly, secretly, slowly, suddenly...

→ Les adverbes de manière se placent en général à la fin de la phrase, en complément d'information. Mais cette règle n'est pas stricte, car la place de l'adverbe peut dépendre de la nuance recherchée. Comme pour tous les adverbes, il est toutefois impossible de séparer le verbe de son COD (mais la séparation est possible lorsqu'il s'agit d'un COI) :

He can sing it perfectly.
Il la chante à la perfection.

For once they pronounced my name properly.
[et non ***they pronounced properly my name.***]
Pour une fois, ils ont prononcé correctement mon nom.

It's strange to talk about it so naturally.
C'est bizarre d'en parler si naturellement.

> **Naturally** s'emploie aussi comme adverbe de modalité (voir pp. 223–4).

She quickly **put on her coat and went out.**
= **She put on her coat** quickly **and went out.**
[et non ***She put on** quickly **her coat***]
Elle mit rapidement son manteau et sortit.

They looked angrily **at the boy.**
= **They looked at the boy** angrily.
Elles lancèrent un regard furieux au garçon.

→ L'adverbe de manière peut parfois être placé en tête de phrase. On obtient alors un effet plus emphatique et littéraire :

Quietly, **I walked towards them.**
Je me suis approchée d'eux en silence.

→ Les adverbes **well** (*bien*) et **badly** (*mal*) se placent toujours après le COD :

He plays tennis really well.
[et non ***He plays really well tennis.***]
Il joue vraiment bien au tennis.

 Sauf dans les tournures passives où ces adverbes doivent être placés avant le verbe principal :

> **But I thought it was badly organized.**
> *Mais j'ai trouvé que c'était mal organisé.*

■ Adverbes de degré

Voici une liste de quelques adverbes de degré courants classés du plus fort au plus faible :

+	a great deal *beaucoup* considerably *considérablement* much *beaucoup* so *si* really *vraiment* very *très*	–	almost *presque* enough *assez* fairly *relativement* nearly *presque* quite *assez* rather *plutôt*
++	extremely *extrêmement* greatly *beaucoup, énormément* highly *extrêmement* immensely *énormément* too *trop*	– –	a bit *un peu* a little *un peu* slightly *un peu*
+++	absolutely *absolument* completely *complètement* entirely *entièrement* totally *totalement*	– – –	barely *à peine* hardly *à peine* little *peu* scarcely *à peine*

→ Les adverbes de degré se placent devant le nom, l'adjectif ou l'adverbe qu'ils modifient :

Our mayor is rather a bore.
Notre maire est plutôt rasoir.

He's quite pleasant, though.
Il est assez aimable pourtant.

Anyway, he takes his job very seriously.
En tout cas, il prend son travail très au sérieux.

→ Ces adverbes expriment généralement un degré de certitude. Comme les adverbes de fréquence, la plupart se placent devant le verbe (ou après le premier auxiliaire), ou après le verbe **be** aux formes simples :

I'll probably **forget her birthday again.**
Je vais probablement encore oublier son anniversaire.

She can't possibly **get here on time.**
Elle ne pourra jamais arriver à l'heure.

She's definitely **innocent.**
Elle est innocente, c'est sûr.

→ Lorsque la phrase est négative, ces adverbes se placent devant le groupe verbal :

He simply **won't do it.**
Il refuse tout simplement de le faire.

→ **Perhaps** figure généralement en tête de phrase tandis que la position des adverbes **maybe**, **surely**, **naturally** et **apparently** est beaucoup moins stricte :

Perhaps she's missed her train.
Elle a peut-être raté son train.

He'll maybe **remember to call.**
= Maybe **he'll remember to call.**
= **He'll remember to call,** maybe.
Il va peut-être penser à appeler.

They will surely **succeed.**
= Surely **they will succeed.**
= **They will succeed,** surely.
Ils vont sûrement réussir.

> Il faut savoir que l'adverbe **maybe** s'emploie beaucoup plus couramment que **perhaps**. Il vaut donc mieux utiliser **maybe** pour traduire « peut-être ».

I was naturally **surprised.**
= Naturally **I was surprised.**
= **I was surprised,** naturally.
Évidemment, cela m'a surpris.

He apparently **quit his job.**
= Apparently, **he quit his job.**
= **He quit his job,** apparently.
Il paraît qu'il a démissionné.

■ *Only* et *just*

Only (*seulement*) et **just** (*juste*) se placent généralement avant le verbe, mais ils peuvent également précéder l'élément de la phrase sur lequel ils portent :

He's only **allowed out at weekends.**
Il est seulement autorisé à sortir le week-end.

Only **he can go out tonight.**
Lui seul peut sortir ce soir.

It was only yesterday that he complained.
Il ne s'est plaint qu'hier.

I just phoned to ask you out to dinner.
J'appelais juste pour t'inviter au restaurant.

We were talking about him just / only this morning.
Nous avons parlé de lui pas plus tard que ce matin.

- **Very ou *much* ?**

→ **Very** permet de renforcer le sens de l'adjectif qu'il précède. Il se traduit souvent par « très » ou « vraiment » :

They're very kind people.
Ce sont des gens très gentils.

→ Il en est de même devant un superlatif (style soutenu, rencontré surtout à l'écrit) :

They're the very kindest people I've ever met.
Ce sont vraiment les gens les plus gentils que j'aie jamais rencontrés.

→ **Very** peut précéder un participe passé employé comme adjectif :

I am very pleased to meet you.
Je suis très heureux de faire votre connaissance.

Mais lorsque le participe passé garde sa fonction verbale, on n'emploie pas **very** mais **much** (voir p. 226).

→ **Much** s'emploie pour renforcer le sens d'un comparatif, d'un adverbe ou d'un verbe. Il se traduit généralement par « beaucoup » ou « bien » :

He's much happier now.
Il est bien plus heureux maintenant.

→ **Much** se place juste devant le comparatif qu'il renforce, que celui-ci soit un adjectif ou un adverbe :

They're much kinder than our other neighbours.
Ils sont bien plus gentils que nos autres voisins.

The other one is much more colourful.
L'autre est beaucoup plus coloré.

She cooks much better than me.
Elle cuisine beaucoup mieux que moi.

→ **Much** peut s'utiliser avec un superlatif, notamment à l'écrit dans un style soutenu ; il se place alors devant le groupe nominal :

They're much **the kindest people I've ever met.**
Ce sont vraiment les gens les plus gentils que j'aie jamais rencontrés.

Voir aussi **Les comparatifs et les superlatifs** p. 102.

→ Les verbes peuvent être renforcés par **very much** ou **a lot** :

They love dancing very much.
Ils aiment beaucoup danser.

She cries a lot.
Elle pleure beaucoup.

→ Lorsqu'un participe passé garde sa fonction verbale, on doit employer **much** ou **a lot** et non **very** :

You haven't played outside much / a lot.
Tu n'as pas beaucoup joué dehors.

Voir également very p. 225.

→ Lorsque le verbe est au passif, **much** se place devant le participe passé si la phrase est affirmative. Si la phrase est négative, **much** figure généralement en fin de phrase :

This painting has been much **admired.** [soutenu]
On a beaucoup admiré ce tableau.

It hasn't been criticized much.
On ne l'a pas beaucoup critiqué.

> Dans un style moins soutenu, on pourrait dire :
> This painting has been admired a lot.

■ *All*

All se place devant l'élément de la phrase qu'il modifie. Il signifie généralement « tout », « complètement » :

They left me all **alone.**
Ils m'ont laissé tout seul.

I forgot all **about their invitation.**
J'ai complètement oublié leur invitation.

Pour l'emploi de l'adjectif **all**, voir pp. 68–70.

- *Enough*

Employé comme adverbe, **enough** se place après l'adjectif ou l'adverbe qu'il modifie, contrairement au français :

You're not <u>old</u> enough to come with us.
[et non ***You're not enough old***]
Tu n'es pas assez grande pour venir avec nous.

Pour l'emploi de l'adjectif **enough**, voir le tableau p. 67.

- *Not*

L'adverbe de négation **not** précède l'adjectif, l'adverbe, le pronom ou le nom (ou groupe nominal) qu'il modifie :

The water is green, not blue.
L'eau est verte, pas bleue.

Are you ready? – Not **yet.**
Tu es prêt ? – Pas encore.

Who wants some more? – Not **me.**
Qui en veut encore ? – Pas moi.

It's Thomas, not **Jake.**
C'est Thomas, pas Jake.

Not **all her books are good.**
Ses livres ne sont pas tous bons.

Pour l'emploi de **not** dans les phrases négatives, voir p. 271.

- *Also, too* et *as well*

→ **Also** (*aussi*) se place en général devant le verbe alors que **too** (*aussi*) et **as well** (*également*) se placent en fin de phrase :

He lives in London, but he also **has a house in France.**
= **He lives in London, but he has a house in France** too / as well.
Il habite à Londres mais il a aussi une maison en France.

→ **Also** peut aussi se mettre directement devant le groupe nominal lorsque le verbe de la principale n'est pas repris dans la subordonnée :

I bought a new coat, and also **some shoes.**
= **I bought a new coat, and some shoes** too / as well.
J'ai acheté un nouveau manteau, et aussi des chaussures.

→ Dans un style un peu plus soutenu et moins courant, il est possible de mettre **too** juste après l'élément sur lequel il porte :

<u>They</u> too suspected he was lying.
Eux aussi le soupçonnaient de mentir.

EXERCICES

1) Complétez les phrases avec l'adverbe entre parenthèses (plusieurs solutions sont parfois possibles) :

a) The little boy was leaning over the edge. (dangerously)

b) It doesn't rain in the Sahara. (often)

c) You don't know the answer. (anyway)

d) He's hanging out with his friends. [to hang out = *traîner*] (probably)

e) She's a well-known pianist. (fairly)

f) They're visiting relatives in China. (apparently)

g) We enjoyed the meal. (very much)

2) Complétez les phrases en mettant les mots dans l'ordre :

a) We…   cinema + rarely + to + the + go

b) The doctor… gently + spoke + the + to + patient

c) The…   paid + enough + say + workers + aren't + they

d) I…   reality + simply + bear + show + that + can't + new [to bear = *supporter*]

e) The…   predictably + football + behaved + absolutely + fans

3) Ajoutez, selon le cas, still, always, again ou yet dans les phrases suivantes (plusieurs solutions sont parfois possibles) :

a) You don't understand why I love her, do you?

b) They've won!

c) We can't leave now, we haven't finished packing.

d) She's so clever she gets good marks in her exams.

e) It's not easy to apologize.

f) Although he's losing, he's hoping to win the game.

4) Traduisez en français :

a) We are rather disappointed with our car.

b) It's quite comfortable though.

c) But it's not totally reliable. [reliable = *fiable*]

d) We haven't driven in town much.

e) Strangely enough, the brakes are already worn out and the clutch too. [brake = *frein* ; clutch = *embrayage* ; to wear out = *user*]

f) Admittedly, our son tends to drive it a bit fast.

5) Traduisez en anglais :
a) Vous êtes déjà venus aux États-Unis ?

b) Oui, nous sommes déjà venus ici.

c) Êtes-vous déjà allés en Floride ?

d) Non, nous n'avons pas encore visité les États du sud. [État du sud = *southern state*]

e) Nous faisons actuellement un voyage organisé. [faire un voyage organisé = *to be on an organized tour*]

f) Vous trouverez les gens ici beaucoup plus sympas.

Points traités dans ce chapitre :

- · la place des prépositions dans la phrase
- · les principales prépositions présentées par ordre alphabétique : les traductions et les sens les plus importants de chaque préposition ; illustration des différents sens par des exemples
- · les principales prépositions de lieu : récapitulatif en images de certaines prépositions rencontrées dans ce chapitre

■ Place des prépositions

→ Les prépositions introduisent une précision de lieu, de temps, de direction, de cause, etc. Elles s'emploient devant un nom, un pronom ou un gérondif :

A bird flew in through the window.
Un oiseau est entré par la fenêtre.

Can you see that wall over there with a seagull on it?
Est-ce que tu vois le mur là-bas sur lequel une mouette est perchée ?

You can't leave without saying goodbye.
Tu ne peux pas partir sans dire au revoir.

Voir aussi Le nom verbal (ou gérondif) p. 163.

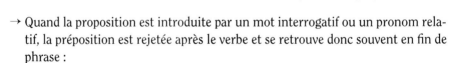

→ Quand la proposition est introduite par un mot interrogatif ou un pronom relatif, la préposition est rejetée après le verbe et se retrouve donc souvent en fin de phrase :

What are you thinking about?
À quoi tu penses ?

That's the friend I went to school with.
C'est le copain avec qui j'étais à l'école.

Voir aussi Les verbes à particules p. 205.

Principales prépositions

about (voir aussi around)

→ *à travers, à l'intérieur de* [mouvement]	**He wandered about town.** *Il s'est baladé en ville* ou *dans la ville.*
→ *partout* [dans tous les sens]	**The children were running about the garden.** *Les enfants couraient dans le jardin.*
→ *environ, à peu près*	**I've got about £5 left.** *Il me reste environ cinq livres.*
→ *au sujet de, à propos de*	**His parents are worried about him.** *Ses parents s'inquiètent à son sujet.* **What's the film about?** *De quoi parle ce film ?*
→ *sur le point de* [**about + to + V**]	**I was just about to phone him.** *J'étais sur le point de l'appeler.* ou *J'allais l'appeler.*

above (voir aussi over)

→ *au-dessus de* [position]	**I've put my favourite poster above my bed.** *J'ai mis mon poster préféré au-dessus de mon lit.*
→ *au-dessus de* [sens figuré]	**He's above all suspicion.** *Il est au-dessus de tout soupçon.*

across (voir aussi over)

→ *d'un côté à l'autre de* [mouvement]	**Don't run across the road!** *Ne traverse pas la route en courant !*
→ *de l'autre côté de* [position]	**He looked at me from across the room.** *Il me regardait de l'autre bout de la pièce.*
→ *en travers de, à travers*	**To save time, we cut across the fields.** *Pour gagner du temps, nous avons coupé à travers champs.*

> **!** Pour traduire un verbe de mouvement suivi de **across**, on a souvent recours au principe du « chassé-croisé ». En effet, en anglais le verbe exprime généralement la manière tandis que la préposition indique la direction, alors qu'en français l'ordre est inversé (voir aussi l'encadré p. 209) :
>
> **He <u>skipped</u> across the bridge.**   **They <u>swam</u> across the Channel.**
>
> *Il a traversé le pont <u>en sautillant</u>.*   *Ils ont traversé la Manche <u>à la nage</u>.*

after (voir aussi past)

→ *après* [temps]	**He arrived after me.** *Il est arrivé après moi.*
→ *après* [position]	**The shopping centre is just after the roundabout.** *Le centre commercial est juste après le rond-point.*
→ *après, derrière* [mouvement]	**The policeman was running after the stray dog.** *Le policier courait après le chien errant.* **Close the door after you, please.** *Fermez la porte derrière vous, s'il vous plaît.*

> **!** Dans un contexte passé, on emploie le prétérit avec **after** (et non le *present perfect* comme avec **since**). Comparez :
>
> **We felt very relaxed after our holiday.**
> *Nous étions très détendus après nos vacances.*
>
> **We've felt very relaxed since our holiday.**
> *Nous sommes très détendus depuis nos vacances.*

against

→ *contre, à l'encontre de* [opposition]	**I have nothing against your friends.** *Je n'ai rien contre tes amis.* **It's against the law.** *C'est illégal* ou *contraire à la loi.*
→ *contre* [contact]	**I banged my knee against the chair.** *Je me suis cogné le genou contre la chaise.*
→ *contre, en sens inverse de*	**We rowed against the current.** *Nous avons ramé à contre-courant.*
→ *contre, sur* [contraste]	**The red stands out against the beige.** *Le rouge contraste avec le beige.* **They chose a wallpaper with blue flowers against a yellow background.** *Ils ont choisi un papier peint à fleurs bleues sur fond jaune.*
→ *contre* [mesure de protection]	**She warned us against off-piste skiing.** *Elle nous a mis en garde contre les dangers du hors-piste.* ou *Elle nous a déconseillé de faire du hors-piste.* **We're insured against theft.** *Nous sommes assurés contre le vol.*
→ *par rapport à*	**The euro is rising against the dollar.** *L'euro s'est apprécié par rapport au dollar.*

among, et son synonyme amongst (voir aussi between)

→ *parmi, au milieu de, entre* [position]	**I've found a kitten among / amongst the flowers!** *J'ai trouvé un chaton au milieu des fleurs !* **I count him among / amongst my friends.** *Je le compte parmi mes amis.*
→ *parmi, entre* [sens figuré]	**He used to sell, among / amongst other things, collector's stamps and rare objects.** *Il vendait, entre autres (choses), des timbres de collection et des objets rares.*

> **Among** est plus courant que **amongst**.

around (voir aussi about et round)

→ *à travers, à l'intérieur de* [mouvement]	**She travelled around Italy this summer.** *Elle a voyagé en Italie cet été.*
→ *partout* [dans tous les sens]	**The dog started running around the house.** *Le chien s'est mis à courir dans toute la maison.*
→ *autour de* [position]	**The children were sitting quietly around the table.** *Les enfants étaient sagement assis autour de la table.* **The post office is just around the corner.** *La poste est juste au coin de la rue.* **She loves having lots of children around her.** *Elle adore être entourée de plein d'enfants.*

→ *autour de* [mouvement]	**The athletes did ten laps around the track.**
	Les athlètes ont fait dix tours de piste.
→ *environ, à peu près*	**Let's meet around seven o'clock.**
	Retrouvons-nous vers sept heures.
	He's around forty.
	Il a la quarantaine.

at

→ *à* [temps]	**Can you come at seven?**
	Est-ce que tu peux venir à sept heures ?
	I'll see her at the weekend.
	Je la verrai ce weekend.
→ *à, en, chez* [position]	**He's sitting at his desk.**
	Il est assis à son bureau.
	He's waiting at the top of / at the bottom of the stairs.
	Il attend en haut de / en bas de l'escalier.
	I hate waiting at the dentist's.
	Je déteste attendre chez le dentiste.
→ *à l'âge de*	**In the States you can drive at sixteen.**
	Aux États-Unis, on peut conduire à seize ans.
→ *à* [activité]	**She's still at work.**
	Elle est encore au travail.
→ *à* [vitesse, prix, taux, etc.]	**He was caught speeding at 60 mph.**
	On l'a surpris en train de faire du 100 à l'heure.
	You can get it in the sales at $30.
	Tu peux l'avoir en solde à 30 dollars.
	Water boils at 100°.
	L'eau bout à 100°.

Ne pas confondre **at night** (*le soir, la nuit*) et **tonight** (*ce soir, cette nuit*) :

It's ten o'clock at night.
Il est dix heures du soir.

He works at night.
Il travaille la nuit.

What are you doing tonight?
Qu'est-ce que tu fais ce soir ?

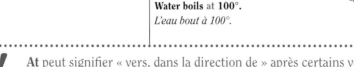

! **At** peut signifier « vers, dans la direction de » après certains verbes. La traduction de la préposition dépend du verbe employé en français :

to look at something *regarder quelque chose*
to aim at something *viser quelque chose*
to throw something at somebody *jeter quelque chose sur quelqu'un*
to shout at somebody *crier après quelqu'un*
to swear at somebody *jurer contre quelqu'un*

before (voir aussi **in front of**)

→ *avant, auparavant* [temps]	**We won't see you again before Christmas.**
	Nous ne vous reverrons pas avant Noël.
→ *avant, devant* [espace]	**Before that, I was a student.**
	Auparavant, j'étais étudiant.
	Turn right just before the baker's.
	Prenez à droite juste avant la boulangerie.

	The accident happened before my very eyes. *L'accident a eu lieu sous mes yeux.* He is appearing before the judge today. *Il comparaît devant le juge aujourd'hui.*
→ *avant, devant* [sens figuré]	They put happiness before money. *Pour eux, le bonheur passe avant l'argent.*

Dans le langage courant, on peut remplacer **before** par **in front of** pour indiquer la position au sens littéral :
> **He was waiting in front of the reception desk.**
> *Il attendait devant la réception.*

behind

→ *derrière* [position]	He's hiding behind the tree. *Il se cache derrière l'arbre.*
→ *derrière* [sens figuré]	You must put it all behind you now. *Il faut oublier tout ça maintenant.*

below (voir aussi *under*)

→ *au-dessous de, en dessous de, sous, inférieur à* [position]	He lives in the flat below ours. *Il habite l'appartement au-dessous du nôtre.* These results are below average. *Ces résultats sont en dessous de la moyenne.* The temperature is well below freezing today. *La température est bien au-dessous de zéro aujourd'hui.*

beside

→ *à côté de* [position]	The lion cub lay beside its mother. *Le lionceau était couché à côté de sa mère.*
→ *à côté de, par rapport à, comparé à*	The results look good beside last year's. *Les résultats ont l'air bon à côté de ceux de l'année dernière.*
→ *à part, excepté*	Beside my brother, we all like pizza. *À part mon frère, nous aimons tous la pizza.*

besides

→ *en plus de, à part*	Besides swimming, he also goes sailing. *En plus de la natation, il fait aussi de la voile.* There are five of us, besides my parents. *Nous sommes cinq, sans compter mes parents.*

between (voir aussi *among*)

→ *entre* [temps]	It happened between nine and ten. *Ça s'est passé entre neuf et dix heures.*
→ *entre* [espace]	He was standing between my sister and me. *Il se tenait entre ma sœur et moi.*
→ *entre* [sens figuré]	Nothing can come between us. *Rien ne peut nous séparer.*
→ *entre, parmi*	They shared the rest of the wine between them. *Ils se sont partagé le reste du vin.*

but (voir aussi *except*)	
→ *sauf, à part*	She doesn't know anyone but me. *Elle ne connaît personne à part moi.* He's done nothing but moan. *Il n'a fait que se plaindre.*

by	
→ *près de, à côté de, devant, par* [position]	It's warm by the fire. *Il fait chaud près du feu.* They left the dog by the side of the road. *Ils ont abandonné le chien au bord de la route.*
→ *près de, à côté de, devant, par* [mouvement]	I drive by the school every day. *Je passe devant l'école tous les jours.*
→ *par, en* [moyen de transport, de communication, de paiement, etc.]	We went by bus / by car / by plane / by train. *Nous y sommes allés en bus / en voiture / en avion / en train.* You can contact me by phone or by e-mail. *Vous pouvez me joindre par téléphone ou par e-mail.* You can pay by card or by cheque. *Vous pouvez payer par carte ou par chèque.*
→ *avant* [temps = pas plus tard que]	She'll be here by twelve. *Elle sera là avant midi* ou *pour midi.* You'll have it by the end of the week. *Vous l'aurez d'ici la fin de la semaine* ou *avant la fin de la semaine.* By 2010 life expectancy will be even longer. *En 2010, l'espérance de vie sera encore plus longue.*
→ *de* [temps = pendant]	We drove by day / by night. *Nous avons fait la route de jour / de nuit.*
→ *par* [complément d'agent] Voir p. 202.	He must have been eaten by sharks. *Il a dû être mangé par des requins.*
→ *en* [+ V + -ing]	She lost a stone by eating cabbage soup. *Elle a perdu sept kilos en mangeant de la soupe au chou.*
→ *selon, d'après*	You shouldn't judge him by appearances. *Tu ne devrais pas le juger d'après les apparences.* It's 6:15 by my watch. *Il est 6h15 à ma montre.*
→ *à, par, en* [fréquence, taux, etc.]	Her condition is improving little by little / day by day / year by year. *Son état s'améliore peu à peu / de jour en jour / d'année en année.* Swallow them one by one. *Avale-les un par un.*

despite, et son synonyme *in spite of*	
→ *malgré* [concession]	They went out despite / in spite of the rain. *Ils sont sortis malgré la pluie.* They gave her the part despite / in spite of the fact that she had never acted before. *Ils lui ont donné le rôle bien qu'elle n'ait jamais joué avant.* Despite leaving early, I still missed the train. *Bien que je sois parti de bonne heure, j'ai raté mon train.*

> **!** Attention à ne pas confondre les formes de ces deux prépositions ; **despite** n'est jamais suivi de **of** : **despite something** [et non ***despite of something***].
>
> Par ailleurs, ces prépositions synonymes ne sont pas toujours interchangeables : on ne peut employer que **despite** devant V + **-ing**.

---

down

→ *en bas de* [position]	**It's down the stairs on the right.** *C'est à droite en bas de l'escalier.* **We live further down the street.** *Nous habitons plus bas dans la rue.*
→ *en bas de* [mouvement]	**We often cycle down the hill.** *Nous descendons souvent la colline en vélo.*

> Ce dernier exemple illustre là encore le principe du « chassé-croisé » expliqué sous la préposition **across** p. 231.

---

during (voir aussi *for*)

→ *pendant, au cours de*	**I heard strange noises during the night.** *J'ai entendu des bruits étranges pendant la nuit.*

> **!** Ne pas confondre les prépositions **during** et **for** (*pendant*) avec la conjonction **while** (*pendant que*). **During** introduit un moment, une période de temps au cours de laquelle l'action se produit :
>
> **"When did he get married?" – "During the summer."**
> *« Quand est-ce qu'il s'est marié ? » – « Pendant l'été. »*
>
> **For** introduit la durée de l'action :
>
> **"How long did he go away for?" – "For ten days."**
> *« Il est parti pendant combien de temps ? » – « Pendant dix jours. »*
>
> **While** signifie « pendant que » et est suivi d'une proposition subordonnée :
>
> **He met her while he was living in Spain.**
> *Il l'a rencontrée pendant qu'il habitait en Espagne.*
>
> Voir également **L'expression de la durée : *for*, *since* et *ago*** p. 314 et **Les conjonctions** p. 248.

---

except (voir aussi *but*)

→ *sauf, excepté*	**Everyone's coming except you.** *Tout le monde vient sauf toi.*

---

for (voir aussi *during*)

→ *pour* [but, intention]	**I have a present for you.** *J'ai un cadeau pour toi.* **She goes bungee jumping for the thrill of it.** *Elle fait du saut à l'élastique car elle aime les sensations fortes.*

→ *pendant, pour, depuis* [durée] Voir **L'expression de la durée** : *for, since* et *ago* p. 314.	**They ran for shelter.** *Ils ont couru se mettre à l'abri.* **He stayed for an hour.** *Il est resté (pendant) une heure.* **We're going to Manchester for the day.** *Nous allons à Manchester pour la journée.* **You've been sunbathing for hours!** *Ça fait des heures que tu te fais bronzer !*
→ *pendant* [distance]	**They walked for miles.** *Ils ont marché pendant des kilomètres.*
→ *pour* [destination]	**Is there a flight for Los Angeles?** *Est-ce qu'il y a un vol pour Los Angeles ?*
→ *pour* [+ complément + **to** + V] Voir p. 303	**It's easy for him to say that.** *C'est facile pour lui de dire ça.*
→ *pour, en raison de, à cause de*	**I couldn't see anything for the sun.** *Je ne voyais rien à cause du soleil.*

> **!** Autres emplois à retenir :
>
> **to be responsible for something**   **the reason for his absence**
> [et non *****responsible of*****]   [et non *****reason of*****]
> *être responsable de quelque chose*   *la raison de son absence*

from

→ *de, à partir de, depuis* [lieu : provenance, origine, distance]	**There's no direct flight from Ottawa.** *Il n'y a pas de vol direct à partir d'Ottawa.* **My mobile was stolen from my room.** *On a volé mon portable dans ma chambre.*

> **!** Autre emploi à retenir :
>
> **to be different from something** [et non *****different of*****]
> *être différent de quelque chose*

	The swimming pool is not far from the river. *La piscine n'est pas loin de la rivière.*
→ *de, à partir de, depuis* [temps]	**From that moment on, he never spoke to me again.** *À partir de ce moment-là, il ne m'a plus adressé la parole.*
→ *de* [cause]	**He was out of breath from running so fast.** *Il était essoufflé d'avoir couru si vite.*

in front of (voir aussi *before*)

→ *devant*	**He was sitting in front of the computer.** *Il était assis devant l'ordinateur.*

in (voir aussi *into*)

→ *dans, à, en* [position]	**They're in the garden.** *Ils sont dans le jardin.* **She lives in Wales / in Italy.** *Elle habite au pays de Galles / en Italie.*

	Put it in the fridge!
	Mets-le au frigo !
	She's singing in the rain / in the shower.
	Elle chante <u>sous</u> la pluie / <u>sous</u> la douche.
	I prefer to sit in the shade.
	Je préfère m'asseoir à l'ombre.
	He's the most intelligent boy in the class / in the world.
	C'est le garçon le plus intelligent <u>de</u> la classe / <u>du</u> monde.
→ *dans, en* [temps, durée]	**He gets a lot of colds in winter.**
	Il est très souvent enrhumé en hiver.
	It'll be over in an hour.
	Ce sera terminé dans une heure.
	She cooked the meal in ten minutes.
	Elle a préparé le repas en dix minutes.
→ *en* [vêtements, moyen, etc.]	**She was in a blue dress.**
	Elle portait une robe bleue.
	Can I pay in euros?
	Est-ce que je peux payer en euros ?
	You must write it in English.
	Il faut l'écrire en anglais.
→ *par, dans* [état, situation]	**We can't go out in this weather.**
	Nous ne pouvons pas sortir par ce temps.
	In the present circumstances, we can't do anything.
	Dans les circonstances actuelles, nous ne pouvons rien faire.

> **!** Autre emploi à retenir :
> **to be interested in something** [et non ***interested by***]
> *être intéressé par quelque chose, s'intéresser à quelque chose*

inside

→ *à l'intérieur de, dans* [position]	**Stay inside the car when you visit the safari park.**
	Restez à l'intérieur de la voiture pendant toute la visite du parc animalier.

> En anglais américain, on emploie aussi **inside <u>of</u>** dans ce sens.

in spite of : voir despite

into (voir aussi in)

→ *à l'intérieur de, dans* [mouvement]	**They ran into the kitchen.**
	Ils sont entrés dans la cuisine en courant.
→ *en* [changement, transformation]	**He slipped into bed.**
	Il s'est glissé dans son lit.
	The ugly duckling turned into a swan.
	Le vilain canard s'est transformé en cygne.
→ *dans* [temps]	**She worked well into the night.**
	Elle a travaillé tard dans la nuit.

> Ce premier exemple illustre là encore le principe du « chassé-croisé » expliqué sous la préposition **across** p. 231.

near, et son synonyme near to

→ près de [position]	They live near (to) the station.	Near et **near to** sont souvent
	Ils habitent près de la gare.	interchangeables, bien que
→ près de [temps]	It's getting near (to) Christmas.	l'emploi de **near** soit plus
	C'est bientôt Noël.	courant.
→ près de, au bord de [sens figuré]	We were near (to) tears.	**Near** n'est jamais suivi de la
	Nous étions au bord des larmes.	préposition **of** : près de Paris
		= **near Paris** [et non ***near** of Paris***].

next to

→ à côté de [position]	My car is parked next to the Ferrari.
	Ma voiture est garée à côté de la Ferrari.
→ presque	I got it for next to nothing.
	Je l'ai eu pour presque rien.

of

→ de [contenu]	How many bottles of champagne had he bought?
	Il avait acheté combien de bouteilles de champagne ?
	I need to buy a map of Spain before I go.
	Il faut que j'achète une carte d'Espagne avant de partir.
→ en [matière]	This ring is made of gold.
	C'est une bague en or.
→ de [possession] Voir aussi p. 54.	I know a friend of yours.
	Je connais un de tes amis.
→ de [cause]	Some died of hunger.
	Certains sont morts de faim.
→ de [descriptif]	He's a man of influence.
	C'est un homme influent.
→ de [quantité]	Only half of the children can get on the boat.
	Il n'y a que la moitié des enfants qui peuvent monter sur le bateau.
	There are eight of us. [et non ***We are eight.***]
	Nous sommes huit.

 ! Attention à cette dernière construction. Pour préciser un nombre de personnes ou d'objets, on emploie en anglais la tournure **there are** + nombre + **of** + pronom :

> **There are six of them.** [et non ***There are six.***]
> Personnes : Ils sont six.
> Objets : Il y en a six.

off

→ de [mouvement]	He fell off the wall.
	Il est tombé du mur.
	Take that lighter off him!
	Prends-lui ce briquet !

→ *de* [position]	The yacht is moored a hundred yards off the coast.
	Le yacht est amarré à cent mètres de la côte.
→ *absent de* [école, travail]	They're off school today.
	Il n'ont pas école aujourd'hui.
→ *réduit de, déduit de* [prix]	There's 40% off these jeans.
	Il y a 40% de réduction sur ces jeans.

on

→ *sur* [position]	Your keys are on the table / on the floor.
	Tes clés sont sur la table / par terre.
	It's on page four.
	C'est à la page quatre.
→ *sur, à propos de, au sujet de*	It's a programme on frogs.
	C'est une émission sur les grenouilles.
→ *pour, en* [activité]	I'm here on business.
	Je suis ici pour affaires.
	They're away on holiday.
	Ils sont partis en vacances.
→ *dans* [moyen de transport]	I'm on the bus / on the train / on the plane.
	Je suis dans le bus / dans le train / dans l'avion.
→ *à* [moyen de communication]	She's still on the phone / on the Internet!
	Elle est encore au téléphone / sur Internet !
	It was on the news / on TV / on the radio.
	C'était au journal télévisé / à la télé / à la radio.
→ *à, avec* [source d'énergie, de revenus, etc.]	It runs on solar power / on batteries.
	Ça marche à l'énergie solaire / à piles.
	I live on £500 a month.
	Je vis avec 500 livres par mois.
	They say he's on drugs.
	On dit qu'il se drogue.
→ *en* [+ V + -ing]	I jumped for joy on hearing the news.
	J'ai sauté de joie en apprenant la nouvelle.
→ *à, ou non traduit* [temps]	For once I was on time.
	Pour une fois j'étais à l'heure.
	I'll see you on Monday.
	Je te vois lundi.
	It will be on the 22nd October / on my birthday.
	Cela aura lieu le 22 octobre / le jour de mon anniversaire.

! Autre emploi à retenir :
to depend on something [et non ***depend of***] *dépendre de quelque chose*

Ne pas confondre **on time** (*à l'heure*) et **in time** (*à temps*) :

She arrived just on time.
Elle est arrivée juste à l'heure.

I'll be back in time for the film.
Je serai de retour à temps pour le film.

opposite

→ *en face de* [position]	The park is opposite the hospital.
	Le parc est en face de l'hôpital.
→ *avec* [théâtre, cinéma]	In her new movie she stars opposite Tom Cruise.
	Elle joue avec Tom Cruise dans son dernier film.

Opposite n'est jamais suivi de la préposition *of* : *en face de l'école* = **opposite the school** [et non ***opposite of the school***].

out of

→ *à l'extérieur de, en dehors de* [mouvement]	**The fish jumped** out of **the water.** *Le poisson a sauté hors de l'eau.* **The mouse came** out of **its hole.** *La souris est sortie de son trou.*
→ *de, dans* [source]	**She took the money** out of **her purse.** *Elle a pris l'argent dans son porte-monnaie.*
→ *par, à travers*	**Don't lean** out of **the window!** *Ne vous penchez pas par la fenêtre !*
→ *en* [matière]	**It's made** out of **wood.** *C'est fait en bois.*
→ *sur* [proportion, note]	**He got nine** out of **ten in maths.** *Il a eu neuf sur dix en maths.*
→ *par* [raison]	**He did it** out of **love /** out of **jealousy /** out of **habit.** *Il l'a fait par amour / par jalousie / par habitude.*
→ *hors de* [sens figuré]	**The baby seal is now** out of **danger.** *Le bébé phoque est maintenant hors de danger.*

outside

→ *à l'extérieur de, en dehors de* [position]	**Leave it** outside **my bedroom.** *Laissez-le devant la porte de ma chambre.*

En anglais américain, on emploie aussi **outside** <u>of</u> dans ce sens.

over (voir aussi *above* et *across*)

→ *au-dessus de* [position]	**They live** over **the shop.** *Ils habitent au-dessus du magasin.*
→ *au-dessus de, sur, par-dessus* [mouvement, action]	**He kicked the ball** over **the goal.** *Il a envoyé le ballon au-dessus des buts.* **Please, don't read** over **my shoulder.** *S'il te plaît, ne lis pas par-dessus mon épaule.*
→ *de l'autre côté de* [position]	**He lives** over **the river.** *Il habite de l'autre côté de la rivière.*
→ *au cours de, pendant*	**I'll clean the car** over **the weekend.** *Je laverai la voiture pendant le week-end.* **It's improved** over **the years.** *Ça s'est amélioré au fil des ans.*
→ *plus de* [+ nombre]	**They played tennis for** over **two hours.** *Ils ont joué au tennis pendant plus de deux heures.* **He must be** over **seventy.** *Il doit avoir plus de soixante-dix ans.*

past (voir aussi *after*)

→ *après, au-delà de* [position]	**It's just** past **the roundabout.** *C'est juste après le rond-point.*
→ *devant* [mouvement]	**The bus goes** past **our house.** *Le bus passe devant notre maison.*

→ *à* [comparaison]	**They often compare her to her sister.** *Ils la comparent souvent à sa sœur.* **She thinks animals are not inferior to humans.** *Elle pense que les animaux ne sont pas inférieurs aux hommes.*
→ *de, à* [appartenance, lien]	**Here's the key to the safe.** *Voici la clé du coffre-fort.* **They don't know the answers to all the questions.** *Ils ne connaissent pas les réponses à toutes les questions.*

toward, et son synonyme *towards*

→ *vers, dans la direction de* [mouvement]	**The dog is swimming toward / towards the lifebuoy.** *Le chien est en train de nager vers la bouée de sauvetage.* **They headed toward / towards the forest.** *Ils ont pris la direction de la forêt.*
→ *envers, à l'égard de*	**I don't like your attitude toward / towards them.** *Je n'aime pas ton attitude à leur égard.*
→ *pour* [raison]	**We're saving toward / towards a house.** *Nous faisons des économies pour acheter une maison.*

> **Toward** s'emploie davantage en anglais américain et **towards** en anglais britannique.

under (voir aussi *below*)

→ *sous, au-dessous de* [position]	**A snake was hiding under his hat.** *Un serpent se cachait sous son chapeau.*
→ *sous, au-dessous de* [mouvement]	**We swam under water.** *Nous avons nagé sous l'eau.* **We had to crawl under the barbed wire.** *On a dû passer sous les barbelés en rampant.*
→ *moins de* [+ nombre]	**She must be under eighteen.** *Elle doit avoir moins de dix-huit ans.*
→ *sous* [sens figuré]	**We're working under pressure.** *Nous travaillons sous pression.* **She has fifty people working under her.** *Elle a cinquante personnes sous ses ordres.*

until : voir *till*

up (voir aussi *below*)

→ *en haut de* [position]	**The cat was up the tree.** *Le chat était dans l'arbre.*
→ *en haut de* [mouvement]	**He climbed up the ladder to reach it.** *Il est monté à l'échelle pour l'atteindre.*

with

→ *avec*	**I'll have the steak with French fries, please.** *Je prendrai le steak avec des frites, s'il vous plaît.*
→ *à* [description]	**It's the reindeer with the red nose.** *C'est le renne au nez rouge.* **He's the boy with green eyes / with long hair / with the yellow bike.** *C'est le garçon aux yeux verts / aux cheveux longs / qui a le vélo jaune.*

Les prépositions

→ *avec, chez* [lieu]	**She's staying with friends for a few days.**
	Elle passe quelques jours chez des amis.
→ *avec* [manière]	**Certainly, I'll do it with pleasure.**
	Certainement, je le ferai avec plaisir.

without

→ *sans* [+ nom]	**Don't go without any money!**
	Ne pars pas sans argent !
→ *sans* [+ V + -ing]	**He took it without asking.**
	Il l'a pris sans demander.

■ Récapitulatif en images des principales prépositions de lieu

above across around

at behind below

beside / by between down

from in in front of

inside into near

next to | off | on
opposite | out of | outside
over | past | through
to / towards | under | up

EXERCICES

---

1) Complétez chaque phrase avec une préposition de lieu :

at – into – in – to – off – from – on

a) I can't see the spider _____ the wall.

b) She won't be _____ home tonight.

c) The children jumped _____ the pool.

d) He's still waiting _____ the car.

e) The shops are ten miles _____ here.

f) I'm sorry, you can't fly _____ Washington today.

g) Get _____ that bicycle, it's mine !

2) Complétez chaque phrase avec une préposition de temps :

for – since – during – before – until – at – on

a) My friends are usually busy _____ the weekend.

b) Let's go now _____ it's too late.

c) They stayed up talking _____ 3 a.m.

d) She's been ill _____ last week.

e) The accident happened _____ a snowstorm.

f) We haven't been to the movies _____ ages.

g) Most restaurants are closed _____ Mondays.

3) Complétez chaque phrase en trouvant la préposition qui convient :

a) The horses raced _____ the track.

b) The birds were flying _____ our heads.

c) Julia Roberts starred _____ Richard Gere in "Pretty Woman".

d) Please come too, I love going shopping _____ you.

e) Can I pay _____ card, please?

f) It's like banging your head _____ a brick wall!

4) Traduisez en français :

a) They cycled over the bridge.

b) He took a knife out of his pocket.

c) He's off work today.

d) We must have gone past his street.

e) She was waiting for him outside the café.

f) I pointed at the man at the top of the hill.

5) Traduisez en anglais :

a) Je suis entré dans la maison en courant.

b) Cela fait trois mois que je ne l'ai pas vu.

c) Elle a écrit pour demander un emploi.

d) Il y a eu une coupure de courant pendant la nuit.
   [coupure de courant = *power cut*]

e) Il apprend l'anglais depuis l'année dernière.

f) Nous n'avons pas pu sortir pendant une semaine.

21

Les conjonctions

Points traités dans ce chapitre :
- les conjonctions de coordination : récapitulatif des principales conjonctions ;
  l'emploi des conjonctions **both... and, neither... nor** et **not only... but also**
- les conjonctions de subordination : récapitulatif des principales conjonctions ;
  la conjonction **that** ; les conjonctions en **-ever** et leurs synonymes ; les cojonc-
  tions formées à partir du mot **time** ; les temps utilisés avec la conjonction
  since ; l'emploi du prétérit modal après **as if / as though** ; les conjonctions **as**
  et **while** suivies de **be + -ing**

1 Les conjonctions de coordination

Les conjonctions de coordination servent à relier des mots ou des propositions qui
ont la même fonction grammaticale (deux noms, deux adjectifs, etc.).

Addition	
and	You need butter and chocolate.
	Il te faut du beurre et du chocolat.
both... and	Her job is both interesting and well-paid.
	Son travail est à la fois intéressant et bien payé.
not only... but also	She plays not only the guitar, but also the piano.
	Elle joue non seulement de la guitare, mais aussi du piano.
Opposition	
but	I wanted to leave but it was too early.
	Je voulais partir mais il était trop tôt.
yet	The work is simple yet very tiring.
	C'est un travail facile mais très fatigant.
Choix	
or	You can phone today or tomorrow.
	Vous pouvez téléphoner aujourd'hui ou demain.
nor	I couldn't understand his behaviour, nor his strange ideas.
	Je n'arrivais pas à comprendre son comportement ni ses idées bizarres.
either... or	He's either lying or hiding something from us.
	Soit il ment, soit il nous cache quelque chose.
neither... nor	I have neither the time nor the money to go on holiday.
	Je n'ai ni le temps ni les moyens de partir en vacances.

La première syllabe de **either** et **neither** peut se prononcer
soit avec le son /aɪ/, soit avec le son /iː/ (i long).

■ Both... and

Cette tournure s'emploie très souvent en anglais pour marquer l'insistance :

The film made me both **laugh and cry.**
Le film m'a fait à la fois rire et pleurer.

He plays both **the cello and the mandolin.**
Il joue à la fois du violoncelle et de la mandoline.

Both **Ellen and Max are afraid of water.**
Ellen et Max ont tous les deux peur de l'eau.

■ Neither... nor

> **!** **Neither** s'emploie toujours avec un verbe à la forme affirmative.

On peut remplacer **neither... nor** + verbe à la forme affirmative par **not... either... or** :

I've met neither **him** nor **his brother.**
= **I haven't met** either **him** or **his brother.**
Je n'ai rencontré ni lui, ni son frère.

■ Not only... but also

> **!** Il y a inversion du sujet lorsque **not only** est en tête de phrase. Cette inversion se produit avec tous les adverbes de sens négatif ou restrictif placés en début de phrase (voir p. 268). Si la phrase n'a pas d'auxiliaire, on emploie l'auxiliaire **do** au temps qui convient, suivi du sujet puis du verbe <u>non conjugué</u>.

Not only does she play **the guitar,** but also **the piano.**
= **She plays** not only **the guitar,** but also **the piano.**
Elle joue non seulement de la guitare, mais aussi du piano.

On peut également employer l'adverbe **too** qui se place toujours en fin de phrase et qui est plus emphatique que **also** :

Not only is she **bright,** but **she's funny too.**
= **She's not only bright, she's funny too.**
Elle est non seulement intelligente, mais en plus elle est drôle.

La même inversion se produit lorsque **nor** et **neither** sont employés comme adverbes de négation (voir p. 287) :

> **Sandra can't swim and** neither can I.
> = **Sandra can't swim and** nor can I.
> *Sandra ne sait pas nager et moi non plus.*

2 Les conjonctions de subordination

Les conjonctions de subordination servent à relier deux propositions qui dépendent l'une de l'autre ; ces conjonctions introduisent des propositions subordonnées qui peuvent préciser les circonstances (le temps, la manière, le lieu, etc.) dans lesquelles se déroule l'action (voir **Les subordonnées circonstancielles** p. 300) ou avoir la fonction de sujet ou, plus souvent, de complément d'objet (voir *That* p. 252 et **Les subordonnées complétives** p. 296).

Pour introduire une subordonnée complétive	
that	**He answered** that **it wasn't possible.** *Il a répondu que ce n'était pas possible.*
Pour introduire une subordonnée circonstancielle	
Temps	
after	**After he left, I watched TV.** *Après qu'il est parti* ou *après son départ, j'ai regardé la télé.*
as	**He arrived** as **I was going out.** *Il est arrivé alors que je sortais.*
as soon as	**He came** as soon as **he could.** *Il est venu aussitôt qu'il a pu* ou *dès qu'il a pu.*
before	**I saw him** before **he left.** *Je l'ai vu avant qu'il ne parte* ou *avant son départ.*
once	**Phone me** once **you get there.** *Appelle-moi une fois que tu seras arrivé* ou *dès que seras arrivé.*
since	**I've worn glasses** since **I was six.** *Je porte des lunettes depuis que j'ai six ans* ou *depuis l'âge de six ans.*
till / until	**Wait there** till / until **I come.** *Attends là jusqu'à ce que je revienne* ou *jusqu'à mon retour.*
when	**My parents adopted me** when **I was a baby.** *Mes parents m'ont adopté quand j'étais bébé* ou *lorsque j'étais bébé.*
while	**My husband looked after the children** while **I was at work.** *Mon mari s'occupait des enfants pendant que je travaillais.*
Lieu	
where	**He showed me** where **the students lived.** *Il m'a montré (l'endroit* ou *là) où habitaient les étudiants.*

> Ne pas confondre l'orthographe des synonymes **till** et **until**.

Manière	
as	Everything happened as I anticipated. *Tout s'est passé comme je l'avais prévu.*
as if / as though	He carried on as if / as though nothing had happened. *Il a continué comme si de rien n'était ou comme s'il ne s'était rien passé.*
how	Tell me how you do it. *Dites-moi comment vous faites.*

Cause	
as	I don't have time to see you as I have too much work. *Je n'ai pas le temps de te voir car j'ai trop de travail.* As it was raining, we cancelled the picnic. *Étant donné qu'il pleuvait, nous avons annulé le pique-nique.*
because	She left because she was feeling tired. *Elle est partie parce qu'elle se sentait fatiguée.*
for [soutenu]	They were surprised when he arrived punctually, for he was usually late. *Ils furent surpris de le voir arriver à l'heure, car il était souvent en retard.*
in case	I bought a ticket for you in case you were late. *Je t'ai pris un billet, au cas où tu serais en retard.*
since	Since you ask, I'll tell you what I know. *Puisque tu me le demandes, je vais te dire ce que je sais.*

But	
so	Give me some money so I can buy some sweets. *Donne-moi de l'argent pour que j'achète des bonbons.*
so that (Voir aussi **to** et **in order to** p. 243)	The person in front of me sat down so that I could see better. *La personne devant moi s'est assise pour que je puisse mieux voir ou afin que je puisse mieux voir.*

Conséquence	
so	The door was open, so I went in. *La porte était ouverte, je suis donc entré.*
so that	She didn't eat enough, so that in the end she fell ill. *Elle ne mangeait pas assez, si bien qu'elle a fini par tomber malade.*

Concession, contraste	
although / though / even though	Although / Though / Even though I don't like him, I admit he's talented. *Bien que je ne l'aime pas, je reconnais qu'il a du talent.*
even if	You can come even if you haven't been invited. *Tu peux venir même si tu n'as pas été invité.*
while	I prefer jazz, while he loves opera. *Alors qu'il adore l'opéra, moi je préfère le jazz.*
whether... or	I'm going out whether you like it or not. *Je sors, que ça te plaise ou non.*
whereas	Some scientists think that the discovery of a vaccine is imminent, whereas others are less optimistic. *Certains chercheurs pensent que la découverte d'un vaccin est imminente alors que d'autres ou tandis que d'autres sont moins optimistes.*

Though se prononce [ðəʊ] et **although**, [ɔːlˈðəʊ]. Le son /o/ est le même que dans **no** et le **th** se prononce comme celui de **that**.

Condition	
if	**If I were you, I'd tell him.** *Si j'étais toi, je le lui dirais.*
as long as / so long as	**You can go out as long as / so long as you're back before midnight.** *Tu peux sortir à condition de rentrer avant minuit ou à condition que tu rentres avant minuit.*
unless	**We won't get there on time unless we leave now.** *Nous n'arriverons pas à l'heure à moins de partir maintenant ou si nous ne partons pas maintenant.*

Comme vous pouvez le constater, certaines conjonctions peuvent avoir différents sens. C'est le cas de **as** (temps, manière, cause), **since** (temps, cause), **while** (temps, concession) et **so** ou **so that** (but, conséquence). Ces conjonctions auront donc des traductions différentes selon le contexte (voir exercice 3 pp. 256–7).

■ *That*

> On n'emploie jamais **that** pour traduire les locutions conjonctives françaises formées à l'aide de « que » (*après que, à moins que,* etc.) :
>
> **He came back after the show had finished.** [et non ***after that***]
> *Il est revenu <u>après que</u> le spectacle fut fini.*
>
> **He talked non-stop until it was time to go home.** [et non ***until that***]
> *Il n'a pas arrêté de parler <u>jusqu'à ce qu'il fût l'heure de rentrer.</u>*
>
> **I'll go unless he phones first.** [et non ***unless that***]
> *J'irai, <u>à moins qu'il ne téléphone d'abord.</u>*

La conjonction **that** introduit les propositions subordonnées complétives (voir p. 296). Elle est très souvent omise, sauf dans la langue soutenue.

It was so dark (that) I could barely see.
Il faisait si noir que je voyais à peine.

I think (that) I'll go.   **I'm glad (that) you can come.**
Je crois que je vais y aller.   *Je suis ravi que tu puisses venir.*

She answered me exactly the same way (that) her husband did.
Elle m'a répondu exactement comme son mari.

> **That** peut être omis si la proposition subordonnée est le complément d'objet direct de la phrase, mais jamais si elle en est le sujet :
>
> **He said (that) he wanted to see me.** [COD : il a dit quoi ?]
> *Il a dit qu'il voulait me voir.*
>
> **That such films can be made is unbelievable.** [sujet, style soutenu]
> *C'est incroyable que l'on puisse faire des films pareils.*

■ **Les conjonctions en *-ever* et leurs synonymes**

Il est possible d'ajouter le suffixe **-ever** à la fin de certaines conjonctions. Ce suffixe donne un sens général, comme dans l'expression française « quel que soit ».

→ **how** (*comment*) + **-ever** = however (*de quelque manière que, comme*)

However we go about it, we always get the same result.
De quelque manière qu'on s'y prenne, on obtient toujours le même résultat.

→ **when** (*quand*) + **-ever** = whenever (*chaque fois que*)

Whenever we go on a picnic, it rains.
Chaque fois qu'on part en pique-nique, il pleut.

> **Whenever** peut également être remplacé par **each time** ou **every time** (voir ci-dessous).

→ **where** (*où*) + **-ever** = wherever (*où que, partout où*)

Wherever we went, he complained about the food.
Partout où nous sommes allés, il s'est plaint de la nourriture.

On peut souvent remplacer **wherever** par **everywhere** ou, lorsqu'un choix est sous-entendu, **anywhere** :

There are tourists everywhere **we go.**
Il y a des touristes partout où on va.

You can park anywhere **you like.**
Vous pouvez vous garer où vous voulez.

■ *Each time, every time, last time, next time*

Each time ou **every time** ont le même sens que **whenever** (*chaque fois que*) :

Every time I see you, you're wearing something new.
Chaque fois que je te vois, tu portes quelque chose de nouveau.

On trouve aussi d'autres expressions avec **time** utilisées comme conjonctions, comme par exemple **(the) last time** (*la dernière fois que*) ou **(the) next time** (*la prochaine fois que*) :

I'll tell him (the) next time I see him.
Je lui dirai la prochaine fois que je le verrai.

Le temps utilisé dans les propositions subordonnées de temps est différent en anglais (voir **Subordonnées de temps** p. 300) :

Futur dans la principale, <u>présent ou *present perfect*</u> dans la subordonnée

I'll tell him next time I see him. [et non ******next time I'll see him******]
Je lui dirai la prochaine fois que je le verrai. [<u>futur</u> en français]

You'll understand once you've tried. [et non ******once you will have tried******]
Tu comprendras une fois que tu auras essayé. [<u>futur antérieur</u> en français]

■ Les temps utilisés avec la conjonction *since*

On emploie un *present perfect* (simple ou continu) dans la principale là où en français on a un présent. Dans un contexte passé, on emploie le *past perfect* (voir **Les modes, les temps et les aspects** p. 131 et **L'expression de la durée** : *for, since* et *ago* p. 314) :

I've wanted **to be a dancer (ever) <u>since</u> I was five.**
Je veux être danseur depuis que j'ai cinq ans.

They've been crying **(ever) <u>since</u> their parents left.**
Ils pleurent depuis que leurs parents sont partis.

They were tired as they had been **up <u>since</u> 4 a.m.**
Ils étaient fatigués car ils étaient debout depuis quatre heures du matin.

■ L'emploi du prétérit modal après *as if / as though*

→ Lorsque les conjonctions **as if** et **as though** introduisent une subordonnée hypothétique ou de l'irréel, elles sont suivies soit d'un prétérit modal soit d'un *past perfect* modal (voir p. 144 et p. 150) :

Situation présente irréelle	
présent dans la principale → prétérit modal ou *past perfect* modal dans la subordonnée	**He speaks to me as if / as though I** were **stupid.** *Il me parle comme si j'étais stupide.* **They're behaving as if / as though they** owned **the place.** *Ils se comportent comme s'ils étaient chez eux.* **They're talking as if / as though they** hadn't seen **each other for months.** *Ils discutent comme s'ils ne s'étaient pas vus depuis des mois.*

Situation irréelle dans le passé	
prétérit dans la principale → prétérit modal ou *past perfect* modal dans la subordonnée	**He spoke to me as if / as though I** were **stupid.** *Il m'a parlé comme si j'étais stupide.* **They behaved as if / as though they** owned **the place.** *Ils se comportaient comme s'ils étaient chez eux.* **They were talking as if / as though they** hadn't seen **each other for months.** *Ils discutaient comme s'ils ne s'étaient pas vus depuis des mois.*

! Dans le langage courant, le prétérit modal est souvent remplacé par un présent et le *past perfect* modal par un *present perfect* après **as if** et **as though** (le *past perfect* modal est peu employé) :

He speaks to me as if / as though I am stupid.
They're talking as if / as though they haven't seen each other for months.

→ Lorsque les conjonctions **as if** et **as though** sont employées avec un verbe de perception (**feel**, **look**, **seem**, **smell**, **sound**, etc.), le verbe qui suit n'est jamais au prétérit modal ou au *past perfect* modal dans une situation présente :

Situation présente	
présent dans la principale → présent ou *present perfect* dans la subordonnée	**My arm feels as if / as though it**'s broken.** *J'ai l'impression que je me suis cassé le bras.* **They look as if / as though they**'ve been enjoying **themselves.** *Ils ont l'air de s'être bien amusés.* **You sound as if / as though you**'ve caught **a cold.** *On dirait que tu as attrapé un rhume.*
Situation passée	
prétérit dans la principale → prétérit modal ou *past perfect* modal dans la subordonnée	**It smelt as if / as though something** were burning.** *Ça sentait le brûlé.* **She looked as if / as though she** had seen **a ghost.** *On aurait dit qu'elle avait vu un fantôme.*

■ *As* et *while* suivis de *be* + *-ing*

As et **while** en tant que conjonctions de temps sont souvent suivies de **be** + **-ing** :

He arrived as I was cooking.
Il est arrivé quand j'étais en train de cuisiner.

Lorsque l'action n'est pas considérée dans son déroulement, on emploie un temps simple :

The doorbell rang as I got out of **bed.**
On sonna à la porte au moment où je me levais.

EXERCICES

1) Complétez chaque phrase avec une conjonction de coordination :

or – but – and – yet – then – nor – either – neither – then

a) She said yes, _____ she said no, _____ yes again.

b) He wanted to go and watch the football game but he knew that _____ his daughter _____ his wife would go with him.

c) Patrick and Jason were polite to each other, _____ they weren't friends.

d) She hadn't gone swimming _____ been to the gym in the last week or two.

e) They can sit _____ on the benches or on the grass.

f) He was leaving for Rome the next day _____ had a great deal to do.

g) He was a strict _____ fair teacher.

2) Complétez chaque phrase avec une conjonction de subordination :

until – although – if – however – because – so that – whether – when – as if

a) I didn't know _____ you were coming or not.

b) I took a taxi _____ I wouldn't be late.

c) _____ he tells her, she'll be upset.

d) He got his nickname _____ he was four years old.

e) I'll wait here _____ you've finished.

f) She looked at me _____ I had suggested something improper.

g) He was hired _____ he was a skilled translator.

h) She might catch the last bus _____ she leaves now.

i) _____ his intentions were good, nobody believed him.

3) À l'aide des illustrations, trouvez une fin aux phrases suivantes :

a) The phone rang just as _____.
(temps)

b) Let's go inside as _____.
(cause)

c) She got a puncture
while _____.
[puncture = *pneu crevé*]
(temps)

d) I like pink while
_____.
(contraste)

e) Sit down so
_____.
(but)

f) He threatened me
so _____.
(conséquence)

4) Cochez la bonne réponse :

a) I'll call you next time
   ☐ I'll be in London.
   ☐ I'm in London.

b) ☐ They write to each other
   ☐ They've been writing to each other
since she moved to Montreal.

c) He went out while
   ☐ I slept.
   ☐ I was sleeping.

d) Don't mention anything next time
   ☐ you'll see them.
   ☐ you see them.

e) Tell me when
   ☐ you've finished.
   ☐ you'll have finished.

5) Reliez les propositions suivantes :

1) Whenever he travels   a) how I do it?

2) Wherever she goes   b) where she lives.

3) They'll be pleased   c) when I got home.

4) They called me   d) however you do it.

5) Does she mind   e) he sends me a postcard.

6) We don't know   f) she takes her camera.

6) Traduisez en français :

a) Je crois qu'il est déjà parti.

b) Appelle-moi quand tu iras mieux et que tu voudras sortir.

c) Approchez (afin) qu'on vous entende.

d) Cela ne m'étonne pas qu'il ne veuille pas venir.

e) Je le verrai avant qu'il parte.

f) Nous ne pouvons rien faire jusqu'à ce qu'elle revienne.

g) Je suis ravie que ça vous plaise.

Les structures verbales

Points traités dans ce chapitre :

- · les différentes constructions des verbes à deux compléments (COD et COI)
- · les constructions verbe + verbe : les verbes suivis d'un infinitif (verbe + **to** + V), les verbes qui appellent un gérondif (verbe + V + **-ing**) et ceux qui requièrent une base verbale (verbe + V)
- · les structures causatives et résultatives formées à partir des verbes **make**, **have**, **get** et **let**

1 Les verbes à deux compléments

→ On appelle verbes à deux compléments les verbes tels que **bring**, **give**, **lend**, **offer**, **owe**, **pass**, **pay**, **promise**, **sell**, **send**, **read**, **show**, **teach**, **tell**, **write**, etc., qui peuvent avoir un complément d'objet direct (COD) et un complément d'objet indirect (COI), également appelé « complément d'attribution » :

COI   COD
Ann showed her colleagues her holiday snaps.
Ann a montré <u>ses photos de vacances</u> <u>à ses collègues</u>.
COD   COI

→ Ces verbes peuvent se construire de deux manières différentes : le COI peut être placé avant le COD, comme dans l'exemple ci-dessus, ou bien il peut être introduit par une préposition et suivre le COD :

COD   COI
Ann showed her holiday snaps <u>to</u> her colleagues.
Ann a montré <u>ses photos de vacances</u> <u>à ses collègues</u>.
COD   COI

→ Lorsque les deux compléments sont des noms, le choix de la construction dépend du complément que l'on veut mettre en avant. Le COI désignant généralement une personne, on préfère souvent le placer avant le COD :

COI   COD
Mark told his parents the truth.
Mark a dit <u>la vérité</u> <u>à ses parents</u>.
COD   COI

→ On peut également employer **make** avec un pronom réfléchi suivi d'un participe passé. La structure **make** + pronom réfléchi + participe passé se traduit par une tournure pronominale en français :

I couldn't make **myself** heard.

Je n'arrivais pas à me faire entendre.

I can make **myself** understood **in Portuguese.**

Je me fais comprendre en portugais.

> Cependant, les tournures pronominales françaises « se faire + infinitif » (sans complément) se traduisent souvent par un passif en anglais (voir **La voix passive** p. 199) :
>
> Il s'est fait arrêter *par la police.* **He was arrested by the police.**
> J'ai failli me faire renverser *par une voiture.* **I nearly got knocked over by a car.**

■ *Have*

Attention à ne pas confondre les structures suivantes et à employer la forme verbale qui convient après le COD.

→ On emploie la structure **have** + COD + participe passé (PP) lorsque le verbe au participe passé a un sens passif :

PP

I had my hair cut.

Je me suis fait couper les cheveux.

PP

I had my watch stolen.

Je me suis fait voler ma montre.

Cette structure avec **have** met l'accent sur le <u>résultat</u>.

→ La structure **have** + COD + V a un sens actif. En anglais américain, cette construction a généralement le même sens que **make** + COD + V. En anglais britannique, on l'emploie surtout pour exprimer une <u>contrainte moins forte</u> qu'avec **make** :

V

He had me write his essays for him.

Il me faisait faire ses dissertations.

■ *Get*

> **!** À la différence de **have** et **make**, **get** est suivi de l'infinitif complet (**to** + V) :
>
> **I got him <u>to</u> tidy up his bedroom.**
> *Je lui ai fait ranger sa chambre.*

→ La structure **get** + COD + **to** + V a un sens actif :

> INFINITIF

We'll get John to come and see you.
Nous demanderons à John de venir te voir.

→ La structure **get** + COD + participe passé a un sens passif :

> PP

I must get my suit cleaned.
Il faut que je fasse nettoyer mon costume.

! Certaines tournures françaises construites avec « faire + infinitif » n'expriment pas l'idée de contrainte. Elles ne se traduisent donc pas par **make, have** ou **get** :

> *faire attendre quelqu'un* = **to keep somebody waiting**
> *faire bouillir quelque chose* = **to boil something**
> *faire cuire quelque chose* = **to cook something**
> *faire entrer / sortir quelqu'un* = **to let somebody in / out**
> *faire venir quelqu'un* = **to call** ou **send for somebody**
> etc.

■ *Let*

La tournure **let** + COD + V se traduit par « laisser faire quelque chose » en français :

They let the prisoner escape.
Ils ont laissé le prisonnier s'échapper.

I let the cake burn.
J'ai laissé brûler le gâteau.

Pour la construction de l'impératif avec **let**, voir p. 134.

EXERCICES

1) Remplacez les compléments d'objet entre parenthèses par des pronoms en ajoutant la préposition qui convient :

a) I still have to send (Susan) (my new address).

b) I read (the children) (a bedtime story).

c) I brought back (my uncle) (two bottles of wine).

d) They bought (their son) (a bike) for his birthday.

e) She sold (my neighbours) (her car).

2) Construisez des phrases avec les mots suivants en donnant les deux constructions possibles :

a) I brought + present + his mum

b) She taught + Russian + me

c) He owes + a lot of money + the Inland Revenue

d) He cooked + delicious meal + us

e) I booked + double room + you

3) Choisissez la forme qui convient (plusieurs solutions sont parfois possibles) :

1) His grandparents decided _____ to Italy when they retired.

   a) move **b)** moving **c)** to move **d)** moved

2) Her dad helped her _____ the kitchen.

   a) to paint **b)** painted **c)** paint **d)** painting

3) Daniel likes _____ for his friends.

   a) cooked **b)** to cook **c)** cooking **d)** cook

4) From tomorrow, you will be expected _____ by yourself.

   a) do it **b)** doing it **c)** to do it **d)** will do it

5) He started _____ the violin when he was eight.

   a) playing **b)** to play **c)** play **d)** played

6) The children were watching the monkeys _____ in the trees.

   a) to play **b)** playing **c)** played **d)** play

4) Remplacez le complément d'objet des verbes make, have **et** get **par le pronom qui convient :**

a) I got **the children** to decorate the room.

b) I had **the washing machine** repaired.

c) I'll get **Susan** to do it as soon as possible.

d) They made **Mark** work very hard.

e) She had **her hair** coloured.

5) Traduisez en français :

a) She made her daughter a pirate's costume.

b) Martha asked me not to say anything.

c) Did you see them leaving?

d) The children gave their teacher a present.

e) We gave the cat some cheese but he didn't like it.

f) She had her tattoo removed. [to remove = *enlever*]

6) Traduisez en anglais :

a) Je lui ai offert un tipi pour son anniversaire. [tipi = *teepee*]

b) Elle nous les montrés.

c) Elle m'a écrit une longue lettre.

d) Je viens de recevoir leur invitation. Ils nous l'ont envoyée la semaine dernière.

e) Je me suis fait piquer par une abeille. [piquer = *to sting*]

f) Elle s'est fait voler son portable.

g) Qu'est-ce qui t'a fait changer d'avis ? [changer d'avis = *to change one's mind*]

La structure de la phrase

Points traités dans ce chapitre :

- · les phrases affirmatives : la place du sujet ; les cas où se produit l'inversion du sujet ; la place des compléments
- · les phrases négatives : leur formation ; les phrases contenant un adverbe ou un pronom négatif
- · les phrases interrogatives : l'ordre des mots ; les adjectifs, pronoms et adverbes interrogatifs ; l'adverbe **ever** ; les questions indirectes
- · les phrases interro-négatives : leur formation et leur emploi
- · les phrases exclamatives : les mots exclamatifs ; l'ordre des mots dans les exclamations ; les exclamations portant sur toute la phrase

1 Les phrases affirmatives

■ Place du sujet

Le sujet précède généralement le verbe et l'auxiliaire :

My brother is an opera singer.
Mon frère est chanteur d'opéra.

He can speak several languages.
Il parle plusieurs langues.

■ Inversion sujet-verbe ou sujet-auxiliaire

L'inversion du sujet est rare à la forme affirmative, elle appartient surtout à un style littéraire ou soutenu. Cette inversion peut avoir lieu :

→ après les mots et les expressions de sens négatif ou restrictif (**hardly**, **never**, **only**, **no sooner**, **not only**, **scarcely**, **seldom**, etc.) lorsqu'ils sont placés en tête de phrase :

Scarcely had she said **these words when he arrived.**
À peine avait-elle prononcé ces mots qu'il arriva.

Little did he know **that they lived in a castle.**
Il était loin de se douter qu'ils habitaient un château.

No sooner does he finish **one novel than he starts another.**
Il n'a pas fini de lire un roman qu'il en commence un autre.

Ainsi, lorsque le verbe de la phrase affirmative est conjugué sans auxiliaire, il faut ajouter l'auxiliaire **do** conjugué au temps voulu et suivi de la base verbale pour réaliser l'inversion :

he finishes... → **no sooner** does he finish...

He never made the same mistake again. → **Never again** did he make **the same mistake.**

Il n'a plus jamais refait la même erreur.

→ dans les subordonnées conditionnelles introduites par **had**, **should** et **were** lorsque **if** est omis :

Had I known**, I wouldn't have said anything.**

= If I had known...

Si j'avais su, je n'aurais rien dit.

Should you be **interested in our offer, please contact our financial advisor.**

= If you should be...

Si cette offre vous intéresse, veuillez vous adresser à notre conseiller financier.

Were it not **for his mother, he would have emigrated.**

= If it weren't...

Sans sa mère, il aurait émigré.

→ après un adverbe d'intensité placé en tête de phrase :

<u>So beautifully</u> did he play **that it brought tears to her eyes.**

Il joua si admirablement qu'elle en eut les larmes aux yeux.

<u>Such</u> was the pain **that she nearly fainted.**

La douleur fut telle qu'elle faillit s'évanouir.

→ lorsque le complément circonstanciel est placé en tête de phrase :

<u>Among those who left</u> was her brother.

Parmi ceux qui sont partis, il y avait son frère.

→ dans des phrases introduites par un adverbe ou une particule :

<u>Up</u> came a little boy.

Un petit garçon s'est approché.

→ dans les incises indiquant que l'on rapporte les paroles de quelqu'un :

"You're late again!" said John.

« Tu es encore en retard ! » dit John.

Attention à la concordance des temps et aux changements des pronoms personnels, des possessifs et des démonstratifs dans les questions indirectes. Voir **Le discours direct et indirect** p. 306.

4 Les phrases interro-négatives

→ La forme négative et la forme interrogative peuvent être associées pour poser une question négative. Lorsque la phrase ne contient pas de mot interrogatif, on s'attend généralement à une réponse affirmative :

Aren't you pleased?
Tu n'es pas content ?

Haven't you told them?
Tu ne les a pas prévenus ?

Don't you like ice-cream?
Tu n'aimes pas la glace ?

Why aren't you coming?
Pourquoi ne venez-vous pas ?

 Les formes contractées sont très employées, surtout à l'oral. La forme non contractée s'emploie surtout dans un style soutenu ou régional ; **not** se place dans ce cas après le sujet :

Why are you not coming?
Pourquoi ne venez-vous pas?

Do these people not understand the importance of punctuality?
Ces personnes ne comprennent-elles pas l'importance de la ponctualité ?

Should you not ask for permission?
Ne devrais-tu pas demander la permission ?

→ Les phrases interro-négatives s'emploient également dans les exclamations (voir p. 279) :

Isn't he sweet!
Comme il est mignon !

5 Les phrases exclamatives

■ Mots exclamatifs

 Les mots exclamatifs sont invariables en anglais.

Mots exclamatifs		
how	+ adjectif	How **incredible!** *C'est incroyable !*
	+ adverbe	How **easily they forget!** *Comme ils oublient facilement !*
so	+ adjectif	It's so **tiring!** *C'est si fatigant !*
	+ adverbe	She understands so **quickly!** *Qu'est-ce qu'elle comprend vite !*
	+ indéfini (**much, many, little**)	It takes up so **much time!** *Ça prend tellement de temps !* They have so **many friends!** *Ils ont tant d'amis !*
what	+ nom	What **an adventure!** *Quelle aventure !* What **rubbish he talks!** *Qu'est-ce qu'il peut dire comme bêtises !*
	+ adjectif et nom	What **a strange idea!** *Quelle drôle d'idée !* What **awful weather!** *Quel temps affreux !* What **lovely flowers!** *Quelles jolies fleurs !*
such	+ nom	He's such **a character!** *Quel phénomène !* She has such **courage!** *Elle a un de ces courages !*
	+ adjectif et nom	You have such **a nice voice!** *Tu as une si jolie voix !* She has such **beautiful hair!** *Elle a de si beaux cheveux !* Her parents are such **lovely people!** *Ses parents sont des gens si charmants !*

Comme le montrent les exemples du tableau, **what** et **such** sont suivis de l'article **a / an** lorsqu'ils précèdent un nom dénombrable singulier :

> What an **adventure!** *Quelle aventure !*
> He's such a **character!** *Quel phénomène !*

Ils s'emploient sans article :

→ lorsqu'ils précèdent un nom indénombrable :

> What **awful weather!** *Quel temps affreux !*
> She has such **courage!** *Elle a un de ces courages !*

 Exceptions

les noms indénombrables **disgrace**, **fuss**, **hurry**, **mess**, **pity**, **relief**, **shame** et **shambles** qui sont précédés de l'article **a / an** :

> What a **pity!** *Quel dommage !*
> What a **shambles!** *Quelle pagaille !*
> It's such a **shame!** *C'est bien dommage !*

→ lorsqu'ils précèdent un nom au pluriel :

What books you read! *Tu lis de ces livres !*

What lovely flowers! *Quelles jolies fleurs !*

Her parents are such **lovely people!** *Ses parents sont des gens si charmants !*

Voir également **Les noms dénombrables et indénombrables** p. 28 et **L'article** *a / an* p. 11.

■ L'ordre des mots dans la phrase exclamative

→ À la différence de la phrase interrogative, il n'y a pas d'inversion du sujet dans la phrase exclamative :

How tall you are!
Comme tu es grande !

 Ne pas confondre avec la phrase interrogative :
How tall are you?
Combien mesures-tu ?

→ L'ordre reste le même dans les exclamatives indirectes :

I didn't know how **difficult** it was!
Je ne savais pas à quel point c'était difficile !

 Attention à la concordance des temps dans les phrases exclamatives indirectes. Voir **Le discours direct et indirect** p. 306.

■ Exclamations portant sur toute la phrase

→ Les exclamations introduites par **how** et **what** peuvent porter sur toute la phrase :

How you've changed!
Comme tu as changé !

How your children have grown!
Comme vos enfants ont grandi !

→ C'est le cas également des tournures interro-négatives (voir p. 276) employées dans des exclamations :

! L'ordre sujet-auxiliaire est inversé dans les tournures interro-négatives.

Isn't she **funny!**
Qu'est-ce qu'elle est drôle !

Didn't they leave **quickly!**
Comme ils sont partis vite !

EXERCICES

1) Mettez les mots dans l'ordre pour reconstituer des phrases :

a) day + you + what + did + on + do + your + off + ?

b) wanted + you + didn't + say + to + you + gardening + take up + ?

c) they + answer + you + given + have + an + yet + ?

d) must + live + to + how + difficult + he + be + with + !

e) I've + think + I + don't + seen + anything + ever + that + like + !

f) to + she + asked + I + her + if + wanted + us + join

2) Mettez les phrases suivantes à la forme négative :

a) I saw John yesterday.

b) We accept credit cards.

c) You should go.

d) The children were playing in the garden.

e) He sings in a choir.

f) There's nothing to say.

3) Complétez les phrases à l'aide du mot interrogatif qui convient :

what – how – which – who – when – where – whose – why

a) _____ deep is the water?

b) _____ will you come and visit us?

c) _____ is it so difficult for you to apologize?

d) _____ many stamps do you need?

e) _____ is the best place to meet?

f) _____ have you got in your bag?

g) _____ of his new songs do you like best?

h) _____ do you spell your surname?

La structure de la phrase

i) _____ would like to join us?

j) _____ birthday is it?

k) _____ expensive is it?

4) Complétez les phrases à l'aide du mot exclamatif qui convient :

how – what – such – so

a) I'd never seen _____ many jellyfish!

b) _____ a dreadful day!

c) He has _____ a strong will!

d) _____ a disappointment it must have been!

e) _____ kind of you!

f) They're both working _____ hard!

g) I had never heard _____ nonsense before!

5) Mettez les phrases suivantes à la forme interrogative :

a) You know how to change a tyre.

b) We should ask them what they think.

c) You were pleased to see your cousins.

d) Helen and Sophie organized everything.

e) I've never been to San Francisco.

f) Sarah is learning Chinese.

6) Traduisez en français :

a) Never did I think this would happen.

b) Had he got there on time, he wouldn't have missed his train.

c) How long has he been working with you?

d) Little did I know he would react so badly.

e) What's that thing?

f) How long have you known them for?

7) Traduisez en anglais :

a) À qui parlais-tu ?

b) À qui sont ces chaussures ?

c) J'ai du café ou du thé, qu'est-ce que tu veux ?

d) Il lui a demandé quand elle partait.

e) Que c'était drôle !

f) Quel genre de chapeau voulez-vous ?

Les *question tags* et les réponses elliptiques

Points traités dans ce chapitre :

- les *question tags* : définition, traduction, formation, emploi et intonation
- la formation des réponses brèves après les questions fermées et les questions commençant par **who** ou **which**
- les réponses elliptiques avec des verbes d'opinion : verbe + **so**, ou verbe + **not**
- les réponses elliptiques avec le **to** de l'infinitif
- les reprises avec l'adverbe **so** pour traduire « moi / toi / *etc.* aussi » et les reprises avec **neither**, **nor** et **not either** pour traduire « moi / toi / *etc.* non plus »

---

1 Les *question tags*

Les *question tags* sont des tournures interrogatives placées en fin de phrase qui permettent de renforcer une question ou de demander une confirmation (**to tag on** signifie « ajouter », du nom **tag** qui veut dire « étiquette »).

Les *question tags* peuvent se traduire de différentes façons, en fonction du contexte et du niveau de langue : « n'est-ce pas ? », « hein ? », « pas vrai ? », « non ? », « d'accord ? », etc. Mais il est parfois plus naturel de ne pas les traduire du tout : les *question tags* sont en effet beaucoup plus employés en anglais que leurs équivalents français.

→ Pour former un *question tag*, on reprend **have**, **be** ou le modal présent dans la phrase, avec un pronom personnel sujet. S'il n'y a pas d'auxiliaire dans la phrase principale, on emploie **do** au temps utilisé dans la principale. Le verbe du *question tag* est à la forme interro-négative lorsque le verbe de la phrase principale est à la forme affirmative, ou à la forme interrogative lorsque le verbe de la principale est à la forme négative :

Phrase affirmative → *tag* interro-négatif	Phrase négative → *tag* interrogatif
We can count on him, can't we? *On peut compter sur lui, n'est-ce pas ?*	**We can't count on him,** can we? *On ne peut pas compter sur lui, n'est-ce pas ?*
You've got their address, haven't you? *Tu as leur adresse, hein ?*	**You haven't got their address,** have you? *Tu n'as pas leur adresse ?*
They'll come with us, won't they? *Ils viendront avec nous, n'est-ce pas ?*	**They won't come with us,** will they? *Ils ne viendront pas avec nous, n'est-ce pas ?*

You know them, don't you?	You don't know them, do you?
Tu les connais, n'est-ce pas ?	*Tu ne les connais pas, n'est-ce pas ?*
Nick knew what to do, didn't he?	Nick didn't know what to do, did he?
Nick savait ce qu'il fallait faire, non ?	*Nick ne savait pas ce qu'il fallait faire, pas vrai ?*

Dans les *question tags* négatifs, on emploie les formes contractées.

! L'intonation est montante lorsque le *question tag* correspond à une vraie question :

You haven't seen my glasses, have you? *Tu n'as pas vu mes lunettes, dis ?*

Elle est descendante lorsqu'il s'agit plutôt d'une affirmation et que l'on attend une simple confirmation :

He's a bit thick, isn't he? *Il n'est pas très futé, non ?*

→ On trouve parfois un *tag* interrogatif après une phrase affirmative. Le *tag* a dans ce cas une valeur emphatique et peut exprimer la surprise, l'ironie, l'irritation, etc. :

So you've seen the Loch Ness monster, have you?
Alors comme ça, vous avez vu le monstre du loch Ness ?

→ Après un ordre à l'impératif, on emploie **will** à la forme interrogative dans le *tag* :

Leave the cat alone, will you?
Laisse le chat tranquille, veux-tu ?

Dans les énoncés de ce type, l'intonation est montante.

→ On emploie la forme négative **won't** pour formuler une invitation :

Help yourselves to drinks, won't you?
Servez-vous à boire, je vous en prie.

→ Après une suggestion introduite par **let's**, on emploie **shall** à la forme interrogative dans le *tag* :

Let's go for a walk, shall we?
Allons faire un tour, d'accord ?

Dans les énoncés de ce type, l'intonation est montante.

→ Lorsque la phrase principale comprend un pronom ou un adverbe de sens négatif ou restrictif (tels que **never, nobody, nothing, hardly**, etc.), le *tag* ne peut pas être à la forme interro-négative :

He never saw her again, did he?
Il ne l'a plus jamais revue, hein ?

He can hardly walk, can he?
C'est à peine s'il arrive à marcher, n'est-ce pas ?

Voir également **Les phrases négatives** p. 271.

→ Les pronoms indéfinis **everybody, everyone, somebody, someone, nobody**, etc. sont repris par le pronom **they** dans le *tag* (voir p. 42) :

Everyone is ready, aren't they?
Tout le monde est prêt, n'est-ce pas ?

Nobody called, did they?
Personne n'a appelé ?

→ Lorsque **have** est un verbe à part entière et non un auxiliaire, il se conjugue avec **do** comme tous les autres verbes (voir *Have* p. 123). On emploie donc aussi **do** dans le *question tag* :

They had a red car, didn't they?
Ils avaient une voiture rouge, non ?

→ Lorsque **have** est auxiliaire dans la phrase principale, il est repris dans le *question tag* :

You've been lying to us, haven't you?
Tu nous as menti, n'est-ce pas ?

 Après **have got**, on emploie également **have** dans le *question tag* car **have** est dans ce cas auxiliaire. Comparez :
> **They have a red car, don't they?**
> **They've got a red car, haven't they?**
> *Ils ont une voiture rouge, non ?*

→ Les démonstratifs **this** et **that** sont repris par le pronom **it**, et les démonstratifs **these** et **those** par le pronom **they** :

That's strange, isn't it?
C'est bizarre, non ?

These biscuits are a bit stale, aren't they?
Ces gâteaux secs sont plutôt rassis, non ?

→ À la première personne du singulier, le *question tag*
de **be** est **am I?** après une phrase négative et **aren't I?**
après une phrase affirmative :

I'm not bothering you, am I?
Je ne vous dérange pas, j'espère ?

I'm deluding myself, aren't I?
Je me fais des illusions, non ?

2 Les réponses et les reprises elliptiques

■ Réponses brèves

→ En anglais, au lieu de répondre à une question simplement par **yes** ou **no**, on
reprend souvent le pronom sujet avec l'auxiliaire ou le modal contenu dans la
question. Ce type de reprise est parfois légèrement emphatique :

Question	Réponse affirmative	Réponse négative
Are you ready? *Tu es prêt ?*	**Yes, I am.** *Oui.*	**No, I'm not.** *Non.*
Do you drink coffee? *Est-ce que vous buvez du café ?*	**Yes, I do.** *Oui.*	**No, I don't.** *Non.*
Didn't Rebecca tell you? *Rebecca ne te l'a pas dit ?*	**Yes, she did.** *Si.*	**No, she didn't.** *Non.*
Is that possible? *Est-ce que c'est possible ?*	**Yes, it is.** *Oui.*	**No, it isn't.** *Non.*
Are there any oranges left? *Est-ce qu'il reste des oranges ?*	**Yes, there are.** *Oui.*	**No, there aren't any.** *Non.*
Have you finished? *Est-ce que tu as fini ?*	**Yes, I have.** *Oui.*	**No, I haven't.** *Non.*
Will they travel together? *Voyageront-ils ensemble ?*	**Yes, they will.** *Oui.*	**No, they won't.** *Non.*

Les démonstratifs **this**
et **that** sont repris par
le pronom **it**, et les
démonstratifs **these** et
those par le pronom
they.

Alors que la contraction est impossible à la forme affirmative, on
emploie le plus souvent les formes contractées à la forme négative
(les formes pleines s'utilisent uniquement pour insister).

Lorsque **have** est auxiliaire, il est repris dans la réponse :

> **"Have you been lying to us?" – "No, I haven't."**
> *« Tu nous a menti ? » – « Non ! »*

Lorsque **have** est un verbe à part entière, on emploie l'auxiliaire **do** dans la réponse :

> **"Do you have a computer?" – "Yes, I do."**
> *« Est-ce que vous avez un ordinateur ? » – « Oui. »*

→ De même, on répond souvent aux questions commençant par **who** ou **which** en reprenant l'auxiliaire contenu dans la phrase (plutôt que par un nom ou un pronom seul, comme en français). S'il n'y a pas d'auxiliaire dans la phrase principale, on emploie **do** au temps utilisé dans la principale :

Question	Réponse affirmative	Réponse négative
Who broke the remote control? *Qui a cassé la télécommande ?*	**I did.** *C'est moi.*	**I didn't.** *Ce n'est pas moi.*
Who can dance the tango? *Qui sait danser le tango ?*	**I can.** *Moi.*	**I can't.** *Pas moi.*
Who told you that? *Qui vous a dit cela ?*	**The boss did.** *Le patron.*	Là encore, on emploie les formes contractées dans les réponses négatives (sauf si l'on veut insister : **I did not!**).
Which actress could play this part? *Quelle actrice serait capable de jouer ce rôle ?*	**Caroline could.** *Caroline.*	

Dans le langage courant, on emploie souvent uniquement le pronom pour répondre à une offre, mais cette réponse est légèrement familière :

> **"Who wants some chocolate cake?" – "Me!"**
> *« Qui veut du gâteau au chocolat ? » – « Moi ! »*

De façon plus polie, on dira :

> **"Who wants some chocolate cake?" – "I'd love some!"**
> *« Qui veut du gâteau au chocolat ? » – « Avec plaisir ! »*

■ Réponses elliptiques avec verbes d'opinion

→ Pour éviter de reprendre toute la phrase dans la réponse, on peut employer **so** avec des expressions et des verbes tels que **appear, be afraid, believe, expect, guess, hope, imagine, seem, reckon, suppose, think**, etc. :

"Have the lions been fed?" – "I think so."

« Est-ce qu'on a donné à manger aux lions ? » – « Je crois que oui. »

"Have the snakes escaped?" – "I'm afraid so."
« Est-ce que les serpents se sont échappés ? » – « J'en ai bien peur. »

So permet ainsi d'éviter d'employer une relative introduite par **that** : "I think (that) they have been fed." ; "I'm afraid (that) the snakes escaped."

→ Dans les réponses négatives avec **so**, on emploie l'auxiliaire **do** + **not** à la forme contractée, sauf pour **be afraid**, **guess** et **hope** qui sont suivis directement de **not** :

"Is it cold out?" – "I don't think so."
« Est-ce qu'il fait froid ? » – « Je ne pense pas. »

"Have they made up?" – "I'm afraid not."
« Est-ce qu'ils se sont réconciliés ? » – « J'ai bien peur que non. »

"Is she ill?" – "I hope not."
« Elle est malade ? » – « J'espère que non. »

> On trouve parfois également les formes **I believe not**, **I suppose not** ou **I think not**.

→ Les tournures **had better** et **would rather** peuvent être utilisées dans des réponses brèves :

"Shall I wake him up?" – "Yes, you'd better."
« Est-ce que je le réveille ? » – « Oui, il vaudrait mieux. »

"Shall we go for a walk?" – "I'd rather not."
« On va faire un tour ? » – « J'aimerais mieux pas. »

■ **Réponses elliptiques avec *to***

Une réponse brève peut se terminer par **to** après des expressions et des verbes suivis de l'infinitif tels que **be allowed**, **be supposed**, **have**, **love**, **prefer**, **tell**, **want**, **would like**, etc. :

"Would you like to come with us?" – "I'd love to."
« Voulez-vous venir avec nous ? » – « Avec plaisir. »

"Can you show me the files?" – "I'm not allowed to."
« Pouvez-vous me montrer les dossiers ? » – « Je n'ai pas le droit. »

"Why did you leave so early?" – "I had to."
« Pourquoi es-tu parti si tôt ? » – « Il le fallait. »

To permet ainsi d'éviter de répéter toute la proposition infinitive : "I'd love to (come with you)." ; "I'm not allowed to (show you the files)." ; "I had to (leave early)."

■ Reprises avec *so* et *neither* : traduction de « moi / toi / *etc.* aussi » et de « moi / toi / *etc.* non plus »

→ Après une phrase affirmative, on emploie **so + auxiliaire + sujet** pour traduire « moi / toi / lui / *etc.* aussi » (attention à l'inversion sujet-auxiliaire en anglais). S'il n'y a pas d'auxiliaire dans la phrase, on utilise **do** au temps employé dans la phrase principale :

"They're always partying." – "So are my neighbours."
« *Ils sont toujours en train de faire la fête.* » – « *Mes voisins aussi.* »

"I love seafood." – "So do I!"
« *J'adore les fruits de mer.* » – « *Moi aussi !* »

! On peut également employer une reprise avec **too** (sujet + auxiliaire + **too**) :
"I love seafood." – "I do too!"
« *J'adore les fruits de mer.* » – « *Moi aussi !* »

Dans le langage courant, on emploie souvent **me too** pour dire « moi aussi » (cette tournure n'est possible que pour la 1re personne) :
"I love seafood." – "Me too!"

We arrived early and so did he.
Nous sommes arrivés tôt et lui aussi.

→ Après une phrase négative, trois constructions sont possibles pour traduire « moi/ toi/ lui/ etc. non plus » : **neither** + auxiliaire + sujet ; **nor** + auxiliaire + sujet ; sujet + auxiliaire + **not** + **either** (attention à l'inversion sujet-auxiliaire dans les deux premières constructions). S'il n'y a pas d'auxiliaire dans la phrase, on utilise **do** au temps employé dans la phrase principale :

"I can't swim!"   **"Neither can I!"**
« *Je ne sais pas nager !* »   « *Moi non plus !* »
                        "Nor can I!"
   « *Moi non plus !* »
                        "I can't either!"
                        « *Moi non plus !* »

La première syllabe de **either** et **neither** peut se prononcer soit avec le son /aɪ/, soit avec le son /iː/ (i long).

"She won't change her mind and neither will we **/ and** nor will we **/ and** we won't either.**"**
« *Elle ne changera pas d'avis et nous non plus.* »

EXERCICES

1) Complétez les phrases suivantes avec un *question tag* :

a) We deserve a holiday, _____?

b) They're not fighting again, _____?

c) She wanted to meet them, _____?

d) You'll help me, _____?

e) You've been to New York before, _____?

f) You wouldn't like being shouted at, _____?

g) She is very patient, _____?

h) You'd like to go on that trip, _____?

i) Mind your own business, _____?

2) Mettez les phrases suivantes à la forme négative en modifiant le *question tag* :

a) You saw John yesterday, didn't you?

b) Everybody agrees, don't they? [*changez le pronom indéfini en* nobody]

c) You've cleaned the bathroom, haven't you?

d) You could leave earlier, couldn't you?

e) You'll manage by yourself, won't you?

3) Répondez par l'affirmative puis par la négative aux questions suivantes (en utilisant le style des réponses brèves) :

a) Do you know how to change a fuse?

b) Will you come and visit us?

c) Did he arrive on time?

d) Have they ever been to Arizona?

e) Is she learning to drive?

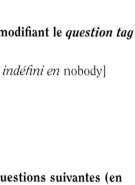

4) Reliez les questions et les réponses :

1) Who took my slipper? [slipper = *chausson*]   a) I guess not.

2) Why didn't you come to work yesterday?   b) I'd love to!

3) She won't change, will she?   c) I didn't, the dog did.

4) Shouldn't he tell his parents?   d) I'm afraid so.

5) Shall we go for a picnic?   e) Because I wasn't supposed to.

6) Is the concert sold out?   f) He'd rather not.

5) Traduisez en français :

a) I should let them know, shouldn't I?

b) They won't give up now, will they?

c) That's not easy, is it?

d) So you think they told us everything, do you?

e) You know her well, don't you?

f) We had no matches and neither had they. [match = *allumette*]

g) I won't have the time and neither will he.

h) "Why don't you ask him to join us?" – "He doesn't want to."

6) Traduisez en anglais :

a) Ces billets sont chers, non ?

b) Tu n'oublieras pas, dis ?

c) C'était drôle, non ?

d) Montre-moi ce qu'il faut faire, veux-tu ?

e) Recommençons depuis le début, d'accord ?

f) « C'est bientôt fini ? » – « Je crois. »

g) « Il ne boit pas de lait. » – « Moi non plus. »

h) « J'aimerais mieux y aller en train. » – « Moi aussi. »

i) « Qui t'a donné ça ? » – « C'est lui ! »

Les propositions subordonnées

Points traités dans ce chapitre :

- les subordonnées relatives : la différence entre les relatives déterminatives et non déterminatives ; le choix des principaux pronoms relatifs (**which, who, whom, that, Ø**) ; le pronom complément du nom **whose** ; les pronoms **which** et **what** employés pour traduire « ce qui / ce que » ; les pronoms relatifs **when, where** et **why** ; les composés en **-ever**
- les subordonnées complétives, que l'on trouve généralement après des verbes transitifs et qui se construisent avec la conjonction **that**
- les subordonnées infinitives : les subordonnées construites avec un infinitif (**to** + V) et celles introduites uniquement par une base verbale (V)
- les subordonnées participiales : l'emploi du participe présent et du participe passé dans les subordonnées
- les subordonnées circonstancielles : les subordonnées de temps et les problèmes de concordance de temps dans ces propositions ; les subordonnées conditionnelles et les différents temps utilisés en fonction du degré de probabilité ; les subordonnées de but

1 Les subordonnées relatives

On trouve deux sortes de subordonnées relatives, les déterminatives et les appositives. Il est important de pouvoir les distinguer car elles conditionnent en partie le choix du pronom relatif.

■ Relatives déterminatives ou appositives ?

→ La relative <u>déterminative ou restrictive</u> apporte une précision essentielle sur l'antécédent :

The man that sells oranges on the market **is wanted by the police.**
L'homme qui vend des oranges au marché est recherché par la police.

Ici, la relative identifie le sujet. On ne peut pas la supprimer, sinon la phrase perdrait son sens. On remarquera l'absence de virgules dans ce cas.

→ La relative <u>non déterminative ou appositive</u> (ou encore <u>explicative</u>) apporte simplement une information supplémentaire, non essentielle, sur l'antécédent :

Mr Brown, who sells oranges on the market, is wanted by the police.

Monsieur Brown, qui vend des oranges au marché, est recherché par la police.

Ici, la relative ajoute un complément d'information sur un sujet déjà identifié. On pourrait supprimer la relative et la phrase garderait son sens. On remarquera la présence de virgules dans ce cas, car il s'agit d'une apposition, d'une incise.

■ **Le choix des principaux pronoms relatifs**

On peut classer les principaux pronoms relatifs en trois catégories :

· **which / who / whom**

· **that**

· omission du relatif, représentée dans le tableau ci-dessous par le symbole **Ø** (« relatif zéro »)

Pour **whose** et **what**, voir pp. 294–5. Voir aussi **Mots interrogatifs** p. 273.

Le choix du pronom relatif dépend du type de la subordonnée, de l'antécédent et de la fonction du pronom dans la subordonnée :

Subordonnée	Antécédent	Fonction sujet	Fonction complément
déterminative	humain	that – who	that – Ø – who(m)
	non humain	that – which	that – Ø – which
non déterminative (appositive)	humain	who	who(m)
	non humain	which	which

> Le pronom complément **whom** est rarement utilisé de nos jours ; on le trouve surtout à l'écrit dans un style soutenu. Dans le langage courant, il tend à être remplacé par **who** (sauf directement après une préposition).

→ Dans les subordonnées déterminatives, tous les pronoms relatifs sont possibles (**that, which, who(m)**, ou pronom zéro), même s'il est toutefois plus courant d'employer **that** ou d'omettre le pronom. L'emploi de **that** (ou son omission) est d'ailleurs obligatoire après les ordinaux, les superlatifs, **all** et les composés en **-thing** (**something**, etc.) :

It's <u>the first peach</u> (that) I've eaten this year.

C'est la première pêche que je mange cette année.

It was <u>the worst game</u> (that) they've played this season.

C'était le pire match qu'ils aient joué cette saison.

→ Lorsque le verbe utilisé dans la subordonnée requiert l'emploi d'une préposition, celle-ci se place généralement après le verbe, contrairement au français où elle précède le pronom relatif :

There's the boy (that / who) **she was talking to.**
Voilà le garçon à qui elle parlait.

Voir aussi **Verbe + particule prépositionnelle**, p. 207.

→ Il est cependant possible, dans une relative non déterminative, de placer la préposition avant le pronom. Il s'agit d'un usage que l'on rencontre surtout à l'écrit dans un style soutenu :

The latest report, for which **we have done a lot of research, will soon be ready.**
[= which **we have done a lot of research** for]
Le dernier rapport, pour lequel nous avons fait beaucoup de recherches, sera bientôt prêt.

! Dans les déterminatives, l'emploi de la préposition avant le pronom est grammaticalement possible mais peu naturel, et donc à éviter (**There's the boy to whom she was talking.**).

Souvenez-vous que seuls **which** et **whom** peuvent suivre directement une préposition.

■ *Whose* : pronom relatif complément du nom

→ **Whose** est un pronom relatif complément du nom qui s'emploie dans les deux types de subordonnées relatives et avec n'importe quel antécédent (humain ou non humain) :

Our neighbours, whose son **is an actor, have gone to see him in Hollywood.**
Nos voisins, dont le fils est acteur, sont partis le voir à Hollywood.

The castle, whose owner **is on holiday in Bermuda, has been broken into.**
Le château, dont le propriétaire est en vacances aux Bermudes, a été cambriolé.

→ Dans une relative non déterminative, on trouve parfois la construction **of which**. Cet emploi est toutefois très rare :

There's an island in the Pacific, the name of which **escapes me, with only ten inhabitants.**
Il y a une île dans le Pacifique, dont le nom m'échappe, qui a seulement dix habitants.

- **Which** et *what* : traductions de « ce qui / ce que »
  - → **Which** permet de traduire « ce qui / ce que » dans une relative non détermina-tive. Ce genre de relative apporte un commentaire sur la proposition qui la précède. Elle est séparée de la proposition précédente par une virgule :

    She had remembered to wear her seat belt, which saved her life.
    Elle avait pensé à attacher sa ceinture de sécurité, ce qui lui a sauvé la vie.

  - → **What** permet de traduire « ce qui / ce que » dans une relative déterminative. Ce type de subordonnée est indispensable à la phrase et ne sera donc pas séparée par une virgule :

    What you need **is a hot bath.**
    Ce qu'il te faut, c'est un bon bain chaud.

    I don't understand what he means.
    Je ne comprends pas ce qu'il veut dire.

- **When, where** et *why*
  - → **When** renvoie à un antécédent de temps. Il est souvent omis ou remplacé par **that** :

    I shall never forget <u>the day</u> (when) **it happened.**
    Je n'oublierai jamais le jour où c'est arrivé.

    Contrairement aux subordonnées circonstancielles de temps (voir p. 300), il est possible d'employer le futur après le pronom relatif **when**.

  - → **Where** reprend un antécédent de lieu ; ce pronom ne peut pas être omis :

    This is <u>the place</u> where **the money is hidden.**
    Voici l'endroit où l'argent est caché.

 Attention à la traduction du pronom relatif français « où » :

Lieu	Temps
↓	↓
C'est le pays <u>où</u> je suis né.	*C'est le jour <u>où</u> tu es arrivé.*
That's the country where I was born.	**That's the day (when / that) you arrived.**

  - → **Why** se réfère à un antécédent de cause. Il est souvent omis et peut être remplacé par **that** :

    That's <u>the reason</u> (why) **I don't believe you.**
    Voilà la raison pour laquelle je ne vous crois pas.

■ **Les composés en** *-ever*

Le suffixe **-ever** renforce le pronom relatif de base. Ces composés en **-ever** se traduisent différemment selon le contexte mais le suffixe a souvent le sens général de « peu importe ».

→ **what** + **-ever** = whatever

Take whatever **you want.**	Whatever **happens, stay calm.**
[= Take what you want.]	[= No matter what happens...]
Prenez tout ce que vous voulez.	*Quoi qu'il arrive, restez calme.*

→ **which** + **-ever** = whichever

Keep whichever **(one) you prefer.** [= **Keep the one...**]
Gardez celui que vous préférez.

Whichever **of the routes you choose, allow about two hours.**
[= **No matter which of the routes...**]
Quel que soit le chemin que vous choisissiez, comptez environ deux heures.

→ **who** + **-ever** = whoever

Whoever **wants it can have it.** [= **Anyone who...**]
Celui qui le veut peut le prendre.

Whoever **you vote for, make sure he's honest.** [= **No matter who...**]
Quel que soit celui pour qui vous votez, assurez-vous qu'il est honnête.

Voir aussi les conjonctions en **-ever** (**however**, **whenever** et **wherever**) p. 253.

2 Les subordonnées complétives

Les subordonnées complétives ou nominales ont, dans la phrase, la même fonction qu'un groupe nominal (sujet, complément d'objet, etc.).

→ Ces subordonnées sont reliées à la proposition principale par la conjonction **that**. L'omission de cette conjonction est fréquente lorsqu'elle introduit une subordonnée complément d'objet :

I imagine (that) **you will want to leave early.**
J'imagine que vous voudrez partir de bonne heure.

They say (that) **the wine is excellent here.**
On dit que le vin est excellent ici.

Voir aussi *That* p. 252.

→ Après certains verbes ou expressions, l'omission de **that** est cependant impossible. Par exemple :

The Minister <u>answered</u> that much remained to be done.
[et non ***The Minister answered much...***]
Le ministre a répondu qu'il restait beaucoup à faire.

3 Les subordonnées infinitives

■ **Subordonnées construites avec l'infinitif (*to* + V)**

On trouve les subordonnées infinitives après les verbes exprimant une volonté ou une opinion par rapport à une situation à venir.

Voici quelques verbes courants suivis de **to** + V :

advise (*conseiller*)	**persuade** (*persuader*)
ask (*demander*)	**prefer** (*préférer*)
expect (*s'attendre à*)	**tell** (*dire*)
force (*forcer*)	**want** (*vouloir*)

Voir également **Les constructions verbe + verbe** p. 261.

→ Le sujet de l'infinitif peut être le même que dans la proposition principale ou différent. Dans le premier cas, la traduction ne pose pas de problème, mais dans le deuxième cas, la structure française est très différente. Comparez :

· Le sujet est le même pour les deux verbes :

He refuses to pay.   **She offered to help us.**
Il refuse de payer.   *Elle a proposé de nous aider.*

· Le sujet est différent de celui de la principale (lorsque le sujet de l'infinitif est un pronom, celui-ci est à la forme complément) :

His parents want <u>him</u> to drive carefully.
Ses parents veulent qu'il conduise prudemment.

I expected <u>Sally</u> to arrive first.
Je m'attendais à ce que Sally arrive la première.

La construction **that** + subjonctif est impossible après ces verbes :
Tarzan veut que Jane vienne.   **Tarzan wants Jane to come.**
                                 [et non ***Tarzan wants that Jane come.***]

→ Si l'infinitif est négatif, la négation **not** se place devant **to** :

They told me <u>not</u> to worry.
Ils m'ont dit de ne pas m'inquiéter.

→ Avec certains verbes courants tels que **come**, **go**, **try**, **wait** et **stay**, on remplace souvent le **to** de l'infinitif par **and** :

Come and **see us on Sunday.**   **Wait** and **see!**
Venez nous voir dimanche.   *Attends de voir !*

I'll try and **be there on time.** = **I'll try** to **be there on time.**
J'essaierai d'être là à l'heure.

→ On trouve aussi l'infinitif après des verbes ou des expressions qui expriment une opinion, un jugement, une supposition ou une affirmation :

It is essential to recycle **as much as possible.**
Il est essentiel de recycler autant que possible.

I find it strange to think **that I'll never see them again.**
J'ai du mal à croire que je ne les reverrai jamais.

→ On emploie l'infinitif complet après certaines constructions passives :

It <u>was believed</u> **to be a mistake.**   **He** <u>was made</u> **to do it.**
On pensait que c'était une erreur.   *On l'a forcé à le faire.*

This hotel <u>is said</u> **to have the most beautiful gardens.**
Il paraît que cet hôtel a des jardins absolument magnifiques.

A UFO <u>was seen</u> **to land in the field.**
On a vu un OVNI atterrir dans le champ.

Voir aussi La voix passive p. 199.

→ Les subordonnées infinitives peuvent également exprimer le but : voir Subor-données de but p. 303 et Les prépositions p. 243.

■ **Subordonnées infinitives sans** *to* **(+ V)**

On emploie la base verbale (infinitif sans **to**) après :

→ les verbes **let**, **make** et **have** dans les constructions signifiant respectivement « laisser faire », « obliger à » ou « faire faire »

→ les verbes de perception (**see**, **hear**, **feel**, etc.)

→ le verbe **help**

Pour en savoir plus, voir **Les constructions verbe + verbe** p. 261.

4 Les subordonnées participiales

■ **Participe présent dans la subordonnée**

→ Le participe présent (V + **-ing**) peut s'employer pour exprimer la cause, notamment à l'écrit :

Realizing **the work involved, he declined their offer.**
Se rendant compte du travail que ça représentait, il refusa leur offre.

Voir Le participe présent p. 168.

→ Il s'emploie aussi avec les verbes de perception (**see**, **hear**, **feel**, etc.). Voir **Verbe + base verbale, ou verbe + participe présent ?** p. 168.

■ **Participe passé dans la subordonnée**

Le participe passé s'emploie dans les structures appelées « résultatives » que l'on trouve :

→ après les verbes **have** et **get** :

When are you going to get this leak mended**?**
Quand est-ce que tu vas faire réparer cette fuite ?

I'm having my hair cut **for the wedding.**
Je me fais couper les cheveux pour le mariage.

→ après les verbes de volonté et de préférence, avec un sens passif :

He wants this parcel (to be) delivered **to his home.**
Il veut que ce paquet soit livré à son domicile.

We'd like it (to be) translated **into English.**
Nous aimerions que ce soit traduit en anglais.

→ après les verbes de perception, avec un sens passif :

I've heard it played **on the guitar.**
Je l'ai entendu joué à la guitare.

Voir également Les structures verbales p. 259.

5 Les subordonnées circonstancielles

Les subordonnées circonstancielles apportent une précision à la proposition principale et sont introduites par une conjonction (voir **Les conjonctions** p. 248). Il peut s'agir d'une précision de temps, de condition, de but, etc.

■ Subordonnées de temps

Voici quelques conjonctions courantes introduisant des subordonnées de temps :

after (*après*)	**until** (*jusqu'à ce que*)
as soon as (*dès que*)	**when** (*quand, lorsque*)
before (*avant*)	**while** (*pendant que*)
since (*depuis que*)	

Le plus important avec les subordonnées de temps est de se souvenir de la concordance des temps.

 Contrairement au français, on n'emploie jamais le futur dans une proposition subordonnée de temps.

Idée de futur dans la principale	**présent** dans la subordonnée (futur en français)
We'll leave...	**when** Mum's ready.
On partira...	*quand maman sera prête.*
I'll ask him...	**as soon as** he comes.
Je lui demanderai...	*dès qu'il arrivera.*
Will you go and see him...	**while** you're in Barcelona?
Est-ce que vous irez le voir...	*quand vous serez à Barcelone ?*
Idée de futur dans la principale	***present perfect*** dans la subordonnée (futur antérieur en français)
I'll show it to you...	**when** I've finished.
Je te le montrerai...	*quand j'aurai fini.*
Come and see me...	**after** you've spoken to him.
Venez me voir...	*quand vous lui aurez parlé.*
It'll be easy...	**once** we've started.
Ce sera facile...	*une fois qu'on aura commencé.*

 Attention, cette règle ne s'applique qu'aux propositions subordonnées de temps. Il est tout à fait possible d'employer le futur dans les phrases interrogatives directes et indirectes, et dans les propositions relatives :

> **When will we see you again?**
> *Quand allons-nous te revoir ?*
>
> **I'm only asking you when we'll see you again.**
> *Je te demande simplement quand nous allons te revoir.*
>
> **I'm looking forward to the day when we'll see you again.**
> *J'attends avec impatience le jour où nous allons te revoir.*

Le problème de la concordance des temps se pose uniquement lorsque la principale exprime l'idée du futur. Cette difficulté de traduction disparaît lorsque la principale est au passé :

They smiled at me when I came **in.**
Ils m'ont souri lorsque je suis entré.

■ **Subordonnées conditionnelles**

Pour **will**, **would**, **could** et **should**, voir **Les auxiliaires modaux** p. 171, ainsi que **L'expression du futur** p. 151 et **L'expression du conditionnel** p. 156.

→ La subordonnée conditionnelle est le plus souvent introduite par **if**. Elle se place avant ou après la proposition principale. La concordance des temps est la même qu'en français :

Hypothèse réelle	
idée de futur dans la principale → présent dans la subordonnée	**We'll have a barbecue if the weather's fine.** *Nous ferons un barbecue s'il fait beau.* **If she** doesn't **hurry up, we're going to miss our plane.** *Si elle ne se presse pas, nous allons rater notre avion.*

Hypothèse irréelle et improbable	
conditionnel dans la principale → prétérit modal dans la subordonnée	**They would feel better if they** relaxed **more.** *Ils se sentiraient mieux s'ils se détendaient davantage.* **If we** started **car-pooling, we would save petrol.** *Si on se mettait au covoiturage, on ferait des économies d'essence.* **If I** were **you, I'd go without her.** *Si j'étais toi, je partirais sans elle.*

> Le prétérit modal (voir p. 144) n'exprime pas le passé mais une situation hypothétique. Les formes sont les mêmes que pour le prétérit simple, sauf pour le verbe **be** conjugué **were** à toutes les personnes. Cependant, on emploie aussi souvent **was** dans la langue courante (**if I was you**).

Hypothèse irréelle et irréalisable	
conditionnel passé dans la principale → *past perfect* modal dans la subordonnée	**The accident wouldn't have happened if the driver** had been **more careful.** *L'accident ne serait pas arrivé si le conducteur avait été plus prudent.* **If we** had known, **we would have taken warmer clothes.** *Si on avait su, on aurait pris des vêtements plus chauds.*

> De même que le prétérit modal, le *past perfect* modal (voir p. 150) exprime une situation hypothétique. Les formes sont les mêmes que pour le *past perfect* simple.

Voir aussi **L'emploi du prétérit modal** après *as if / as though* p. 254.

→ **Unless** (*à moins que, sauf si*) introduit une condition négative. Notez l'emploi du présent en anglais, là où l'on a parfois un subjonctif en français :

She'll have to walk back home <u>unless</u> you go **and get her.**
Elle va devoir rentrer à pied, à moins que tu ailles la chercher.

Voir p. 298 pour l'emploi de **and** après **go**.

I won't phone <u>unless</u> I'm late.
Je n'appellerai pas, sauf si je suis en retard. ou *Je n'appellerai que si je suis en retard.*

→ Deux constructions sont possibles avec les hypothèses peu probables : lorsqu'on considère que l'hypothèse a peu de chances de se réaliser, on peut employer **if + should** ou **ever**. **Should** étant un modal, il doit être suivi d'une base verbale, tandis que **ever** est un simple adverbe qui se place devant le verbe conjugué :

If you should see him, please give him my regards.
= **If you ever see him, please give him my regards.**
Si jamais vous le voyez, transmettez-lui mon bon souvenir, s'il vous plaît.

If he should forget his mother's birthday, she will be upset.
= **If he ever forgets his mother's birthday, she will be upset.**
Si jamais il oublie l'anniversaire de sa mère, ça va lui faire de la peine.

Dans un style plus soutenu, on peut omettre **if** et inverser le sujet en faisant commencer la phrase par **should** :

Should the company close down, it would be a disaster.
= **If the company should close down...**
Si jamais l'entreprise devait fermer, ce serait un désastre.

Cette même inversion est possible avec les auxiliaires **had** et **were** (par exemple **had I known** = **if I had known** *si j'avais su*). Voir **Inversion sujet-verbe ou sujet-auxiliaire** pp. 268–9.

→ **Imagine**, **suppose** et **supposing** permettent aussi d'exprimer une hypothèse. Comme avec **if**, le choix du temps dépend du degré de probabilité (voir **Prétérit modal** p. 144 et *Past perfect* modal p. 150) :

<u>Supposing</u> it's cold, what shall I wear? [présent]
Et s'il fait froid, qu'est-ce que je me mets ?

<u>Suppose</u> you won a million dollars, what would you do with it? [prétérit modal]
Imagine que tu gagnes un million de dollars, qu'est-ce que tu en ferais ?

<u>Imagine</u> the boat had sunk, we all would have drowned. [*past perfect* modal]
Imagine que le bateau ait coulé, nous nous serions tous noyés.

→ **As long as** (*tant que*) et **providing** (*pourvu que*) peuvent également introduire une condition :

You can borrow my mobile as long as / providing **you don't lose it.**
Tu peux emprunter mon portable à condition de ne pas le perdre.

■ **Subordonnées de but**

→ Une subordonnée infinitive (voir p. 297) peut exprimer le but. Dans ce cas, le sujet de la principale est le même que dans la subordonnée. Ces subordonnées peuvent être introduites par **to** (*pour*), **in order to** (*pour, afin de*) ou **so as to** (*pour, afin de*) (+ base verbale) :

We've come to **say goodbye.**
Nous sommes venus (pour) dire au revoir.

The association is appealing for contributions in order to **help the homeless.**
L'association sollicite des contributions afin de venir en aide aux sans-abri.

She went to bed early so as to **be on form the next day.**
Elle se coucha tôt pour être en forme le lendemain.

! Il ne faut pas séparer **to** de la base verbale. La négation **not** se place devant **to** :

> **He closed the door so as <u>not</u> to let the cat in.**
> *Il a fermé la porte pour ne pas laisser entrer le chat.*

→ On peut employer la construction **for** + nom ou pronom complément + **to** + V lorsque le sujet de l'infinitif est différent de celui de la principale :

It took a week for me to recover.
J'ai mis une semaine à m'en remettre ou *pour m'en remettre.*

He waited for her to stop **talking.**
Il a attendu qu'elle ait fini de parler.

Il s'agit là d'une structure grammaticale très courante en anglais, impossible à traduire littéralement en français.

→ Les conjonctions de subordination **so** et **so that** (*afin que, pour que*) permettent également d'exprimer le but :

Turn the sound up so (that) **your grandfather can hear.**
Monte le son (pour) que ton grand-père entende.

Pour d'autres exemples de propositions subordonnées, voir le chapitre **Les conjonctions**, en particulier le tableau des conjonctions pp. 250–2.

EXERCICES

1) Reliez les sujets de la colonne A avec un élément choisi dans la colonne B (colonne des subordonnées) et la colonne C. Insérez entre A et B le pronom relatif qui convient (chaque pronom ne doit être utilisé qu'une fois) :

that – Ø – which – who – whom – whose

A	B	C
a) Jennifer Sanchez	mobiles were confiscated	is not very popular at the moment.
b) The Minister	I told you about	takes hours.
c) The pupils	is carefully guarded	has bought a new car.
d) The bus	was in Tokyo last week	is worth a fortune.
e) The colleague	goes to Brighton	travels all over the world.
f) This painting by Picasso	I met in Westminster last month	have to go and see the headmaster. [headmaster = *proviseur*]

2) Complétez avec what ou which :
a) I really wonder _____ life will be like in 50 years.
b) They say we will have more leisure, _____ would be wonderful.
c) _____ worries the Greens is global warming.
d) It's hard to imagine _____ might happen.
e) Perhaps people will live on the moon, _____ sounds incredible today.

3) Choisissez la forme qui convient :
1) The teacher made _____ at the front of the class.
   a) him to sit **b)** to sit him **c)** sitting him **d)** him sit
2) They don't want _____ in the street.
   a) that the boys play **b)** that the boys playing **c)** to play the boys **d)** the boys to play
3) You should let _____ herself.
   a) to do her it **b)** her doing it **c)** her do it **d)** her it to do
4) We were expecting _____ on time.
   a) they arrive **b)** that they arrive **c)** that they arriving **d)** them to arrive
5) They were made _____ the damage.
   a) to pay for **b)** for to pay **c)** pay for **d)** for pay

4) Complétez les phrases en mettant le verbe entre parenthèses au temps voulu :

a) She's going to change jobs if she _____ a pay rise. (not get)

b) If he had heard the alarm, he _____ on time. (get up)

c) If you _____ so much, you wouldn't be so tired. (not work)

d) If I find your pet rat in my room, I _____. (scream)

e) They would have bought some flowers, if the shop _____ open. (be)

f) We would go on a cruise if we _____ the lottery. (win)

5) Traduisez en français :

a) There's the friend I was talking about.

b) He can't forget the day he saw the ghost.

c) If I had known, I wouldn't have come.

d) She had her hair dyed red! [to dye = *teindre*]

e) Their son, whose girlfriend is a pianist, works in marketing.

f) I'd prefer them to come on Sunday.

6) Traduisez en anglais :

a) Je n'ai rien dit de manière à ne pas les inquiéter.

b) Ramène-moi du whisky quand tu iras en Écosse !

c) Si jamais les prix baissaient, les consommateurs seraient ravis. [consommateur = *consumer* ; ravi = *delighted*]

d) Il a dû fumer dehors pour ne pas déranger les autres invités. [déranger = *to bother* ; invité = *guest*]

e) À moins de courir, on va rater le bus.

f) Tu peux venir à condition qu'il y ait de la place dans la voiture. [place = *room*]

Le discours direct et indirect

Points traités dans ce chapitre :

- · définition du style direct et indirect : les différences de base entre ces deux types de discours
- · l'ordre des mots : la place du sujet dans les questions indirectes
- · les temps : tableau de concordance des temps ; les changements ou non de modaux
- · les modifications à apporter aux compléments de temps et de lieu
- · les changements de pronoms personnels (sujets et compléments), de possessifs et de démonstratifs (adjectifs et pronoms)

1 Discours direct ou indirect ?

On peut rapporter les paroles d'une personne au style direct ou indirect.

→ Le discours direct rapporte les paroles exactes de la personne en question, signalées par la présence de guillemets :

"We should hurry or we'll miss our train," she said.
« On devrait se dépêcher ou on va rater notre train », dit-elle.

→ Le discours indirect rapporte les paroles sans guillemets. Pour rapporter les paroles d'une personne de cette manière, on emploie un verbe introducteur comme **say, tell, think, ask, answer, wonder, order**, etc. La conjonction **that** est souvent omise, contrairement au français :

She said (that) **they should hurry or they would miss their train.**
Elle a dit qu'ils devraient se dépêcher sans quoi ils rateraient leur train.

Voir aussi *That* p. 252.

→ Sans verbe introducteur, il s'agit de rapporter les pensées d'une personne au style indirect libre :

They should hurry. She didn't want them to miss their train.
Ils devraient se dépêcher. Elle ne voulait pas qu'ils ratent leur train.

→ Le passage du discours direct au style indirect peut entraîner plusieurs modifications portant sur :

- la ponctuation (suppression systématique des guillemets, suppression des points d'interrogations dans les questions, etc.)
- l'ordre des mots
- les temps
- les compléments de temps et de lieu (= les marqueurs spatio-temporels)
- les pronoms personnels, les possessifs et les démonstratifs

! Ces modifications sont nécessaires seulement si le verbe introducteur et le contexte sont au passé. Après un verbe introducteur au présent ou dans un contexte présent, <u>ces changements n'ont pas lieu</u> :

- verbe introducteur au présent et contexte présent :

"I love living here."   He <u>says</u> he loves living here.
« *J'adore vivre ici.* »   *Il dit qu'il adore vivre ici.*

- répétition de paroles qui viennent d'être prononcées (contexte présent) :

"She's reading the newspaper."   **"I said she's reading the**
« *Elle est en train de lire le journal.* »   **newspaper."**
                         « *J'ai dit qu'elle était en train de lire le journal.* »

- verbe introducteur au passé, mais discours indirect énoncé dans un contexte présent ; comparez :

"We went to Sweden last year."	1	**They <u>told</u> me they went to Sweden last year.**
« *Nous sommes allés en Suède l'année dernière.* »		*Ils m'ont dit qu'ils sont allés en Suède l'année dernière.*
	2	**They <u>told</u> me they had been to Sweden the year before.**
		Ils m'ont dit qu'ils étaient allés en Suède l'année d'avant.

discours indirect 2
I talked to them in 2004 and they told me they had been to Sweden the year before.

discours direct
"We went to Sweden last year."

voyage en
Suède

discours indirect 1
They told me they went to Sweden last year.

| 2003 | 2004 ← → 2005 | 2006 |

2 L'ordre des mots

→ Lorsqu'on rapporte une question, la phrase devient affirmative ; il n'y a donc pas d'inversion du sujet (le pronom interrogatif reste le même) :

Discours direct	Discours indirect
"Why are they crying?" « Pourquoi pleurent-ils ? »	I asked them why they were crying. *Je leur ai demandé pourquoi ils pleuraient.*
"Where are my glasses?" « Où sont mes lunettes ? »	I wonder where my glasses are. [et non ***I wonder where are my glasses.***] *Je me demande où sont mes lunettes.*

→ Si on doit répondre à la question par oui ou par non, la subordonnée est introduite par **if** ou **whether** :

Discours direct	Discours indirect
"Do you like spinach?" « Aimez-vous les épinards ? »	I asked them if / whether they liked spinach. *Je leur ai demandé s'ils aimaient les épinards.*
"Are you coming with me?" « Est-ce que tu viens avec moi ? »	He asked me if / whether I was going with him. *Il m'a demandé si j'allais aller avec lui.*

Voir aussi **La structure de la phrase** p. 268.

3 Les temps

■ **Concordance des temps**

→ Il n'y a pas de modification de temps quand on rapporte des paroles au <u>présent</u>. Seule la conjugaison peut changer si le pronom personnel est différent :

"I'm afraid of heights."   **He says he's afraid of heights.**
« J'ai le vertige. »   *Il dit qu'il a le vertige.*

→ Lorsqu'on rapporte des paroles au moyen d'un verbe au <u>passé</u>, des modifications de temps s'imposent :

Discours direct : temps du verbe principal	Discours indirect : temps employé dans la subordonnée
PRÉSENT **"I'm afraid of heights."** « *J'ai le vertige.* » **"I can't swim."** « *Je ne sais pas nager.* »	PRÉTÉRIT **He said he was afraid of heights.** *Il a dit qu'il avait le vertige.* **She told me she couldn't swim.** *Elle m'a dit qu'elle ne savait pas nager.*
PRESENT PERFECT **"They've just left."** « *Ils viennent de partir.* »	*PAST PERFECT* **She said they had just left.** *Elle a dit qu'ils venaient de partir.*
PRÉTÉRIT **"We loved Niagara Falls."** « *Nous avons adoré les chutes du Niagara.* »	*PAST PERFECT* **They said they had loved Niagara Falls.** *Ils ont dit qu'ils avaient adoré les chutes du Niagara.*
FUTUR **"I'll see you on Sunday."** « *Je te verrai dimanche.* »	CONDITIONNEL **She told him she would see him on Sunday.** *Elle lui a dit qu'elle le verrait dimanche.*
IMPÉRATIF **"Be careful!"** « *Faites attention !* » **"Don't waste time!"** « *Ne perdez pas de temps !* »	INFINITIF (**TO** + V) **She told us to be careful.** *Elle nous a dit de faire attention.* **He told us not to waste time.** [et non ***to not waste time***] *Il nous a dit de ne pas perdre de temps.*

> Attention à la place de l'adverbe de négation : **not** ne doit pas séparer la particule infinitive **to** de la base verbale (voir p. 133).

■ Changements de modaux

→ Pour les modaux qui ont une forme passée, les modifications de temps peuvent se faire sans difficulté. C'est le cas de **can** et **will** qui deviennent respectivement **could** et **would** (voir les exemples du tableau ci-dessus), mais c'est également le cas de **may** qu'il faut changer en **might** :

"We may be late."   **They told her they might be late.**
« *Nous serons peut-être en retard.* »   *Ils lui ont dit qu'ils seraient peut-être en retard.*

→ Pour le modal **must**, qui n'a qu'une seule forme, aucune modification n'est nécessaire lorsqu'il exprime une forte certitude :

"You must be hungry."   **I said they must be hungry.**
« *Vous devez avoir faim.* »   *Je leur ai dit qu'ils devaient avoir faim.*

→ Lorsque **must** exprime l'obligation, on peut soit conserver le modal, soit le remplacer par **have to** au temps qui convient :

"You must go to bed."
« *Il faut que vous alliez vous coucher.* »

I told them they must / had to go to bed.
Je leur ai dit qu'ils devaient aller se coucher.

→ Lorsque **could**, **might**, **would** et **should** sont employés au discours direct, aucune modification n'est possible. Les modaux et les temps ne changent pas. Par exemple :

"She could write to me."
« *Elle pourrait m'écrire.* »

He thought she could write to him.
Il pensait qu'elle pourrait lui écrire.

"She could have written to me."
« *Elle aurait pu m'écrire.* »

He thought she could have written to him.
Il pensait qu'elle aurait pu lui écrire.

"We should call the police."
« *On devrait appeler la police.* »

She thought they should call the police.
Elle pensait qu'ils devraient appeler la police.

"We should have called the police."
« *On aurait dû appeler la police.* »

She thought they should have called the police.
Elle pensait qu'ils auraient dû appeler la police.

Voir aussi **Les auxiliaires modaux** p. 171.

4 Les compléments de temps et de lieu

Lorsque les paroles sont rapportées avec un verbe introducteur au passé, il est nécessaire d'adapter les compléments de temps et de lieu à la nouvelle situation :

Discours direct	Discours indirect
now **"I was the youngest one in the company** until **now."** « *Jusqu'à maintenant, j'étais la plus jeune de l'entreprise.* »	**then** **She told me she had been the youngest one in the company** until then. *Elle m'a dit qu'elle avait été, jusque-là, la plus jeune de l'entreprise.*
today **"Can I talk to you** today?" « *Est-ce que je peux te parler aujourd'hui ?* »	**that day** **He asked me if he could talk to me** that day. *Il a demandé à me parler ce jour-là.*
yesterday **"I saw an eagle** yesterday." « *J'ai vu un aigle hier.* »	**the day before** **He told me that he had seen an eagle** the day before. *Il m'a dit qu'il avait vu un aigle la veille* ou *le jour d'avant.*

tomorrow "We're going on holiday tomorrow." « On part en vacances demain. »	the next day the following day They said they were going on holiday the next day ou the following day. Ils ont dit qu'ils partaient en vacances le lendemain ou le jour suivant.
ago "It happened years ago." « Ça s'est passé il y a des années. »	before earlier He told me that it had happened years before ou years earlier. Il m'a dit que ça s'était passé des années auparavant.
last week / month / year "I read this book last month." « J'ai lu ce livre le mois dernier. »	the week / month / year before She told me she had read that book the month before. Elle m'a dit qu'elle avait lu ce livre le mois d'avant ou précédent.
next week / month / year "We could meet next week." « On pourrait se voir la semaine prochaine. »	the week / month / year after the following week / month / year She told me we could meet the week after ou the following week. Elle m'a dit qu'on pourrait se voir la semaine d'après ou suivante.
here "Can I leave the car here?" « Est-ce que je peux laisser la voiture ici ? »	there He asked if he could leave the car there. Il a demandé s'il pouvait laisser la voiture là.

5 Les pronoms personnels, les possessifs et les démonstratifs

Les changements de pronoms personnels et de possessifs concernent exclusivement les première et deuxième personnes du singulier ou du pluriel. Les pronoms et les possessifs sont conservés à la troisième personne du singulier et du pluriel.

	Discours direct	Discours indirect
Pronoms sujets	I we you	he / she they I / we / he / she / it / they
Pronoms compléments	me us you	him / her them me / us / him / her / it / them
Adjectifs possessifs	my our your	his / her their my / our / his / her / its / their
Pronoms possessifs	mine ours yours	his / hers theirs mine / ours / his / hers / its / theirs
Adjectifs ou pronoms démonstratifs	this these	that those

Le discours direct et indirect

La deuxième personne sera remplacée par n'importe quel pronom ou adjectif correspondant en fonction du contexte. Par exemple :

"I'll show you my room."

« Je vais te montrer ma chambre. »

He **said** he **would show** me his **room.**

Il a dit qu'il allait me montrer sa chambre.

She **said** she **would show** them her **room.**

Elle a dit qu'elle allait leur montrer sa chambre.

EXERCICES

---

1) Mettez les phrases suivantes au discours indirect :

a) "I'll stop smoking next week."
He promised _____

b) "Can I use your dictionary, please?"
She asked _____

c) "We've been lazing on the beach this morning."
They said _____

d) "Don't wait for us here.
He told us _____

e) "They may want me to work overtime today."
She said _____

f) "He didn't pay for my ticket."
She complained _____

g) "The treasure was found three years ago."
We told them _____

2) Rapportez la conversation suivante au discours indirect en mettant les verbes introducteurs entre parenthèses au passé :

a) **Andy** "Let's go canoeing tomorrow, shall we?"
(suggest)

b) **Sally** "Can't we do something more relaxing?" (ask)

c) **Andy** "Canoeing isn't very strenuous, you know." (insist)

d) **Sally** "All right then, I'll be at your place at 10." (agree + say)

e) **Andy** "Oh, that's a late start! Make it 9 instead." (think + ask)

f) **Sally** "You're very enthusiastic! Is there anything you want me to bring?"
(exclaim + ask)

g) **Andy** "No, just bring yourself, that'll be enough!" (tell)

3) Traduisez en français :

a) The police inspector asked Mr Angus when he had seen the victim for the last time.

b) He answered that it must have been three days before Christmas.

c) Then he wanted to know what he had done the night before.

d) The suspect said he couldn't remember.

e) So, the inspector asked him to stand up and empty his pockets.

f) But Mr Angus rushed to the door shouting that they would never catch him.

4) Imaginez le dialogue, en anglais, correspondant à l'exercice 3 :

a) **Police Inspector** _____

b) **Mr Angus** _____

c) **Police Inspector** _____

d) **Mr Angus** _____

e) **Police Inspector** _____

f) **Mr Angus** _____

5) Traduisez en anglais :

a) Susan se demanda si son ami arriverait à l'heure.

b) Ken arriva et lui demanda où était le coffre-fort. [coffre-fort = *safe*]

c) Elle lui dit qu'il devrait le savoir.

d) Il reconnut qu'il n'avait jamais vu cette maison avant ce soir-là. [reconnaître = *to admit*]

e) Elle s'exclama qu'il devait être fou.

f) Il répondit qu'elle aurait dû réfléchir avant de le choisir, lui.

6) Imaginez le dialogue, en anglais, correspondant à l'exercice 5 :

a) **Susan** _____

b) **Ken** _____

c) **Susan** _____

d) **Ken** _____

e) **Susan** _____

f) **Ken** _____

Points traités dans ce chapitre :

- · la préposition **for** : son emploi, ses diverses traductions et les différents temps utilisés
- · la préposition **since** : son emploi et les différents temps utilisés
- · l'adverbe **ago**
- · les tournures et les mots interrogatifs permettant d'interroger sur la durée ou sur la période d'un événement

Pour indiquer combien de temps une situation ou une activité a duré, on emploie :

- · **for** suivi d'une durée (nombre d'heures, d'années, etc.) ;
- · **since** suivi d'un point de départ (date, heure, événement, etc.).

Pour indiquer il y a combien de temps quelque chose s'est passé, on emploie :

- · **ago** après une indication de temps et un verbe au prétérit.

■ *For*

La préposition **for** permet d'exprimer la durée.

→ **For** s'emploie avec le *present perfect* (simple ou avec **be** + **-ing**) lorsqu'on parle de la durée d'une action qui n'est pas terminée. **For** peut se traduire dans ce cas par « depuis » ou par les expressions « ça fait + durée + que » ou « il y a + durée + que » :

He has been living on this desert island for nearly two years.
Ça fait presque deux ans qu'il vit sur cette île déserte.

He's been waiting for a long time.
Il attend depuis longtemps.

He hasn't spoken to anybody for ages.
Il y a une éternité qu'il ne parle à personne.

Le *present perfect* se traduit dans ce cas par un <u>présent</u> en français.

> **!** Traduction de « depuis »
>
> · Lorsque « depuis » exprime la durée, on emploie **for** :
>
> > **I've been waiting for two hours.**
> > *J'attends depuis deux heures.*
>
> · Lorsque « depuis » précise le point de départ de l'action (date, heure, etc.),
> on emploie **since** (voir p. 316) :
>
> > **I've been waiting since 2 p.m.**
> > *J'attends depuis deux heures (= 14 heures).*

→ **For** s'emploie avec le prétérit lorsqu'on veut indiquer la durée d'une action
révolue, coupée du présent. **For** se traduit souvent dans ce cas par « pendant » :

**When I was young, I lived on a desert island
for two years.**

*Quand j'étais jeune, j'ai vécu sur une île déserte
pendant deux ans.*

> **!** Traduction de « pendant »
>
> · Pour exprimer la durée, on emploie **for** :
>
> > **We walked for two hours.**
> > *Nous avons marché pendant deux heures.*
>
> · Pour indiquer la période au cours de laquelle se déroule l'action, on emploie
> **during** :
>
> > **We walked a lot during our holidays.**
> > *Nous avons fait beaucoup de marche pendant les vacances.*
>
> · Pour traduire la conjonction « pendant que » qui indique également la
> période, on emploie **while** :
>
> > **We prepared a surprise for him while he was on holiday.**
> > *Nous lui avons préparé une surprise pendant qu'il était en vacances.*

→ **For** s'emploie avec le présent ou le futur (simples ou avec **be** + **-ing**) lorsqu'on
parle de la durée prévue d'une action en cours ou à venir. **For** se traduit alors
généralement par « pour » ou « pendant » :

I might be staying here for a while.

Il se pourrait que je sois ici pendant un certain temps.

It looks like I'll be on my own for some time.

*J'ai l'impression que je vais être seul pendant quelque
temps.*

→ Pour parler d'une action qui continuait à un moment révolu du passé, on emploie le *past perfect* (simple ou avec **be** + **-ing**) :

He had been living on a desert island for **two years when he was found.**
Cela faisait deux ans qu'il vivait sur une île déserte quand on le retrouva.

! Le *past perfect* se traduit dans ce cas par un <u>imparfait</u> en français.

Voir également **Les prépositions** p. 230 et **Les conjonctions** p. 248, ainsi que **Les modes, les temps et les aspects** p. 131.

■ *Since*

On emploie **since** pour indiquer le point de départ d'une action. **Since** se traduit généralement par « depuis » en français.

→ Ce point de départ peut être une heure ou une date, un événement ou un moment précis :

I've been here since **Tuesday 20 September /** since **five a.m. /** since **last week.**
Je suis ici depuis le mardi 20 septembre / depuis cinq heures du matin / depuis la semaine dernière.

→ Ce point de départ peut être un groupe nominal :

I've been here since **the shipwreck.**
Je suis ici depuis le naufrage.

ou une proposition subordonnée :

I've been here since **my boat sank.**
Je suis ici depuis que mon bateau a fait naufrage.

→ **Since** s'emploie avec le *present perfect* (simple ou avec **be** + **-ing**) lorsqu'on indique le point de départ d'une action qui n'est pas terminée :

It's been raining since **yesterday.**
Il pleut depuis hier.

He's had a cold since **Tuesday.**
Il est enrhumé depuis mardi.

> ! Le *present perfect* se traduit dans ce cas par un <u>présent</u> en français.

→ **Since** s'emploie avec le *past perfect* (simple ou avec **be** + **-ing**) lorsqu'on indique le point de départ d'une action qui continuait à un moment révolu du passé :

It had been raining since the previous day.
Il pleuvait depuis la veille.

> ! Le *past perfect* se traduit dans ce cas par un <u>imparfait</u> en français.

→ **Since** s'emploie parfois après **it is** suivi d'une indication de durée :

It's three years since I last heard from them.
Il y a trois ans que je n'ai plus de leurs nouvelles.

Voir également **Les prépositions** p. 230 et **Les conjonctions** p. 248, ainsi que **Les modes, les temps et les aspects** p. 131.

■ *Ago*

On emploie **ago** pour indiquer il y a combien de temps une action s'est déroulée. Le verbe est toujours au prétérit car on parle d'un événement révolu. **Ago** se place directement après l'indication de temps et se traduit généralement en français par la tournure « il y a... » suivie de l'indication de temps :

I arrived on this island two years ago.
Je suis arrivé sur cette île il y a deux ans.

A helicopter spotted me just ten minutes ago.
Un hélicoptère m'a repéré il y a à peine dix minutes de cela.

Voir également **Traduction de « il y a »** p. 122 et **Les modes, les temps et les aspects** p. 131.

> Ne pas confondre « il y a » renvoyant à un moment révolu avec « il y a » indiquant la durée :
>
> **I worked here three years ago.**   ≠   **I've worked here for three years.**
> *J'ai travaillé ici il y a trois ans.*   *Il y a trois ans que je travaille ici.*

L'expression de la durée : *for, since* et *ago*

- **Pour interroger sur la durée ou la période**

  Pour interroger sur la durée ou la période, on emploie les tournures et les mots interrogatifs suivants :

	Question	Réponse
Pour interroger sur la durée d'une action non terminée : **how long?** + *present perfect*	How long **have you been here?** *Depuis combien de temps êtes-vous ici ?*	For **two years.** *Depuis deux ans.* Since **20 September.** *Depuis le 20 septembre.*
Pour interroger sur la durée d'une action qui continuait à un moment révolu du passé : **how long?** + *past perfect*	How long **did you been on the island?** *Depuis combien de temps étiez-vous sur cette île ?*	For **two years.** Depuis deux ans. Since **20 September.** *Depuis le 20 septembre.*
Pour interroger sur la durée d'une action révolue : **how long?** + prétérit	How long **did you live on the island?** *Combien de temps avez-vous vécu sur cette île ?*	**I stayed there** for **two years.** *J'y suis resté deux ans.*
Pour interroger sur la durée prévue : **how long?** + présent ou futur	How long **are you staying here for?** *Vous êtes ici pour combien de temps ?* How long **will you be gone?** *Vous serez absent pendant combien de temps ?*	**I'm here** for **a few days.** *Je suis ici pour quelques jours.* **I'll be gone** for **a week.** *Je serai absent pendant une semaine.*
Pour demander il y a combien de temps une action s'est déroulée : **how long ago?** + prétérit **when?** + prétérit	How long ago **was it?** *C'était il y a combien de temps ?* When **did this happen?** *Quand est-ce que ça s'est passé ?*	**Twenty years** ago. *Il y a vingt ans.*
Pour interroger sur la période : **when?** + prétérit	When **did this happen?** *Quand est-ce que ça s'est passé ?*	**It happened** during **the holidays.** *Cela s'est passé pendant les vacances.* **It happened** while **we were on holiday.** *Cela s'est passé pendant que nous étions en vacances.*

Voir également **Les phrases interrogatives** p. 272.

EXERCICES

---

1) Complétez les phrases avec for, since, ago, during **ou** while **:**

a) In December, they'll have been going out together _____ five years.

b) She's been living in Montreal _____ she moved to Canada.

c) He came to see us _____ he was in Boston.

d) She moved to Chicago six months _____.

e) She has been writing thrillers _____ the 80's.

f) They wrote to each other _____ the summer.

g) We've known each other _____ we were children.

h) We haven't seen him _____ last week.

i) We haven't seen him _____ seven days.

j) She's very busy _____ the week.

k) We hadn't met _____ a while when I bumped into her in the street.

2) Choisissez la forme qui convient :

1) I _____ them ten years ago.

   a) hadn't known **b)** didn't know **c)** haven't known **d)** hadn't been knowing

2) She _____ in Italy for a year when she was a student.

   a) has lived **b)** has been living **c)** lived **d)** had been living

3) He _____ the violin since he was eight.

   a) has played **b)** has been playing **c)** played **d)** was playing

4) How long ago _____ that film?

   a) have you seen **b)** had you been seeing **c)** have you been seeing **d)** did you see

3) Reliez les questions aux réponses :

1) How long has he been working with you? a) Ten months ago.

2) How long has she had her mobile? b) For three weeks, until the end of August.

3) How long have you known them for? c) Since her birthday.

4) How long will you be travelling? d) For nearly three years.

5) When did they get married? e) Since he graduated.

6) How long ago did you last see him? f) During the summer.

4) Traduisez en français :

a) I've been waiting for an hour.

b) I've been waiting since 7 p.m.

c) He'd been hoping to go back to New Zealand for a long time.

d) We redecorated the flat while the children were on holiday. [to redecorate = *refaire*]

e) It was a long time ago.

f) How long have you been taking dance classes for?

5) Traduisez en anglais :

a) Il chante dans une chorale depuis deux ans.

b) Cela fait dix ans que je vis à New York.

c) Je suis allé à la piscine pendant l'heure du déjeuner. [aller à la piscine = *to go swimming*]

d) Elle joue du saxophone depuis qu'elle a dix ans.

e) Cela faisait des heures que nous cherchions à le joindre quand il est enfin arrivé. [chercher à = *to try* ; joindre = *to get hold of* ; arriver = *to turn up*]

La date et l'heure

Points traités dans ce chapitre :
- · comment écrire et dire la date en anglais britannique et américain
- · comment écrire et dire l'heure en anglais britannique et américain

1 La date

- **À l'écrit**

  → Une date peut s'écrire de plusieurs manières en anglais :

  10th June 1986
  June 10th, 1986
  June 10, 1986
  10 June, 1986
  10 June 1986
  10 juin 1986

  Dans une lettre, à la différence du français, on précise rarement le nom du jour dans la date.

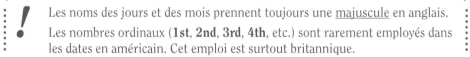

! Les noms des jours et des mois prennent toujours une <u>majuscule</u> en anglais.
Les nombres ordinaux (**1st**, **2nd**, **3rd**, **4th**, etc.) sont rarement employés dans les dates en américain. Cet emploi est surtout britannique.

  → Le format des dates écrites en chiffres est différent en anglais britannique et en américain :

! Attention aux erreurs ! En anglais britannique, on écrit le jour en premier (comme en français) mais en américain, on écrit le mois en premier.

I turned up at the stadium on 1.2.2005 but the match was on 2.1.2005.
Je me suis présenté au stade le 1er février 2005 mais le match était le 2 janvier 2005.

En Grande-Bretagne : le jour précède le mois	Aux États-Unis : le jour est placé après le mois
10.6.**1986**	10.6.**1986**
10 juin 1986	*6 octobre 1986*

- ## À l'oral

→ Une date peut se dire de plusieurs manières :

En Grande-Bretagne	Aux États-Unis
10 June 1986	
the tenth of June, nineteen eighty-six; June the tenth, nineteen eighty-six *le 10 juin 1986*	June tenth, nineteen eighty-six *le 10 juin 1986*

En anglais britannique, on prononce le **the** mais on ne l'écrit pas (voir **À l'écrit** p. 321.)

→ À l'oral, les années à quatre chiffres se décomposent en deux parties :

1986 → **19 – 86** → **nineteen eighty-six**

Notez toutefois la prononciation des dates suivantes :

1900 → **nineteen hundred** [et jamais ***one thousand nine hundred***, alors que l'on peut dire les deux en français : « dix-neuf cent » ou « mille neuf cent »]
1906 → **nineteen o six**
in the year eight hundred and eleven *en l'an 811*
in the year two thousand *en l'an 2000*

À partir de 2000, on dit :

2001 → **two thousand and one**
2002 → **two thousand and two**
2010 → **two thousand and ten** (ou **twenty ten**)
2011 → **two thousand and eleven** (ou **twenty eleven**)
2020 → **two thousand and twenty** (ou **twenty twenty**) etc.

Voir également **Les nombres** p. 84.

· Quelques tournures courantes

What day is it today? *Quel jour sommes-nous aujourd'hui ?*
What's the date? *Le combien sommes-nous ?*
It's the third of May. *C'est le trois mai.*
Today is Tuesday / the fifteenth. *Nous sommes mardi / le 15.*
We are in April. *On est au mois d'avril* ou *en avril.*
It's (the year) 1802. *Nous sommes en 1802.*
In (the year) AD 180. *En l'an 180 après Jésus-Christ.*
In (the year) 180 BC. *En l'an 180 avant Jésus-Christ.*
[**AD** est l'abréviation de **Anno Domini** et **BC** l'abréviation de **before Christ**.]

2 L'heure

→ Pour demander l'heure, on emploie les questions suivantes :

What time is it? ou **What's the time?**
Quelle heure est-il ?

What time do you make it?
Quelle heure avez-vous ?

Do you have the time?
Vous avez l'heure ?

→ Pour donner l'heure, on dit :

It's ten o'clock.
Il est dix heures.

 O'clock, qui peut être omis, s'emploie toujours seul et uniquement avec les heures pleines (on ne peut pas dire *****half past two o'clock***** ni *****eight a.m. o'clock*****).

ten (o'clock)
dix heures ou
vingt-deux heures

ten past ten
dix heures dix

(a) quarter past ten
dix heures et quart

half past ten
dix heures et demie

a quarter to eleven
onze heures moins le quart

ten to eleven
onze heures moins dix

one minute to eleven
ou **ten fifty-nine**
dix heures cinquante-neuf

twelve ou **midday** ou **noon**
midi

twelve ou **midnight**
minuit

Attention à l'ordre des mots avec les prépositions **past** et **to** ; on commence par les minutes en anglais :

     twenty past eleven   **twenty to eleven**

     onze heures vingt   *onze heures moins vingt*

En anglais américain, on emploie beaucoup plus souvent **after** que **past** :

     It's ten after ten. = It's ten past ten.
     Il est dix heures dix.

Par ailleurs, on n'entend pratiquement jamais l'expression **half past** aux États-Unis ; les Américains disent l'heure comme s'ils lisaient une montre à cristaux liquides et non à aiguilles :

ten fifteen   **ten thirty**   **ten forty-five**
dix heures quinze   *dix heures trente*   *dix heures quarante-*
                                               cinq

Notez que cette manière de dire l'heure s'emploie également en Grande-Bretagne.

→ Dans le langage courant, on ne compte pas les heures de 1 à 24 mais de 1 à 12. Le contexte suffit généralement à déterminer le moment de la journée en question. Toutefois, quand on a besoin de faire la différence entre matin, après-midi et soir, on emploie les expressions suivantes :

He rang me at four in the morning.
Il m'a appelé à quatre heures du matin.

He leaves for work at four in the afternoon.
Il part travailler à quatre heures de l'après-midi.

He comes back at eleven in the evening.
Il rentre à onze heures du soir.

La numérotation de 1 à 24 s'emploie uniquement dans les horaires (de trains, d'avions, etc.) et dans le langage administratif ou militaire :

     22.59 → **twenty-two fifty-nine** *vingt-deux heures cinquante-neuf*
     23.00 → **twenty-three hundred** *vingt-trois heures*

→ À l'écrit, on emploie **a.m.** pour le matin et **p.m.** pour l'après-midi et le soir. **A.m.** et **p.m.** sont les abréviations des expressions latines **ante meridiem** (*avant midi*) et **post meridiem** (*après midi*) :

The conference will start at 9 a.m.　　　**Dinner is served at 7.30 p.m.**
La conférence débutera à 9 heures.　　　*Le dîner est servi à 19h30.*

→ Lorsqu'on parle d'horaires, on compte les heures de 1 à 24 :

Check-in will start at fourteen forty-five.
L'enregistrement commencera à 14h45.

The next train leaves at fifteen seventeen.
Le prochain train partira à 15h17.

Lorsqu'on parle d'un train, d'un vol, etc., on peut également employer la tournure suivante :

We took the fourteen-twenty to Bristol.
Nous avons pris le train de 14h20 pour Bristol.

→ On utilise un point pour séparer les heures des minutes lorsque l'heure est écrite en chiffres :

9.10 *9h10*　　　　**14.20** *14h20*

Dans les tableaux horaires (trains, vols, etc.), on trouve parfois deux points à la place du point :

9:10 *9h10*　　　　**14:20** *14h20*

! Quelques tournures courantes

It's half two. *Il est deux heures et demie.* [omission courante du mot **past**]
It's quarter to / ten to. *Il est moins le quart / moins dix.* ⎫ Comme en français,
It's half past / (a) quarter past. *Il est la demie / le quart.* ⎭ on ne précise pas
It's gone eleven. *Il est onze heures passées.*　　　　　toujours le chiffre
It's just before / after eleven o'clock. *Il est un peu*　　de l'heure.
moins / plus de onze heures.
He always leaves at five o'clock sharp. *Il part toujours à six heures pile.*
My watch is five minutes slow. *Ma montre retarde de cinq minutes.*
My watch is five minutes fast. *Ma montre avance de cinq minutes.*

EXERCICES

1) Écrivez les dates suivantes en choisissant à chaque fois un format différent (imaginez que vous mettez ces dates en haut d'une lettre) :

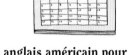

a) 20.04.2007   d) 2.2.2000

b) 14.07.1789   e) 24.12.1803

c) 1.1.1900

2) Lisez les dates à haute voix, en anglais britannique puis en anglais américain pour les quatre premières :

a) 20.04.2007   d) 2.2.2000

b) 14.07.1789   e) AD 645

c) 1.1.1900

3) Écrivez les heures en toutes lettres de deux façons différentes (en n'utilisant que les heures de 1 à 12) :

a)    b)  (a.m.)

c)  (a.m.)   d)

4) Traduisez en français :

a) It's half past twelve.

b) I wrote to you on 2nd November.

c) We booked the 10.23 to Paris.

d) You must be at the airport at 2 p.m. at the latest.

e) The baby was born on November 2nd, 2005 at 5 a.m.

5) Traduisez en anglais :

a) Nous avons rendez-vous à neuf heures. [avoir rendez-vous = *to meet*]

b) Je dois partir à cinq heures pile ce soir.

c) Je crois que ma montre avance de dix minutes.

d) Nous sommes le dix février aujourd'hui.

e) On était en décembre.

Corrigé des exercices

1 – Les articles

1) **a)** an **b)** a **c)** a **d)** an **e)** an **f)** an **g)** a **h)** a **i)** an **j)** a **k)** an **l)** an **m)** a **n)** a **o)** a **p)** an **q)** a

2) **a)** He's a well-known writer. **b)** I'm an only child. **c)** He drank half a bottle of rum. **d)** She's manager of the sales department. **e)** He's a very good maths teacher. **f)** What a wonderful idea! **g)** He'd like to work four days a week. **h)** Do you have a plastic bag? **i)** I'm sorry I don't have a watch.

3) **a)** I'm a student. **b)** I don't have a mobile phone. **c)** I go to the swimming pool three times a week. **d)** He sells second-hand books. **e)** He's a hairdresser. **f)** My parents are bakers. **g)** What a shame! **h)** Don't go out without a coat.

4) **a)** a **b)** the **c)** the **d)** a **e)** the **f)** the **g)** a **h)** the **i)** an **j)** the **k)** a

5) **a)** *pas d'article* **b)** *pas d'article* **c)** The **d)** *pas d'article + pas d'article* **e)** *pas d'article* **f)** The **g)** *pas d'article* **h)** *pas d'article* **i)** the *+ pas d'article* **j)** The **k)** the *+ pas d'article*

6) **a)** I go to school by bus. **b)** The whale is a mammal. **c)** I love peaches. **d)** The melon is not ripe. **e)** The new school is finished. **f)** He's still in hospital. **g)** We live next to a school. **h)** They're building a hospital.

2 – Les noms

1) **a)** My girlfriend plays the clarinet. **b)** I sat next to a businesswoman. **c)** She's my childhood heroine! **d)** She's wanted to be an actor *ou* an actress since she was a little girl. **e)** He married a widow. **f)** None of my female friends like playing football.

2) **a)** children **b)** criteria **c)** museums **d)** bacteria **e)** mice **f)** geese **g)** kilos **h)** women + photos **i)** mosquitoes *ou* mosquitos **j)** crises **k)** potatoes **l)** cliffs **m)** knives **n)** matches **o)** stories + witches + fairies **p)** glasses + thieves

3) **a)** It's an endangered species. **b)** I watched two series in a row. **c)** Turn right at the crossroads. **d)** All the hovercraft were late. **e)** There is a new series on TV. **f)** They have two horses and five sheep. **g)** I don't eat fish. **h)** The endangered species *ou* Engangered species are protected. **i)** I stroked the sheep. **j)** We have two goldfish. **k)** These two crossroads are very dangerous.

4) **a)** travels **b)** is **c)** is **d)** was **e)** is **f)** look **g)** are getting

5) **a)** Would you like a piece of fruit? **b)** You gave me a good piece of advice. **c)** These two pieces of furniture are very heavy. **d)** I eat lots of fruit. **e)** He didn't follow our advice. **f)** We have too much furniture. **g)** We ate lots of spaghetti in Italy. **h)** He

doesn't like spinach. **i)** Those trousers suit you very well. *ou* That pair of trousers suits you very well.

6) **a)** une tasse à thé **b)** un porte-savon **c)** une course de chevaux **d)** une tasse de thé **e)** des chaussures de ski **f)** un maillot de bain **g)** un cornet de glace **h)** un magasin de location de véhicules utilitaires **i)** une cafetière **j)** un cheval de course **k)** un magasin de chaussures **l)** un centre d'information sur la sécurité routière

7) **a)** pencil sharpener → pencil sharpeners **b)** mother-in-law → mothers-in-law **c)** lie-in → lie-ins **d)** passer-by → passers-by **e)** father-to-be → fathers-to-be

8) **a)** Mets ton pyjama. **b)** Ce pantalon est un peu trop long. **c)** Je n'ai pris que deux pantalons. **d)** Heureusement le bétail n'a pas été contaminé. **e)** Je n'ai qu'un bagage. **f)** Combien de bagages avez-vous ? **g)** Ils veulent changer les meubles. **h)** C'est une bonne nouvelle. **i)** Il a les cheveux verts.

9) **a)** a fresh loaf of bread **b)** a slice of *ou* a piece of toast **c)** a gratuitous act of violence **d)** a strand *ou* piece of spaghetti **e)** an irrefutable piece of evidence

10) **a)** Ten people are waiting in the corridor. **b)** People are strange sometimes. **c)** The crew is ready *ou* are ready. **d)** His family is always fighting *ou* are always fighting. **e)** The United States is a big country. **f)** Our team is winning *ou* are winning.

3 – Les pronoms personnels

1) **1** They **2** her **3** them **4** You **5** She **6** him **7** them **8** they **9** them **10** She **11** they **12** it **13** He **14** it **15** we **16** them **17** them

2) **a)** he **b)** it **c)** It + She **d)** She **e)** It **f)** him **g)** her

3) **a)** I'll call you tomorrow to talk about it. **b)** He expects us to work very hard. **c)** They asked us out for dinner. **d)** We gave him our address. **e)** She is much taller than me. **f)** He doesn't play the bass as well as you do. **g)** He sent us a postcard from Egypt. **h)** We invited them to my birthday party.

4) **a)** Il lui a écrit une longue lettre. **b)** Elle parle l'espagnol mieux que moi. **c)** Il voudrait que tu les rappelles *ou* que vous les rappeliez. **d)** On ne sait jamais ce qui peut arriver. **e)** Nous avons entendu quelqu'un crier. Il *ou* Elle avait l'air d'être très en colère.

5) **a)** It's snowing. **b)** It's Wednesday today. **c)** What time is it? **d)** I disagree with him! **e)** People say he's going to resign. *ou* They say he's going to resign. **f)** We had a good laugh! **g)** "Who ate all the chocolates?" – "He did!"

4 – Les possessifs

1) **a)** its **b)** her **c)** your **d)** his **e)** my **f)** our + our **g)** his **h)** their **i)** his **j)** its + its

2) **a)** mine **b)** his + mine **c)** yours **d)** theirs **e)** Hers + his **f)** ours

3) **a)** hers **b)** yours **c)** his **d)** theirs + ours **e)** mine + hers **f)** mine **g)** Theirs + ours

4) **a)** your **b)** her **c)** her **d)** his **e)** her **f)** their **g)** his

5) **a)** David broke his leg. **b)** The bird caught a worm in its beak. **c)** Simon is a friend of ours. **d)** He took off his shoes. **e)** My friends left their budgie with me. **f)** She cut her finger. **g)** She's a cousin of mine. **h)** This is Silvia's mobile phone. I'm sure it's hers. **i)** This is our suitcase, not Jim's. Ours is black, his is brown.

5 – Le génitif

1) **a)** the man's tie **b)** my friends' bikes **c)** my boss's desk **d)** Andrew's keys **e)** men's trousers **f)** my parents-in-law's house **g)** the tennis player's spectacular performance

2) **a)** my friend's house **b)** Thomas's new bike **c)** Julie's house *ou* Julie's **d)** the team's favourite song **e)** The children's French teacher **f)** the neighbours' dog

3) **a)** la nouvelle moto du copain de ma sœur **b)** les familles de Julie et de Sam **c)** la belle robe de la mariée **d)** les enfants de Paul et Silvia **e)** le prix du meilleur élève

4) **a)** the edge of the table **b)** tomorrow's meeting **c)** Sunday's race **d)** Robert's drum kit **e)** the end of the book **f)** the bike of the boy with the red jumper **g)** the garden of the house we bought in Scotland

5) **a)** She's a friend of my brother's. **b)** My sister's friends don't want to come. **c)** I fell asleep before the end of the film. **d)** She's Kate's sister's best friend. **e)** Children's clothes are on the first floor. **f)** The girls' bedrooms are very pretty. **g)** A rabbit came out of the magician's hat. **h)** I'm spending the evening at Daniel and Julie's. **i)** Where's the butcher's? **j)** Tim's and Paul's bikes are in the car.

6 – Les pronoms réfléchis et réciproques

1) **a)** yourself *ou* yourselves **b)** itself **c)** myself **d)** herself **e)** itself **f)** ourselves **g)** themselves **h)** himself

2) **a)** themselves **b)** each other **c)** herself **d)** each other **e)** each other **f)** yourselves **g)** each other **h)** one another

3) **a)** Leurs enfants n'arrêtent pas de se battre. **b)** Le thé se boit souvent avec un nuage de lait en Angleterre. **c)** Ils ne se connaissent pas. **d)** Dépêche-toi ! *ou* Dépêchez-vous ! **e)** Arrête-les, ils vont finir par se faire mal ! **f)** Nous nous sommes arrêtés pour laisser se reposer les chameaux. **g)** Ils se sont mariés l'année dernière. **h)** Chacun respecte les opinions de l'autre. **i)** Nous nous sommes perdus dans la forêt. **j)** Ils s'embrassèrent sur la joue. **k)** Il s'est enfermé dans sa chambre.

4) **a)** We always give each other birthday cards. **b)** He doesn't like himself. **c)** The ogre turned into a mouse. **d)** She expresses herself well. **e)** I can't invite them, they hate each other. **f)** He cuts his hair himself. *ou* He cuts his own hair.

7 – Les démonstratifs

1) **a)** this **b)** These **c)** Those **d)** that **e)** those **f)** that **g)** these

2) **a)** this one + that one **b)** This **c)** these (ones) + those (ones) **d)** that + This **e)** this **f)** that **g)** That

3) **a)** This summer. **b)** That house over there. **c)** This is Jennifer Jones. **d)** This one here. **e)** No thanks, that's all.

4) **a)** Ces lunettes ne me vont pas du tout, je vais essayer celles-là. **b)** Je vous présente ma sœur, Susan. **c)** Ce n'est pas si drôle que ça ! **d)** Cette sauce n'a aucun goût ! **e)** *et* **f)** Qu'est-ce que c'est (que ça) ?

5) **a)** You're not going to wear that silly hat, are you? **b)** I bought two books: this one for school and that one for myself. **c)** I'm off on holiday this afternoon. **d)** That programme annoys me, I don't watch it any more. **e)** I caught a fish this big *ou* that big! **f)** I don't like this one, give me that one over there. **g)** Those are not ripe, taste these. **h)** We like this hotel a lot, we come back every summer. **i)** We like that hotel a lot, we go back every summer.

8 – Les adjectifs et les pronoms indéfinis

1) **a)** every **b)** each **c)** both **d)** all **e)** Every **f)** Each *ou* Every **g)** both **h)** All

2) **a)** all **b)** whole **c)** all **d)** whole **e)** whole **f)** every **g)** all **h)** whole

3) **a)** She doesn't need any help. **b)** She didn't send a lot of *ou* many postcards. **c)** Your friend doesn't want anything. **d)** There's nobody at the door. *ou* There isn't anybody at the door. **e)** He hasn't put on a lot of *ou* much weight. **f)** We don't have anything to tell you. *ou* We have nothing to tell you. **g)** I didn't buy any wine for tonight.

4) **a)** another **b)** other **c)** Another **d)** other **e)** others **f)** another **g)** others

5) **a)** Both + neither **b)** None **c)** either **d)** either + both **e)** any **f)** no

6) **a)** Somebody *ou* Everybody wants to play with me. **b)** Everybody wanted to leave earlier. **c)** There's something in the fridge. **d)** Somebody *ou* Everybody knows something about it. **e)** Someone *ou* Everyone will listen to you. **f)** Something will make them change their minds.

7) **a)** enough **b)** Few **c)** a little **d)** a little **e)** a few **f)** a few **g)** little **h)** enough

8) **a)** many *ou* a lot of **b)** much **c)** a lot of *ou* lots of *ou* plenty of **d)** many *ou* a lot of *ou* lots of **e)** much

9) **a)** Elle parle plusieurs langues. **b)** Ni l'un ni l'autre n'a su me répondre. **c)** Elle a beaucoup de famille au Canada. **d)** Il n'y a pas grand-chose à faire. **e)** Il porte un anneau à chaque oreille. **f)** Ils vont en Italie tous les deux ans. **g)** Tout le village a participé. **h)** Nous sommes entrés dans chaque magasin.

10) a) She has lots of *ou* a lot of *ou* plenty of energy but not much time. **b)** Some people arrived late. **c)** I've got nothing to wear for their party. *ou* I don't have anything to wear for their party. **d)** There isn't a lot of *ou* much pasta left. **e)** Do you have another alarm clock? This one doesn't work. **f)** Neither child wanted to go to school.

9 – Les nombres

1) a) six hundred and sixty-two **b)** one *ou* a thousand and two **c)** one *ou* a hundred **d)** four hundred **e)** one *ou* a thousand five hundred and thirty-two **f)** seven thousand **g)** one *ou* a thousand four hundred and ninety-seven **h)** one *ou* a thousand and eighty-two point two six

2) a) the sixty-third **b)** the two thousand and eighth **c)** the three hundred and forty-second **d)** the five thousand two hundred and thirty-first **e)** the six hundred and eighteenth **f)** the one thousand and first

3) a) One divided by two equals *ou* is zero *ou* nought point five. **b)** Ten multiplied by sixty-four equals *ou* is six hundred and forty. *ou* Ten times sixty-four equals *ou* is six hundred and forty. **c)** Seven hundred divided by three equals *ou* is two hundred and thirty-three point three three. **d)** Ninety-nine plus two equals *ou* is one hundred and one. **e)** One thousand two hundred and thirty-one minus thirty-one equals *ou* is one thousand two hundred.

4) a) Il doit avoir la cinquantaine. **b)** Il a dépensé les deux cinquièmes de sa fortune. **c)** Il doit faire moins quarante. **d)** Le quinze août n'est pas un jour férié en Grande-Bretagne. **e)** Les petites araignées ne me font pas peur mais je n'aime pas les grosses ! **f)** « Quelles roses voulez-vous ? » – « Les blanches. »

5) a) "Which one is your cousin?" – "She's the one with the ponytail." **b)** She's won about ten medals. **c)** We lost two nil. *ou* We lost by two goals to nil. **d)** The last ten minutes were the most difficult. **e)** It's a very easy recipe: you need two peppers, three tomatoes and one aubergine. **f)** There are hundreds of cheeses. **g)** Thousands of visitors are expected for the museum's opening. **h)** I'll take a ride in a hot-air balloon one day.

10 – Les adjectifs

1) a) I'm looking for my red linen trousers. **b)** Something funny has happened to our new neighbours. **c)** She's an adorable little blond girl. **d)** Where's my favourite blue stripy T-shirt? **e)** This dark chocolate cake looks delicious! **f)** You should ask the person responsible for the new schedule. *ou* You should ask the new person responsible for the schedule.

2) a) ashamed **b)** lonely + alone **c)** shameful **d)** frightened **e)** afraid *ou* frightened

3) a) confusing **b)** worrying **c)** amusing + amused **d)** depressed + depressing **e)** confused **f)** worried

4) **a)** the rich + the poor **b)** The blind **c)** The deaf **d)** The injured **e)** The young **f)** The unemployed

5) **a)** Nous étions verts de peur. **b)** Elle m'a raconté une histoire passionnante. **c)** Elle a une superbe voiture de sport rouge. **d)** Tu dois demander aux personnes concernées. **e)** Il a construit une magnifique petite cabane en bois dans son jardin. **f)** Les éléphants ont peur des souris. **g)** Elle s'inquiète pour lui.

6) **a)** I'm looking for something red. **b)** I've bought two cotton dresses. **c)** The computer course is very interesting. **d)** This blue skirt is gorgeous. **e)** I prefer Belgian beer. **f)** They have a six-year-old boy and a two-year-old girl. **g)** I met a Pole. His mother tongue is Polish but he speaks English very well.

11 – Les comparatifs et les superlatifs

1) **a)** more distracted **b)** jollier **c)** more unaffordable **d)** uneasier *ou* more uneasy **e)** bigger **f)** whiter **g)** shyer *ou* shier **h)** cleverer *ou* more clever **i)** narrower **j)** more extravagant **k)** more spoilt **l)** harder **m)** more cautiously

2) **a)** than + as **b)** as + as **c)** as **d)** as + as + than **e)** as + as **f)** as **g)** as + as **h)** than **i)** than

3) **a)** eldest *ou* oldest **b)** better **c)** older **d)** worst **e)** oldest **f)** sunniest **g)** elder *ou* older **h)** darker

4) **a)** C'est le plus rapide des deux. **b)** Les tigres et les guépards courent vite mais ces derniers sont bien plus rapides. **c)** J'ai autant de devoirs à faire que toi. **d)** Pour tout renseignement complémentaire, veuillez appeler ce numéro. **e)** Il est de plus en plus difficile à joindre. **f)** C'est la personne la moins égocentrique que j'aie jamais rencontrée.

5) **a)** He's more scared of insects than of wild beasts. **b)** She doesn't speak English as well as you. **c)** I've ordered the same dessert as you. **d)** The more I see him, the less I want to see him. **e)** It's not as cold here as at home. **f)** I've spent twice as much money as you. **g)** We've sold as many models as last year.

12 – Les verbes

1) **a)** looked, looked **b)** happened, happened **c)** felt, felt **d)** asked, asked **e)** chose, chosen **f)** told, told **g)** thought, thought

2) decided = **to decide** ; wanted = **to want** ; wanted = **to want** ; adores = **to adore** ; told = **to tell** ; suffers = **to suffer** ; rejected = **to reject** ; hurt = **to hurt** ; walks = **to walk** ; swore = **to swear** ; found = **to find** ; gave up = **to give up** ; lacks = **to lack** ; saw = **to see** ; thought = **to think** ; is = **to be**

3) **a)** He looked very happy with his new toy. **b)** She told me he left at 5. **c)** He sang very well. **d)** He knew the answer. **e)** They played rugby together.

Corrigé des exercices

4) **a)** Son père lui a appris à jouer de la guitare électrique. **b)** Elle s'est fait une cape et un chapeau pour la soirée déguisée. **c)** Il m'a raconté son voyage en Nouvelle-Zélande. **d)** Je lui ai prêté mon vélo. **e)** Il a construit un théâtre de marionnettes pour ses enfants.

5) **a)** He took his hat off and put it on the table. **b)** I had forgotten that he was there. **c)** I saw her yesterday. **d)** She left early. **e)** I thought she was on holiday.

13 – Les auxiliaires *be, have, do*

1) **a)** Did **b)** Have **c)** Did **d)** were **e)** is **f)** does + doesn't **g)** do **h)** didn't

2) **a)** Do they have friends in New York? *ou* Have they got friends in New York? / They don't have friends in New York. *ou* They haven't got friends in New York. **b)** Does she travel a lot? / She doesn't travel a lot. **c)** Did she like the play? / She didn't like the play. **d)** Has he told his family? / He hasn't told his family. **e)** Does she do all the decorating? / She doesn't do all the decorating. **f)** Is he preparing his speech? / He isn't preparing his speech. **g)** Were they working when you left? / They weren't working when you left.

3) 1V, 2A, 3V, 4A, 5V, 6V, 7A, 8A, 9V, 10A, 11V

4) **a)** make **b)** do + does **c)** made **d)** do **e)** make **f)** made **g)** do

5) **a)** Est-ce qu'il sait faire les crêpes ? **b)** Il ne se plaint pas autant que toi. **c)** Ils ont déménagé il y a six mois. **d)** Elle a dû repartir pour Montréal. **e)** Je t'avais bien dit de faire attention ! **f)** « Est-ce qu'elle l'a fait ? » – « Oui. » **g)** Cela fait des années que nous nous connaissons.

6) **a)** There's a secret passage in the castle. **b)** There were a lot of mosquitoes by the lake. **c)** At last you've had the car repaired! **d)** I made a cake this morning. **e)** It's two kilometres from the house to the beach. **f)** Do you have a computer? *ou* Have you got a computer?

14 – Les modes, les temps et les aspects

1) **a)** to fight **b)** to leave **c)** to rehearse **d)** to drive **e)** to be **f)** to see **g)** to begin **h)** to cry **i)** to lie **j)** to fit

2) **a)** Come and see the rainbow! **b)** Let's go for a walk! **c)** Don't mention this to anybody! **d)** Let him join us! **e)** Let's not waste any time! *ou* Don't let's waste any time! **f)** Give him a call! **g)** Don't forget to post the letter!

3) **a)** I have never seen **b)** she were *ou* was **c)** What are you doing + I'm packing + I'm going **d)** He leaves **e)** We have known + we were **f)** I was chopping + I cut **g)** She has been working **h)** He doesn't like **i)** I had just finished + he suggested

not surprised (that) he doesn't want to come. **e)** I'll see him before he goes. **f)** We can't do anything until she comes back. **g)** I'm delighted (that) you like it.

22 – Les structures verbales

1) **a)** I still have to send it to her. **b)** I read it to them. **c)** I brought some back for him. **d)** They bought it for him for his birthday. **e)** She sold it to them.

2) **a)** I brought his mum a present. *ou* I brought a present for his mum. **b)** She taught me Russian. *ou* She taught Russian to me. **c)** He owes the Inland Revenue a lot of money. *ou* He owes a lot of money to the Inland Revenue. **d)** He cooked us a delicious meal. *ou* He cooked a delicious meal for us. **e)** I booked you a double room. *ou* I booked a double room for you.

3) **1c, 2a** *ou* **c, 3b** *ou* **c, 4c, 5a** *ou* **b, 6b** *ou* **d**

4) **a)** them **b)** it **c)** her **d)** him **e)** it

5) **a)** Elle a fait un costume de corsaire à sa fille. **b)** Martha m'a demandé de ne rien dire. **c)** Est-ce que vous les avez vus partir ? **d)** Les enfants ont fait un cadeau à leur professeur. **e)** Nous avons donné du fromage au chat mais ça ne lui a pas plu. **f)** Elle s'est fait enlever son tatouage.

6) **a)** I gave him a teepee for his birthday. **b)** She showed them to us. **c)** She wrote me a long letter. *ou* She wrote a long letter to me. **d)** I've just received their invitation. They sent it to us last week. **e)** I got stung by a bee. **f)** She had her mobile stolen. **g)** What made you change your mind?

23 – La structure de la phrase

1) **a)** What did you do on your day off? **b)** Didn't you say you wanted to take up gardening? **c)** Have they given you an answer yet? **d)** How difficult he must be to live with! **e)** I don't think I've ever seen anything like that! **f)** I asked her if she wanted to join us.

2) **a)** I didn't see John yesterday. **b)** We don't accept credit cards. **c)** You shouldn't go. **d)** The children weren't playing in the garden. **e)** He doesn't sing in a choir. **f)** There isn't anything to say.

3) **a)** How **b)** When **c)** Why **d)** How **e)** Where **f)** What **g)** Which **h)** How **i)** Who **j)** Whose **k)** How

4) **a)** so **b)** What **c)** such **d)** What **e)** How **f)** so **g)** such

5) **a)** Do you know how to change a tyre? **b)** Should we ask them what they think? **c)** Were you pleased to see your cousins? **d)** Did Helen and Sophie organize everything? **e)** Have you ever been to San Francisco? **f)** Is Sarah learning Chinese?

6) **a)** Je n'aurais jamais pensé que cela arriverait. **b)** S'il était arrivé à l'heure, il n'aurait pas raté son train. **c)** Depuis quand travaille-t-il avec toi ? **d)** J'étais loin de me douter qu'il le prendrait si mal. **e)** Qu'est-ce que c'est que ce machin ? **f)** Depuis combien de temps les connais-tu ?

7) **a)** Who were you talking to? *ou, beaucoup plus rare*, To whom were you talking? **b)** Whose are these shoes? *ou* Whose shoes are these? **c)** I've got coffee or tea, which would you like? **d)** He asked her when she was leaving. **e)** How funny it was! *ou* It was so funny! **f)** What kind of hat would you like?

24 – Les *question tags* et les réponses elliptiques

1) **a)** don't we? **b)** are they? **c)** didn't she? **d)** won't you? **e)** haven't you? **f)** would you? **g)** isn't she? **h)** wouldn't you? **i)** will you?

2) **a)** You didn't see John yesterday, did you? **b)** Nobody agrees, do they? **c)** You haven't cleaned the bathroom, have you? **d)** You couldn't leave earlier, could you? **e)** You won't manage by yourself, will you?

3) **a)** Yes, I do. *ou* Yes, we do. / No, I don't. *ou* No, we don't. **b)** Yes, I will. *ou* Yes, we will. / No, I won't. *ou* No, we won't. **c)** Yes, he did. / No, he didn't. **d)** Yes, they have. / No, they haven't. **e)** Yes, she is. / No, she isn't.

4) 1c, 2e, 3a, 4f, 5b, 6d

5) **a)** Je devrais les prévenir, non ? **b)** Ils ne vont pas laisser tomber maintenant, hein ? **c)** C'est pas facile, pas vrai ? **d)** Alors comme ça, tu crois qu'ils nous ont tout dit, hein ? **e)** Tu la connais bien, n'est-ce pas ? **f)** Nous n'avions pas d'allumettes et eux non plus. **g)** Je n'aurai pas le temps et lui non plus. **h)** « Pourquoi tu ne lui demandes pas de venir avec nous ? » – « Il ne veut pas. »

6) **a)** These tickets are expensive, aren't they? **b)** You won't forget, will you? **c)** It was funny, wasn't it? **d)** Show me what to do, will you? **e)** Let's start again from the beginning, shall we? **f)** "Is it nearly finished?" – "I think so." **g)** "He doesn't drink milk." – "Neither do I." *ou* "Nor do I." *ou* "I don't either." **h)** "I'd prefer to go by train." – "So would I." *ou* "I would too." *ou* "Me too." **i)** "Who gave you that?" – "He did!"

25 – Les propositions subordonnées

1) **a)** Jennifer Sanchez, who was in Tokyo last week, travels all over the world. **b)** The Minister, whom I met in Westminster last month, is not very popular at the moment. **c)** The pupils whose mobiles were confiscated have to go and see the headmaster. **d)** The bus that goes to Brighton takes hours. **e)** The colleague Ø I told you about has bought a new car. **f)** This painting by Picasso, which is carefully guarded, is worth a fortune.

2) **a)** what **b)** which **c)** What **d)** what **e)** which

3) **1d, 2d, 3c, 4d, 5a**

4) **a)** doesn't get **b)** would have got up **c)** didn't work **d)** will scream **e)** had been
f) won

5) **a)** Voilà l'ami dont je parlais. **b)** Il n'arrive pas à oublier le jour où il a vu le fan-
tôme. **c)** Si j'avais su, je ne serais pas venu. **d)** Elle s'est fait teindre les cheveux
en rouge ! **e)** Leur fils, dont la copine est pianiste, travaille dans le marketing.
f) Je préférerais qu'ils viennent dimanche.

6) **a)** I didn't say anything so as not to worry them. **b)** Bring me back some whisky
when you go to Scotland! **c)** If prices should go down, consumers would be
delighted. *ou* Should prices go down, consumers would be delighted. *ou* If prices
ever went down, consumers would be delighted. **d)** He had to smoke outside so
as not to bother the other guests. **e)** Unless we run, we're going to miss the bus.
f) You can come, providing there's room in the car.

26 – Le discours direct et indirect

1) **a)** (that) he would stop smoking the following week *ou* the week after. **b)** if she
could use my dictionary *ou* his/her dictionary. **c)** (that) they had been lazing on
the beach that morning. **d)** not to wait for them there. **e)** (that) they might want
her to work overtime that day. **f)** (that) he hadn't paid for her ticket. **g)** (that) the
treasure had been found three years before *ou* three years earlier.

2) **a)** Andy suggested (that) they went canoeing the next day *ou* the following day.
b) Sally asked if they couldn't do something more relaxing. **c)** He insisted (that)
canoeing wasn't very strenuous. **d)** She agreed and said (that) she would be at
his place at 10. **e)** He thought (that) that was a late start and asked her to make
it 9 instead. **f)** She exclaimed that he was very enthusiastic and asked if there was
anything he wanted her to bring. **g)** He told her just to bring herself, (that) that
would be enough.

3) **a)** L'inspecteur de police demanda à Monsieur Angus quand il avait vu la victime
pour la dernière fois. **b)** Il répondit que cela devait être *ou* devait remonter à trois
jours avant Noël. **c)** Il voulut ensuite savoir ce qu'il avait fait la nuit précédente
ou la nuit d'avant. **d)** Le suspect dit qu'il ne s'en souvenait pas. **e)** L'inspecteur
lui demanda alors de se lever et de vider ses poches. **f)** Mais Monsieur Angus se
précipita vers la porte en criant qu'ils ne l'attraperaient jamais.

4) **a)** "When did you see the victim for the last time?" **b)** "It must have been three
days before Christmas." **c)** "I'd like to know what you did the night before." *ou*
What did you do the night before?" **d)** "I can't remember." **e)** "Well then, stand up
and empty your pockets." **f)** "You'll never catch me!"

5) **a)** Susan wondered if *ou* whether her friend would arrive on time. **b)** Ken arrived
and asked her where the safe was. **c)** She told him (that) he should know. **d)** He

admitted (that) he had never seen that house before that evening *ou* that night.
e) She exclaimed that he must be crazy. **f)** He answered that she should have
thought before choosing him.

6) **a)** "I wonder if he'll arrive on time." **b)** "Where's the safe?" **c)** "You should know!"
d) "I've never seen this house before this evening *ou* tonight." **e)** "You must be
crazy!" **f)** "You should have thought before choosing me!"

27 – L'expression de la durée : *for, since* et *ago*

1) **a)** for **b)** since **c)** while **d)** ago **e)** since **f)** during **g)** since **h)** since **i)** for **j)** during
k) for

2) **1b, 2c, 3a** *ou* **b, 4d**

3) **1e, 2c, 3d, 4b, 5f, 6a**

4) **a)** J'attends depuis une heure. *ou* Ça fait une heure que j'attends. **b)** J'attends
depuis 19 heures. **c)** Cela faisait longtemps qu'il espérait retourner en Nouvelle-
Zélande. **d)** Nous avons refait l'appartement pendant que les enfants étaient en
vacances. **e)** C'était il y a longtemps. **f)** Ça fait combien de temps que vous prenez
des cours de danse ? *ou* Depuis combien de temps prenez-vous des cours de
danse ?

5) **a)** He's been singing *ou* He's sung in a choir for two years. **b)** I've been living *ou*
I've lived in New York for ten years. **c)** I went swimming during my lunch hour.
d) She's been playing *ou* She's played the saxophone since she was ten. **e)** We had
been trying to get hold of him for hours when he eventually turned up.

28 – La date et l'heure

1) Par exemple : **a)** 20th April 2007 **b)** July 14th, 1789 **c)** January 1, 1900 **d)** 2 February, 2000 **e)** 24 December 1803

2) **a)** (*Br*) the twentieth of April *ou* April the twentieth, two thousand and seven ;
(*Am*) April twentieth, two thousand and seven **b)** (*Br*) the fourteenth of July *ou*
July the fourteenth, seventeen eighty-nine ; (*Am*) July fourteenth, seventeen
eighty-nine **c)** (*Br*) the first of January *ou* January the first, nineteen hundred ;
(*Am*) January first, nineteen hundred **d)** (*Br*) the second of February *ou* February the second, two thousand ; (*Am*) February second, two thousand **e)** AD
six hundred and forty-five

3) **a)** two minutes to ten (in the evening *ou* p.m.) *ou* ten fifty-eight (p.m.) **b)** nine
twenty (a.m.) *ou* twenty past nine (in the morning) **c)** eight forty five (a.m.) *ou*
(a) quarter to eight (in the morning) **d)** six (o'clock) (in the afternoon) *ou* six
(p.m.)

4) **a)** Il est midi *ou* minuit et demi. **b)** Je vous ai écrit le 2 novembre. **c)** Nous avons réservé le train de 10h23 pour Paris. **d)** Vous devez être à l'aéroport au plus tard à 14h. **e)** Le bébé est né le 2 novembre 2005 à 5h du matin.

5) **a)** *le matin* : We're meeting at nine (in the morning.) *ou* We're meeting at nine a.m. ; *le soir* : We're meeting at nine (in the evening.) *ou* We're meeting at nine p.m. **b)** Tonight, I have to leave *ou* I must leave at five sharp. **c)** I think my watch is ten minutes fast. **d)** Today is the tenth of February. **e)** It was December.

Index

Index

Index

Index

Index

Index

Index